VIRE O JOGO!

VIRE O JOGO!

O QUE VISIONÁRIOS FAZEM PARA VENCER NA VIDA

DAVE ASPREY

Tradução
Edmundo Barreiros

HarperCollins

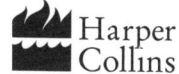

Rio de Janeiro, 2019

Título original: *Game Changers: What Leaders, Innovators, and Mavericks Do to Win at Life*
Copyright © 2018 by Dave Asprey
All rights reserved.
Todos os direitos desta publicação são reservados à Casa dos Livros Editora LTDA.

Nenhuma parte desta obra pode ser apropriada e estocada em sistema de banco de dados ou processo similar, em qualquer forma ou meio, seja eletrônico, de fotocópia, gravação etc., sem a permissão do detentor do copyright.

Diretora editorial: *Raquel Cozer*
Gerente editorial: *Alice Mello*
Editor: *Ulisses Teixeira*
Copidesque: *Ana Paula Martini*
Preparação de original: *Carol Vaz*
Revisão: *Thaís Carvas*
Design de capa: *Sarahmay Wilkinson*
Ilustração de capa: © *Curly Pat/ Shutterstock*
Adaptação de capa: *Osmane Garcia Filho*
Diagramação: *Abreu's System*

```
             CIP-Brasil. Catalogação na Publicação
            Sindicato Nacional dos Editores de Livros, RJ

  A86v
         Asprey, Dave, 1973-
            Vire o jogo! / Dave Asprey ; tradução Edmundo Barrei-
         ros. - 1. ed. - Rio de Janeiro : Harper Collins, 2019.
            352 p.

            Tradução de: Game changers
            ISBN 9788595085169

            1. Autoconsciência. 2. Autorrealização. 3. Sucesso. I.
         Barreiros, Edmundo. II. Título.
         19-57235                     CDD: 158.1
                                      CDU: 159.923.2
```

Vanessa Mafra Xavier Salgado - Bibliotecária - CRB-7/6644

Os pontos de vista desta obra são de responsabilidade de seu autor, não refletindo necessariamente a posição da HarperCollins Brasil, da HarperCollins Publishers ou de sua equipe editorial.

HarperCollins Brasil é uma marca licenciada à Casa dos Livros Editora LTDA.
Todos os direitos reservados à Casa dos Livros Editora LTDA.
Rua da Quitanda, 86, sala 218 — Centro
Rio de Janeiro, RJ — CEP 20091-005
Tel.: (21) 3175-1030
www.harpercollins.com.br

Para Bill Harris, um dos hackers de cérebro mais caridosos e com maior capacidade de virar o jogo que tive a honra de chamar de amigo, e que faleceu enquanto eu escrevia este livro.

SUMÁRIO

INTRODUÇÃO 9

PARTE I: MAIS INTELIGENTE

① CONCENTRAR-SE EM SUAS FRAQUEZAS VAI APENAS TORNÁ-LO MAIS FRACO 21
② ADQUIRA O HÁBITO DE FICAR MAIS INTELIGENTE 44
③ SAIA DA PRÓPRIA CABEÇA PARA PODER ENXERGAR DENTRO DELA 65
④ DETENHA O MEDO 97
⑤ ATÉ O BATMAN TEM UMA BATCAVERNA 119

PARTE II: MAIS RÁPIDO

⑥ O SEXO É UM ESTADO ALTERADO 137
⑦ ENCONTRE SEU ESPÍRITO ANIMAL NOTURNO 158
⑧ ATIRE UMA PEDRA NO COELHO, NÃO CORRA ATRÁS DELE 178
⑨ VOCÊ É O QUE VOCÊ COME 195
⑩ O FUTURO DE HACKEAR A SI MESMO É AGORA 221

PARTE III: MAIS FELIZ

- ⑪ FICAR RICO NÃO VAI DEIXÁ-LO FELIZ, MAS SER FELIZ PODE DEIXÁ-LO RICO 243
- ⑫ SUA COMUNIDADE É SEU AMBIENTE. 259
- ⑬ REINICIE SUA PROGRAMAÇÃO 274
- ⑭ SUJE-SE SOB O SOL 291
- ⑮ USE A GRATIDÃO PARA REPROGRAMAR SEU CÉREBRO 308

    CONCLUSÃO. 329
    AGRADECIMENTOS. 333
    NOTAS 337
    SOBRE O AUTOR. 349

INTRODUÇÃO

O que aconteceria se você tivesse a oportunidade de se sentar frente a frente com 450 pessoas bem-sucedidas e excepcionais e perguntasse a cada uma delas qual é o segredo para alcançar um melhor desempenho como ser humano com base na própria experiência de vida – e depois analisasse estatisticamente suas respostas e organizasse o que aprendeu?

Em primeiro lugar, você poderia usar o resultado para criar um mapa-múndi como este abaixo. Quanto maior a palavra, mais vezes os especialistas disseram que ela representava o fator mais importante.

Durante os últimos cinco anos, eu conversei sobre esse assunto com pessoas de destaque em suas áreas de atuação, e este livro é baseado nessas entrevistas e informações.

Tudo começou quando lancei meu podcast, *Bulletproof Radio* [Rádio à prova de bala], com o objetivo de aprender com pessoas que haviam alcançado a maestria em suas respectivas áreas – em geral áreas nas quais elas mesmas tinham sido pioneiras. Desde então, isso evoluiu para um podcast premiado, que frequentemente é classificado como um dos que têm melhor desempenho em sua categoria no iTunes, com cerca de 75 milhões de downloads. Meu interesse em entrevistar esses especialistas nasceu a partir de minha cruzada pessoal de dezenove anos e milhões de dólares para me aperfeiçoar usando todas as ferramentas possíveis. Essa viagem me levou de empresas antienvelhecimento no mundo inteiro a escritórios de neurocientistas, a mosteiros remotos no Tibete e, também, ao Vale do Silício. Não deixei passar nada em minha missão obsessiva de descobrir as coisas mais simples e eficazes que poderia fazer para me tornar melhor em tudo.

Obviamente, precisei de ajuda.

Por isso, procurei conselhos de cientistas independentes, atletas de nível internacional, bioquímicos, médicos inovadores, xamãs, nutricionistas olímpicos, gurus, SEALs da marinha, líderes em desenvolvimento pessoal e qualquer pessoa com uma habilidade ou conhecimento incomum com a qual eu pudesse aprender. Essas pessoas mudaram minha vida. Usando a sabedoria acumulada de cada uma delas, aliada à minha própria pesquisa e autoexperimentação infinita, eu finalmente consegui perder os cinquenta quilos extras que me atormentaram durante décadas. Meu cérebro desanuviou, assim como meu QI. Adquiri um tanquinho pela primeira vez na vida – depois dos quarenta anos. Aprendi a me concentrar. Livrei-me do medo, da vergonha e da raiva que estavam escondidos (pelo menos de mim) e desacelerei. Fiquei mais jovem. Criei uma empresa multimilionária do nada enquanto escrevia simultaneamente dois livros que entraram na lista de mais vendidos do *New York Times* e era um marido e pai de duas crianças bom e amoroso.

E aprendi a fazer isso tudo me exercitando menos do que quando estava gordo, dormindo menos horas, mas com mais eficiência, caprichando na manteiga ao comer meus legumes e, pela primeira vez, desfrutando da vida de uma maneira que até então era invisível para mim. Alcancei um nível de desempenho do qual não sabia ser capaz, e fazer coisas grandes e desafiadoras na verdade se tornou mais fácil do que fazer as coisas menores com as quais eu antes me debatia.

Quando iniciei esse caminho de autoaperfeiçoamento, já tinha uma carreira de sucesso, mas ela veio com uma carga enorme de esforço e sofrimento – maior do que eu tinha coragem de admitir. Eu não fazia ideia de quanto podia evoluir até que, aos poucos, comecei a experimentar o estado de alto desempenho que se tornou o nome de minha empresa: Bulletproof [à prova de bala]. Isso acontece quando você assume o controle de sua biologia e melhora seu corpo e sua mente para que trabalhem em uníssono, ajudando-os a atuar em níveis muito além do que você esperaria – sem se esgotar, ficar doente, ou agir como um idiota estressado.

Antes levava-se uma vida inteira para encontrar satisfação e realizar nossa paixão. Mas agora que temos o conhecimento para reprogramar o cérebro e o corpo, esse tipo de mudança radical está disponível para todos nós, e novas tecnologias proporcionam a habilidade de ver os resultados mais rápido que nunca. É absolutamente incrível – tão incrível que me sinto obrigado a compartilhar um pouco do que aprendi.

Comecei meu blog em 2010, com a ideia de que, se ao menos alguém tivesse me dito todas essas coisas quando eu tinha dezesseis, vinte ou mesmo trinta anos, isso teria me poupado anos de esforço, centenas de milhares de dólares e muito sofrimento desnecessário. Eu realmente acreditava que, se apenas cinco pessoas o lessem e experimentassem o tipo de resultado que eu tinha, isso compensaria o esforço. Ainda acredito nisso. Na verdade, o desejo de oferecer às pessoas as ferramentas que mudaram minha vida é a força motriz por trás da minha empresa, e especialmente do *Bulletproof Radio*.

Nessa busca, tive o prazer único de entrevistar quase quinhentas pessoas cujas descobertas e inovações deixaram sua marca na história, enquanto centenas de milhares de ouvintes escutavam nossas conversas. Você pode ter ouvido falar de alguns desses especialistas, como Jack Canfield, autor do livro de autoajuda *Canja de galinha para a alma*; Tim Ferriss, autor de *4 horas para o corpo*; Arianna Huffington, autora de *A terceira medida do sucesso*; e John Gray, conhecido por *Homens são de Marte, mulheres são de Vênus*. Mas a grande maioria de meus convidados não são nomes renomados. São pesquisadores universitários que encabeçaram novas áreas de estudo, cientistas independentes que realizaram experimentos incríveis em seus laboratórios, visionários que descobriram novos campos da psicologia, médicos que curaram o incurável, autores, artistas e lideranças empresariais que puseram milhares de horas de experiência em livros que mudaram a forma como entendemos o que significa ser humano.

Esses especialistas não estão apenas superando suas áreas de conhecimento, mas frequentemente também ultrapassam as barreiras do que é possível. São pessoas que viram o jogo e reescrevem as regras, estendendo os limites e ajudando a mudar o mundo para o resto de nós. Foi uma honra rara falar diretamente com tantos desses criadores e aprender sobre suas ideias e descobertas. Como pode imaginar, é incrivelmente satisfatório passar uma hora aprendendo sobre a obra da vida de uma pessoa capaz de virar o jogo. Mas o verdadeiro tesouro está no fim de cada entrevista, quando pergunto a eles como conseguiram alcançar os altos níveis de desempenho que lhes permitiram conquistar tanto. A pergunta não é *o que* eles conquistaram nem *como* eles conquistaram, mas quais foram as *coisas mais importantes* que impulsionaram suas conquistas.

Eu fiz a mesma pergunta para todos os convidados: Se alguém o procurasse amanhã em busca de um desempenho melhor como ser humano, quais os três principais conselhos que você daria, com base em sua própria experiência de vida? O enunciado era intencional, perguntando sobre o desempenho humano em vez de apenas "desempenho", porque somos todos humanos, e todos temos objetivos e definições de sucesso diferentes. Você pode ter um desempenho melhor como pai, como artista, como professor, como mediador, como amante, como cientista, como amigo ou como empresário. E eu queria saber o que esses especialistas achavam que importava mais com base na *própria experiência de vida*, não apenas em suas áreas de estudo. Eu não tinha ideia do que deveria esperar.

Dizer que suas respostas foram esclarecedoras seria um eufemismo tremendo. Sim, algumas foram chocantes. Outras, previsíveis. Mas o verdadeiro valor surgiu quando eu já tinha acumulado uma amostragem de tamanho suficiente (mais de 450 entrevistas) para fazer uma análise estatística. Afinal, é fácil perguntar a uma pessoa de sucesso o que ela faz e tentar copiar isso. Mas as chances de uma ferramenta ou o truque favorito de uma pessoa funcionarem para você não são muito altas, porque você não é essa pessoa. Seu DNA é diferente. Você cresceu em uma família diferente. Suas lutas não são as mesmas. Seus pontos fortes não são os mesmos. Depois de perguntar a centenas de pessoas que viraram o jogo o que mais importava para seu sucesso, entretanto, havia uma quantidade incrível de informação, e percebi o surgimento de certos padrões. Quando examinados estatisticamente, esses padrões revelaram um caminho que lhe oferece uma chance muito melhor de conseguir o que quer.

Minhas análises revelaram que a maior parte dos conselhos caía em uma das três categorias: coisas que lhe deixam *mais inteligente*, coisas que lhe deixam *mais rápido* e coisas que lhe deixam *mais feliz*. Esses inovadores conseguiram alcançar o sucesso porque também priorizaram desenvolver suas habilidades.

Mas o que essas pessoas de alto desempenho *não* disseram foi tão revelador quanto o que disseram. Suas respostas foram unanimemente mais focadas nas coisas que lhes permitiram contribuir significativamente com o mundo do que naquilo que podia ajudá-los a chegar a qualquer definição típica de sucesso. Meu time de convidados inclui homens de negócios, empresários e CEOs importantes, mas *ninguém* mencionou dinheiro, poder ou aparência física como chave do sucesso. Ainda assim, a maioria de nós passa a vida inteira lutando para obter essas três coisas. Então, qual é o problema?

Se você leu meu livro *Head Strong*, sabe que nossos neurônios são feitos de mitocôndrias, um tipo de organela que produz energia. As mitocôndrias são únicas porque, diferentemente das outras organelas, vêm de bactérias antigas e chegam aos bilhões. Nossas mitocôndrias são primitivas. Seu objetivo é simples: mantê-lo vivo para que você possa propagar a espécie. Elas, portanto, sequestram seu sistema nervoso para mantê-lo inconscientemente focado em três comportamentos comuns a todas as formas de vida, inteligentes ou não. Eu os chamo de os "três F's": fobia (fugir, se esconder ou enfrentar coisas assustadoras que ameacem sua sobrevivência), fome (comer tudo o que está à vista para não morrer de fome e se entregar rapidamente ao medo) e foder, que propaga a espécie.

Afinal de contas, um tigre pode matá-lo imediatamente. A fome pode matá-lo em um ou dois meses. E não se reproduzir mata uma espécie em uma geração. Nossas mitocôndrias estão no comando de nosso painel de controle neurológico – são elas que apertam os botões quando você recua de um desafio, come demais ou passa muito tempo tentando obter a atenção ou a admiração dos outros. Somos programados para lidar com essas necessidades automaticamente antes que possamos parar para pensar no que realmente traz sucesso e felicidade, e elas vão tirá-lo incessantemente de seu caminho se você não souber administrá-las bem.

Pensando dessa forma, é um pouco triste que nossas definições típicas de sucesso representem esses três comportamentos de nível bacteriano. O poder e a força garantem algum nível de segurança, de modo que você não precise correr nem enfrentar coisas assustadoras. O dinheiro garante fartura. E ser fisicamente atraente significa que tem mais chances de atrair um parceiro e se reproduzir.

Poder, dinheiro e sexo. A maioria de nós passa a vida em busca dessas três coisas sob o comando de nossas mitocôndrias. Por ser uma organela celular relativamente simples e burra, uma única mitocôndria é pequena demais para ter cérebro, mas mesmo assim ela segue essas três regras milhões de vezes por segundo. Quando um quatrilhão de mitocôndrias seguem simultaneamente essas regras, surge um sistema complexo com uma consciência própria. Ao longo da história, as pessoas deram nomes diferentes a essa consciência. Aquele com o qual você provavelmente está mais familiarizado é o ego. Eu acredito que seu ego seja na verdade um fenômeno biológico derivado de seus instintos primitivos por manter seu corpo vivo por tempo suficiente para se reproduzir. Deprimente! A boa notícia é que essas mitocôndrias também impulsionam todos os seus pensamentos mais elevados e tudo o que você faz quando alcança mais sucesso. Elas são burras, mas úteis.

As pessoas que conseguiram virar o jogo não se concentram nesses objetivos determinados pelo ego, mas administram a energia proveniente das mitocôndrias. Esses indivíduos conseguiram transcender e conduzir seus instintos básicos de modo que podem sempre aparecer e se concentrar em fazer a diferença para si e o resto da humanidade. É daí que vêm, no fim das contas, a verdadeira felicidade e realização – e o sucesso.

Experimentei essa mudança em minha vida como resultado de minha jornada para me tornar "à prova de bala". Como um cara jovem e gordo, secretamente medroso, mas ainda assim inteligente e bem-sucedido, passei anos lutando contra esses instintos – lutando para ganhar dinheiro, buscando poder para ficar seguro, procurando sexo, lutando contra meu peso e, honestamente, vivendo com raiva e infeliz. Usando muitas das técnicas deste livro, finalmente consegui parar de desperdiçar energia nos imperativos das mitocôndrias e comecei a dedicá-la às coisas que realmente importavam. E vi que, quando você consegue fazer isso, o sucesso vem como efeito colateral de botar o ego de lado e perseguir seu verdadeiro propósito.

Esse propósito é único para cada pessoa. Este livro não vai lhe dizer o que fazer. Em vez disso, meu objetivo é fornecer um mapa para ajudá-lo a determinar suas prioridades e, em seguida, as técnicas que serão perceptivelmente eficazes para torná-lo mais bem-sucedido em qualquer coisa que você ame. Essa ordem é importante. Se você tentar implementar ferramentas e técnicas antes de determinar suas prioridades, você vai fazer isso de maneira errada. Mas estudar as prioridades das pessoas que viram o jogo, identificar suas próprias prioridades e, em seguida, escolher entre as diversas opções ao longo do livro vai ajudá-lo a fazer a diferença nas áreas que mais importam.

Para simplificar, você vai encontrar essas opções divididas em leis que resumem os conselhos mais importantes de meus convidados de alto desempenho, concentrados e destilados, junto com algumas dicas que você pode implementar caso se identifique. Esse estilo e estrutura foram inspirados em *As 48 leis do poder*, de Robert Greene, um dos luminares que entrevistei e cujos livros fizeram uma diferença enorme para milhões de pessoas, e para mim também. Essas leis se encaixam em três categorias principais, que são as áreas nas quais se concentrar quando você quer transcender seus limites e aprender a gostar de sua vida ao funcionar com o máximo desempenho: ficar mais inteligente, mais rápido e mais feliz.

Mais inteligente vem primeiro porque todo o resto é mais fácil quando seu cérebro alcança o ápice de seu desempenho. Há apenas uma década, a maioria das pessoas acreditava que na verdade você não poderia ficar mais inteligente. Se você falasse sobre tomar nootrópicos – também conhecidos como "drogas inteligentes" – ou melhorar sua memória, as pessoas achariam que você estava louco. Confie em mim, eu sei do que estou falando. Eu incluí meu uso de drogas inteligentes em meu perfil no LinkedIn ainda no ano 2000, e as pessoas literalmente riram da minha cara. Mas os tempos mudaram, e agora é quase uma tendência falar sobre o uso de microdoses de LSD para melhoria cognitiva. Se você decide experimentar produtos farmacêuticos ou aprimorar sua mente com técnicas de visualização, não há nenhum problema em querer aumentar o poder de seu cérebro para obter seu melhor desempenho. Isso vai liberar energia para fazer outras coisas que lhe interessam. Esta parte do livro vai lhe mostrar como.

Em seguida vem *mais rápido*, um objetivo almejado pelos humanos desde o princípio dos tempos. Centenas de milhares de anos atrás, se você pudesse acender uma fogueira em sua caverna com rapidez, você venceria porque sobreviveria, e desde então nós não paramos de trabalhar para sermos cada vez mais ágeis. As leis nessa parte do livro vão ajudá-lo a tornar seu corpo mais eficiente para que você tenha a maior quantidade possível de energia mental e física para alcançar seus objetivos. É difícil virar o jogo quando se é lento e fraco, mas quando você maximiza sua resposta física usando todas as ferramentas à disposição, pode fazer coisas que jamais imaginou ser capaz.

Só depois de obter algum controle sobre sua mente e seu corpo você pode se tornar *mais feliz*, e por isso essa é a última seção. Foi incrível descobrir como muitas pessoas que viraram o jogo tinham algum tipo de prática para ajudá-las a serem mais conscientes, centradas e embasadas, e como essas práticas levavam a um nível mais elevado de felicidade. Em grandes números, elas falaram sobre meditação e o uso de técnicas de respiração para encontrar um estado de paz e calma. Eu não extraí isso delas nas entrevistas – é o que elas realmente fazem.

Lembre-se de que essas pessoas poderiam ter respondido à pergunta dizendo literalmente qualquer coisa. Uma pessoa disse que enemas de café eram uma das coisas mais importantes! Ainda assim, a maioria citava uma dessas práticas antigas para ajudá-los a encontrar a verdadeira felicidade. Não tenho dúvida de que essas práticas também tiveram um papel fundamental para o sucesso dessas pessoas que viraram o jogo. Aqueles que estão fazendo a diferença priorizam sua própria paz e felicidade porque sabem que, no fim das contas, não importa o quanto você é inteligente ou rápido; se você estiver infeliz, está destinado à mediocridade. É por isso que a felicidade tem um papel tão importante neste livro.

Claro, todas as seções e todas as leis neste livro estão interligadas. Se você seguir uma delas para se tornar mais rápido, por exemplo, também vai obter mais energia para se concentrar no trabalho e vai se sentir mais feliz, porque a vida é menos difícil quando você é rápido. Da mesma forma, se praticar exercícios respiratórios que aumentam a quantidade de oxigênio fluindo para seu cérebro e seus músculos, vai se recuperar do estresse mental e físico mais rapidamente. Isso vai mudar a maneira como você sente e experimenta o mundo e torná-lo mais feliz.

Em última análise, ao mudar o ambiente por dentro e por fora, você pode finalmente obter o controle de sua biologia, em vez de ser puxado de um lado para o outro por seus instintos básicos. Sua biologia é tudo – seu corpo, sua mente e até seu espírito. Essa é a definição essencial de biohacking, e, na verdade, professores, cientistas e monges budistas estavam fazendo isso muito antes de eu definir o termo e criar um movimento ao redor dele. Para se tornar o melhor humano possível, você tem a responsabilidade de projetar seu ambiente para estar no controle. *Vire o jogo!* vai lhe dar 46 "leis" revolucionárias sobre onde começar. Cada entrevista que faço leva cerca de 48 horas de preparação. Portanto, são 3.600 horas de estudo, ao multiplicá-las pelas 450 entrevistas destiladas nas leis deste livro, ou cerca de dois anos trabalhando em tempo integral.

Gostaria de ter tido acesso às informações aqui contidas (e de ter sido inteligente o bastante para ouvi-las) vinte anos atrás, quando estava infeliz, gordo e lento, e a vida era uma luta constante, porque eu estava buscando as coisas erradas e me perguntando por que não ficava feliz quando as alcançava. Isso teria me poupado centenas de milhares de dólares e anos de esforço desperdiçado. Ainda assim, sou grato por tudo nessa luta, porque, do contrário, não conseguiria compartilhar com você o que aprendi nesse caminho.

Agora você tem a oportunidade de passar isso adiante. A sabedoria nestas páginas representa centenas de milhares de horas de estudos, experimentos e resultados de homens e mulheres. Aqui você vai encontrar o que ninguém ensinou na escola, os verdadeiros segredos diretamente das pessoas que alcançaram o sucesso nas áreas em que se especializaram. Como sua vida seria se você fosse um pouco mais inteligente, rápido e feliz? Você ganharia o poder não apenas de mudar a própria vida, mas de fazer a diferença para o resto do mundo. Quanto mais de nós fizermos isso, mais de nós poderemos redefinir o que significa ser humano. Eu o convido a se juntar a mim nessa virada definitiva de jogo.

PARTE I

MAIS INTELIGENTE

1
CONCENTRAR-SE EM SUAS FRAQUEZAS VAI APENAS TORNÁ-LO MAIS FRACO

Quando você pensa em energia em relação à biologia, provavelmente a imagina como o combustível que utiliza para realizar tarefas físicas. Suas pernas usam energia para correr, seus braços usam energia para levantar pesos. Mas você pode se surpreender ao saber que o cérebro na verdade gasta mais energia por quilo que basicamente qualquer outra parte do corpo. Seu cérebro precisa de muita energia para pensar, se concentrar, tomar decisões, e geralmente arrasa naquilo em que você concentra sua mente.

Como aprendi durante as pesquisas para meu último livro, *Head Strong*, há muitas maneiras de fornecer mais energia para o cérebro. Mas, de longe, a maneira mais fácil é simplesmente parar de desperdiçar a energia cerebral que você já tem e reservá-la para coisas mais importantes. Isso se resume à priorização: concentrar essa energia em tarefas de alto impacto que você ama e se livrar daquelas que o esgotam, não importa quais sejam; em outras palavras, remover as coisas que o deixam fraco e acrescentar as coisas que vão deixá-lo forte. Algumas dessas coisas são biológicas, mas muitas estão baseadas em suas escolhas ou crenças, tanto conscientes quanto inconscientes.

Pode parecer óbvio, mas há uma razão para mais de cem pessoas de alto desempenho terem mencionado priorizar suas ações e se concentrar em suas forças como duas das ferramentas mais poderosas para o sucesso. As leis neste capítulo foram pensadas para preservar a energia do cérebro e maximizar sua produtividade. Incorporar esses princípios em minha vida fez uma diferença enorme e nitidamente fez o mesmo para muitas pessoas que estão na vanguarda de suas áreas. Quando você se concentra em suas forças e para de desperdiçar energia com aquilo que não importa, pode gastar mais tempo com coisas que lhe dão alegria e que permitem que você contribua de forma significativa para o mundo.

Lei nº 1: Use o poder do não

O dia tem 24 horas. Você pode escolher passar essas horas criando coisas que realmente importam para você, pode lidar com questões insignificantes ou pode lutar para provar seu valor fazendo coisas com as quais tem dificuldade. Domine a arte de fazer o que mais importa para você – as coisas que dão energia, paixão e qualidade de vida com o menor investimento de energia. Diga "não" com mais frequência. Tome menos decisões para ter mais poder em sua missão.

Muito antes de entrevistá-lo, Stewart Friedman foi meu professor na Escola de Administração Wharton na Universidade da Pensilvânia. Ele abalou meu mundo ao me mostrar que eu estava investindo minha energia nos lugares errados. Além de ser professor titular, Stewart era um dos cem executivos mais bem-conceituados na Ford Motor Company, responsável por desenvolvimento de liderança em toda a empresa. Ele também criou o Programa de Liderança Total, que desenvolve líderes de destaque ensinando-lhes como equilibrar o trabalho e a vida pessoal, pois provou que profissionais sem equilíbrio são chefes ruins. A revista *Working Mother* elegeu Friedman um dos 25 homens mais influentes dos Estados Unidos a tornar as coisas melhores para pais que trabalham, e suas publicações amplamente citadas e seu conhecimento reconhecido internacionalmente levaram o Thinkers50 a escolhê-lo como um dos cinquenta maiores pensadores do mundo em liderança e gerenciamento. Não há dúvidas de que ele mudou a maneira como dezenas de milhares de pessoas, incluindo a mim, trabalham e vivem todos os dias, tanto com seus ensinamentos quanto com seu livro *Leading the Life You Want: Skills for Integrating Work and Life* [Tradução livre: Levando a vida que você quer: habilidades para integrar o trabalho e a vida].

Em nossa conversa, Stew explicou que, ao examinar a vida de pessoas que obtiveram sucesso, ele descobriu que, em níveis muito altos de desempenho, todos demonstraram a importância de um conceito-chave: ter consciência e ser honesto em relação ao que era mais importante para eles. É um conceito simples, mas frequentemente de difícil execução. Stewart diz que, na vida cotidiana, a maioria de nós não perde tempo perguntando a si mesmo aquilo que realmente importa. Isso dificulta a tomada de decisões alinhadas com nossos objetivos. Saber o que importa para você faz com que tome decisões com clareza e lhe permite fazer o trabalho realmente importante de dizer não a muitas coisas (talvez à maioria delas), concentrando sua atenção e energia exclusivamente nas coisas que mais importam.

Para obter clareza em relação a seus valores, Stew recomenda pensar no ano de 2039, vinte anos após o lançamento deste livro. Como será um dia na sua vida em 2039? Com quem você vai estar? O que estará fazendo? Que impacto você terá? Escreva tudo isso. Tenha em mente que não estará criando um contrato ou plano de ação, mas, sim, uma imagem convincente de um futuro alcançável que serve como janela para seus verdadeiros valores. Quando tiver essa informação, será fácil decidir onde investir sua energia, em vez de permitir que outros definam suas prioridades para você ou se distrair com trabalho duro.

Quando souber *o que* importa para você, diz Stewart, o segundo passo é determinar *quem* importa para você. Essa é uma questão desafiadora para qualquer um, mas Stew sugere que verdadeiros líderes perguntam a si mesmos: "Quem importa para mim, o que essas pessoas querem de mim, e o que eu quero delas?". Reflita sobre as pessoas que influenciaram sua visão de mundo. Elas devem estar na sua lista.

Aprendi muito no tempo que passei com Stew, e de fato ele me fez perceber algumas verdades desconfortáveis sobre onde eu estava gastando minha energia. Um de meus valores essenciais, eu me dei conta, é me aperfeiçoar continuamente, mas tinha deixado isso de lado para me concentrar na minha carreira. Então tomei a decisão de fazer algo *todo dia* para me tornar melhor. Esse pequeno compromisso me ajuda a investir meu tempo e energia com sabedoria, e a me concentrar em maneiras de crescer e me desafiar continuamente.

Para fazer isso do jeito certo, procurei alguém que vive e respira aperfeiçoamento pessoal: Tony Stubblebine. Tony está na missão de fazer do coaching o caminho mais rápido para o aperfeiçoamento pessoal em todas as áreas, dos negócios à educação e aos exercícios físicos. Ele é CEO e fundador da Coach.me, uma empresa baseada na ideia de que o reforço positivo e o apoio da comunidade trabalham juntos para ajudar as pessoas a alcançarem seus objetivos.

Tony determina para si mesmo uma cota de decisões diárias. Ele se permite apenas um certo número de decisões, sejam pequenas ou grandes, então "passa por elas" durante o dia. Por esse motivo, as ações que desempenha de manhã vão determinar de forma significativa a eficiência com que ele conduz o resto do dia. Se desperdiça muitas decisões de manhã, passa a evitar até mesmo as decisões mais simples no período da tarde e da noite, de modo a não "ultrapassar sua cota".

Ele, porém, não começou assim. Costumava conferir o telefone e as redes sociais ao acordar. Parece familiar? Desde o momento em que seu despertador tocava, sua cabeça estava cheia com todas as coisas que achava precisar fazer, e as pessoas às quais "tinha" que responder. Todo passo subsequente exigia que ele tomasse uma decisão. Que e-mail deveria responder primeiro? Deveria dizer sim àquela oportunidade? Deveria "curtir" a publicação de alguém? Deveria conferir um link enviado por um amigo? Ele descobriu que essas decisões estavam esgotando sua cota antes mesmo de começar as tarefas realmente importantes com as quais queria se ocupar naquele dia.

Com o tempo, Tony aprendeu que, como CEO, seus hábitos diários mais importantes eram os hábitos de tomar decisões, especialmente quando se tratava de para quais oportunidades ele diria sim ou não. E como começava a gastar sua cota de decisões tão cedo no dia, sentia que não era capaz de fazer as escolhas mais eficazes para sua empresa.

Tomar consciência disso fez com que ele estabelecesse hábitos mais saudáveis na tomada de decisões. Agora, ele prioriza começar o dia com a mente limpa. Medita assim que acorda, então escreve uma lista de coisas a fazer. Para estabelecer suas prioridades nessa lista, ele pergunta a si mesmo quais tarefas têm o potencial de alterar significativamente o resultado de sua missão. Depois de praticar esse hábito por algum tempo, Tony começou a perceber que muitos dos itens de sua lista de coisas a fazer não eram realmente fundamentais.

Quanto mais clareza ele obtinha em relação às suas prioridades e quais tarefas moveriam as coisas na direção certa, mais via que era capaz de tomar decisões rápidas e bem informadas. Depois de um tempo, ele obteve tanta clareza quanto ao que era importante para ele e sua empresa que, quando as oportunidades surgiam, era fácil dizer sim ou não sem ter que negociar uma resposta nem perder tempo tomando uma decisão. Se uma oportunidade não ia mudar o resultado, a resposta habitual era um não automático.

Isso nem sempre é fácil, e por isso é uma boa ideia trabalhar com um coach para ajudá-lo a descobrir quais hábitos o estão atrapalhando. Eu contratei Jeff Spencer, que se destacou como treinador de alto desempenho para equipes de ponta no Tour de France – entre elas a vencedora – por nove anos seguidos antes de se tornar coach de empresários. Um bom coach o ajuda a descobrir onde você está desperdiçando energia em sua vida sem perceber, a prever onde vai desperdiçar energia conforme avança e a torná-lo responsável por mudar esse processo. Jeff teve um impacto tão grande em minha vida que eu também o entrevistei no *Bulletproof Radio*!

A solução de Tony de criar uma cota de decisões a serem tomadas reflete as descobertas de um dos meus estudos favoritos de todos os tempos. Em 2010, pesquisadores em Israel estudaram como juízes decidiam se criminosos condenados estavam aptos a receber liberdade condicional.[1] Depois de examinar mais de mil audiências de condicional ao longo de dez meses, eles descobriram uma conexão fascinante e muito forte entre as decisões e o período do dia em que essas decisões eram tomadas: se uma audiência fosse realizada no início do dia, a decisão era favorável em 65% das vezes. Com o passar do dia, a probabilidade de uma decisão favorável diminuía até chegar a zero depois de uma elevação perceptível de volta aos 65% logo após o almoço. Essa tendência era consistente considerando muitas variáveis, entre elas o tipo de crime cometido, o grau de educação do criminoso e seu comportamento na prisão.

Então o que estava acontecendo com esses juízes? Na verdade, tomar todas essas decisões em relação à liberdade condicional de criminosos estava consumindo a cota de decisões deles, também conhecida como "força de vontade". A força de vontade parece um conceito abstrato. Alguns de nós têm muita força de vontade, e outros não, certo? Errado! Na verdade, a força de vontade é como um músculo. Você pode exercitá-la para torná-la mais forte, e ela se cansa quando trabalha demais. Quando seu músculo da força de vontade está fatigado, você começa a tomar decisões ruins. E faz isso sem perceber.

A ideia de um "músculo da força de vontade" é em parte baseada em nossa compreensão do córtex cingulado anterior (CCA), uma pequena parte do cérebro em forma de V bem ao lado da têmpora. Cientistas acreditam que o CCA é onde está localizada a força de vontade. Imagine que seu CCA mantém uma conta bancária de energia. Ao começar o dia, ela está cheia, mas toda vez que toma uma decisão ou faz um esforço mental, você retira um pouco da balança. Escolher o que vestir de manhã retira um pouco de energia da balança. Decidir o que fazer para o café usa um pouco mais. Decisões maiores, como decidir se um criminoso vai ou não receber liberdade condicional, esvaziam sua conta mais rápido. Se fizer saques demais em sua conta bancária energética com decisões triviais, seu CCA para de responder bem, e sua força de vontade se esgota. É quando você cede às decisões ruins.

Esse fenômeno se chama *fadiga de decisão*: quanto mais escolhas você faz, pior se torna sua avaliação. Empresas conhecem a fadiga de decisão há anos. É por isso que colocam doces em embalagens chamativas em frente à caixa registradora. À medida que você toma decisão após decisão enquanto faz compras, está consumindo sua conta bancária energética. Quando está pronto para pagar, fica mais propenso a experimentar a fadiga de decisão – e a sucumbir ao desejo por uma onda rápida de açúcar para dar mais energia a seu cérebro –, por isso, você cede e compra uma barra de chocolate.

Juízes não são imunes a esse fenômeno; eles consomem muita força de vontade ao longo do dia ouvindo casos. No fim do dia, quando o nível de energia em seu CCA está baixo, fica mais fácil negar a condicional do que tentar tomar decisões complicadas. Isso também explica por que juízes no estudo em questão davam mais condicionais depois do almoço do que em outros períodos da tarde; seus CCAs tinham acabado de receber uma dose de energia.

Fica a dúvida se o tipo de almoço que eles comiam era uma variável importante. Faz todo o sentido que um almoço projetado para fornecer energia sustentável leve a decisões melhores. A sabedoria do Vale do Silício diz que muitos anos atrás, a empresa de computadores dominante na época, Sun Microsystems, proibiu massa no cardápio do almoço quando houvesse reuniões na empresa, pois seus executivos perceberam que as reuniões costumavam ser muito piores depois de almoços com altas doses de carboidratos. A realidade é que o que você come *tem* impacto sobre sua força de vontade – embora seja mais fácil parar de tomar decisões sem importância do que mudar seus hábitos alimentares (eu faço os dois).

A boa notícia é que, agora que você sabe sobre a fadiga de decisão, você pode se assegurar de marcar todas as suas audiências de condicional para o período da manhã. Melhor ainda, pode liberar mais força de vontade para começar a tomar decisões mais assertivas, de modo que não acabe condenado por um crime, para começo de conversa! Você pode fazer isso de dois jeitos: aumentando a quantidade de energia armazenada em seu CCA, e reduzindo o número de decisões que toma diariamente para preservar sua energia mental.

Você pode fortalecer seu "músculo da força de vontade" da mesma forma que fortalece qualquer músculo de seu corpo: fazendo coisas difíceis que não quer fazer. Um truque simples que eu uso é o de manter um exercitador de mão com mola em minha mesa. Quando lembro, eu o aperto até arder e meu braço me mandar parar, então *continuo a apertar*. Outra técnica é prender a respiração até meus pulmões gritarem para respirar, então *seguro um pouco mais*. Quando você faz coisas que não quer fazer com sucesso, todo o resto, em comparação, parece mais fácil. Sua força de vontade cresce. Mas considere *não* exercitar sua força de vontade em momentos em que você tem outras decisões importantes a tomar. Nesses dias, não gaste suas reservas antes de uma reunião ou apresentação crucial.

Algumas pessoas que viraram o jogo descobriram que apenas eliminar tantas decisões quanto possível proporciona a elas mais clareza mental. Toda vez que você evita fazer uma escolha, você economiza um pouco de força de vontade que pode então direcionar para algo de maior impacto. Muitas pessoas com alto desempenho desenvolveram rotinas para o dia a dia que são tão naturais que elas a fazem automaticamente. Elas simplesmente executam suas tarefas com extrema concentração e energia.

Experimente acompanhar suas decisões por alguns dias, então comece a tornar automáticas aquelas que são desperdício de energia. Escolhas sobre refeições e guarda-roupa são duas decisões comuns, que pessoas de alto desempenho costumam automatizar. Por que você acha que Steve Jobs usava uma blusa preta de gola rolê e tênis New Balance todos os dias, Mark Zuckerberg tem dez camisetas iguais no armário, ou a maioria dos CEOs de empresas revezam entre três ou quatro ternos toda semana (e eu estou normalmente usando uma das várias camisetas da Bulletproof e tênis com dedos feios mas extremamente confortáveis quando você me vê on-line)? Quando você usa a mesma versão do mesmo traje todo dia, não precisa se preocupar com o que vestir. Isso pode parecer uma pequena decisão, mas poupa muita energia mental que você pode então usar para algo mais significativo.

Reconhecidamente, isso costuma ser mais fácil para homens do que para mulheres, mas os dois gêneros podem optar por um guarda-roupa "cápsula" se você não estiver pronto para agir totalmente como Steve Jobs. Para isso, separe quatro partes de cima, quatro partes de baixo, casacos e sapatos, tudo em cores neutras como cinza e azul-marinho. Planeje de modo que tudo em seu armário combine, ao ponto de poder se vestir no escuro e ainda assim ficar bem. Então livre-se de todas as suas outras roupas e fique apenas com aproximadamente vinte itens no armário. Você pode encontrar guias de guarda-roupas cápsula na internet para se inspirar. Algumas marcas de roupa populares hoje chegam até a identificar peças "cápsula" em seus catálogos. Não há nada de errado em guardar algumas peças especiais para eventos sociais e ocasiões formais. A questão é evitar ter que tomar decisões diárias sobre o que vestir quando ninguém vai notar se sua roupa é incrível ou não.

Você também pode criar uma espécie de "dieta em cápsula" revezando sempre entre as mesmas refeições. Para fazer isso com sucesso, encontre cinco ou seis receitas diferentes que você saiba preparar no piloto automático sem ter que tomar muitas decisões quanto ao que comprar e cozinhar toda semana. Quando você se cansar de um dos pratos, troque por um novo. Um de meus golpes favoritos de força de vontade foi nada menos que o Café Bulletproof. Eu não preciso pensar no que vou comer no café da manhã e economizo o tempo que, do contrário, teria gastado preparando uma refeição. Você pode fazer o mesmo com qualquer café da manhã que lhe dê energia com o mínimo de decisões e a menor quantidade de trabalho.

Quando você usa essas técnicas para reduzir a tomada de decisões, libera uma quantidade tremenda de energia mental que pode usar da maneira que quiser. Recomendo dedicá-la ao trabalho mais significativo de sua vida. Não sabe ainda qual é? Aqui vai uma pista: você decide.

Itens de ação

- Respire fundo. Agora prenda a respiração até ter certeza de que precisa respirar. Segure por mais oito segundos. (Não faça isso se estiver dirigindo ou se tiver problemas de saúde.)
- Anote – mentalmente ou no papel – toda as vezes que tomar uma decisão por uma semana. Quando perceber que está tomando uma decisão, pergunte a si mesmo duas coisas:
  - Esta decisão é importante?
  - Há maneira de evitar tomar essa decisão ignorando-a, automatizando-a ou pedindo a alguém que goste de tomar esse tipo de decisão para fazer isso por você?
- Comece agora. Selecione duas decisões que você toma todos os dias e que não acrescentam absolutamente nenhum valor à sua vida. Anote-as aqui para não ter que decidir fazer isso depois.

- Decisão inútil 1

_____

- Decisão inútil 2

_____

- Agora pare de tomá-las.
- Olhe para seu café da manhã. Você pode automatizar essa decisão? Qual vai ser seu novo café da manhã padrão sem ter que pensar? Experimente-o durante uma semana.
- Observe seu armário e coloque as coisas mais apropriadas na parte da frente, para que possa passar alguns dias tomando menos decisões

sobre como se vestir. Se gostar da sensação, experimente um guarda-roupa cápsula!
- Pense em trabalhar com um coach de desempenho experiente. Há dezenas de programas de coaching de qualidade. Procure um coach certificado pela Associação Internacional de Ensino Sistêmico [IASC, do inglês International Association of Systemic Teaching]. (Treinei mais de mil coaches no programa de coaching de potencial humano inspirado pela Bulletproof e certificado pela IASC que ficariam felizes em ajudá-lo também!)

Áudios recomendados (em inglês)
- Stew Friedman, "Be Real, Be Whole, Be Innovative", *Bulletproof Radio*, episódio 83.
- Stew Friedman, "Success, Leadership & Less Work", *Bulletproof Radio*, episódio 196.
- Jeff Spencer, "Success Intoxication & the Champions Blueprint", *Bulletproof Radio*, episódio 213.
- Tony Stubblebine, "Getting Out of Your Robot Mindset", *Bulletproof Radio*, episódio 296.

Leitura recomendada
- Stewart D. Friedman, *Leading the Life You Want: Skills for Integrating Work and Life*.

Lei nº 2: Nunca descubra quem você é

Para mudar o mundo, explore suas forças, mas não descubra passivamente quem você é. Decida e crie ativamente quem você é. Se você abdicar desse dever permitindo que outras pessoas lhe digam quem deve ser, você vai lutar muito na vida e provavelmente não vai alcançar a grandeza. Então descubra sua paixão e a persiga, mas faça isso sendo a pessoa que você criar. A diferença é uma vida de mediocridade e infelicidade crescente comparada a uma vida de liberdade e paixão.

Brendon Burchard é fundador da High Performance Academy [Academia de Alto Desempenho], apresentador do podcast *The Charged Life* e autor dos livros que conquistaram o primeiro lugar na lista de mais vendidos do *New York Times*, *The Motivation Manifesto: 9 Declarations to Claim Your Personal Power* [Tradução livre: O manifesto da motivação: 9 declarações para afirmar seu poder pessoal], *The Charge: Activating the 10 Human Drives That Make You Feel Alive* [Tradução livre: A energia: ativando os 10 anseios humanos que fazem com que você se sinta vivo] e *O mensageiro milionário: faça a diferença e enriqueça ao compartilhar seus conhecimentos*. Brendon tem um canal de desenvolvimento pessoal classificado em primeiro lugar no YouTube e é uma das cem figuras públicas mais seguidas no Facebook. Seu trabalho educacional ajudou milhões de pessoas ao redor do mundo a alcançar os resultados que procuravam nas áreas de negócios, marketing e desenvolvimento pessoal, e seus programas, como o Expert's Academy [Academia de especialistas] e o World's Greatest Speaker Training [Treinamento do melhor orador do mundo], ajudaram milhares de pessoas – incluindo a mim. Então, claro, eu tinha que entrevistá-lo.

Conseguir um horário na agenda de Brendon para encontrá-lo em Portland foi surpreendentemente fácil, porque ele é o rei do gerenciamento de tempo. Claro, o fato de sermos amigos ajuda, mas ele realmente tem mais tempo livre do que qualquer outra pessoa que conheci em seu nível de realização, pois construiu conscientemente sua vida dessa forma. O homem realmente pratica o que prega em todos os níveis.

Brendon acredita que a principal motivação da humanidade é buscar a liberdade pessoal, que define como a capacidade de expressar completamente quem somos e procurar as coisas que são significativas e importantes para nós. Mas temos dois inimigos que sempre entram no nosso caminho. Um deles é a auto-opressão, nossa tendência a nos rebaixarmos. O outro é a opressão social, as pessoas que nos julgam e não apoiam quem somos e o que queremos. Brendon sugere que é possível superar essas duas barreiras desenvolvendo o que ele chama de "ciclo de confiança e competência". Quanto mais você entende uma coisa, mais confiança vai ter para procurá-la, a despeito do que outras pessoas possam dizer. E, é claro, quanto mais você busca uma coisa e aprende sobre ela, mais perto fica de dominá-la verdadeiramente.

Essa estratégia é parecida com o conselho de Stewart Friedman, uma vez que ambos exigem saber o que realmente importa para você. Mas Brendon acredita que devemos ser intencionais em relação a nossas aspirações em vez de nos concentrarmos no que pode parecer mais facilmente alcançável. Ele recomenda gravar três palavras no telefone que descrevam sua mais elevada e melhor personalidade. Essas são as palavras que você gostaria que alguém usasse ao descrevê-lo, e elas deviam se aplicar tanto ao ambiente pessoal quanto profissional. Algumas das palavras que ouvi de pessoas que viram o jogo são: engajado, grato, energizado, acolhedor, amoroso, devotado e impactante. Escolha três com as quais se identifica, então programe um alarme para tocar três vezes ao dia e lembrá-lo desse significado pessoal inspirador.

Ao agir sem intenção, você experimenta dúvida. Mas quando se lembrar de quem quer ser durante o dia, provavelmente vai agir de acordo com seus objetivos. Esse processo serve como um ciclo de retroalimentação infinito que o leva a encontrar mais confiança em si mesmo, e assim o torna mais competente. Você pode ativamente gerar as emoções que quer sentir fazendo atividades alinhadas à sua visão da pessoa que quer ser. Brendon acredita que as habilidades mais importantes a se dominar são estabelecer intenções e dar os passos necessários para se tornar essa pessoa. Em outras palavras, em vez de *descobrir* quem você é, você se torna poderoso ao *decidir* quem é.

Nenhuma conversa sobre agir com intenção estaria completa sem informações de Robert Greene, o autor dos livros que entraram na lista de mais vendidos do *New York Times*: *As 48 leis do poder, A arte da sedução, 33 estratégias de guerra, A 50ª lei* (em coautoria com 50 Cent) e *Maestria*. Além de ter uma grande base de fãs no mundo empresarial e muitos seguidores em Washington, DC, os livros de Greene são louvados por todos, desde historiadores de guerra aos maiores nomes na indústria musical (incluindo Jay-Z e 50 Cent), pois ele estudou incansavelmente os melhores do mundo para descobrir o que os motivava.

Eu procurei Robert porque, muito antes de entrevistá-lo, ele transformou minha carreira. Vinte anos atrás, ajudei a fundar parte da empresa que operava os primeiros servidores do Google, e, às vezes, participava de reuniões da diretoria com pessoas com o dobro de minha idade e cerca de cem vezes mais experiência. (Claro, eu era a pessoa mais jovem na sala, por isso não tinha permissão para falar nessas reuniões, mas testemunhava tudo o que acontecia.) Como um cara racional formado em engenharia, eu simplesmente não entendia os poderosos executivos à minha volta. Suas escolhas e a forma como se comportavam não faziam sentido para mim. Eles pareciam irracionais, se não completamente loucos.

Então peguei um livro que mudou essa dinâmica. O livro se chamava *As 48 leis do poder*. Essa obra incrivelmente bem pesquisada incluía relatos que analisavam como as pessoas no poder ao longo da história tinham chegado lá e permanecido lá, e destilava elegantemente lições dessas histórias em "leis" práticas. Uma semana depois de lê-lo, eu compareci à reunião de trabalho seguinte e percebi: aquelas pessoas não eram loucas. Elas eram poderosas! As leis que estavam seguindo eram inteiramente racionais, mas não tinham nada a ver com engenharia. Eram regras de poder.

Isso me ensinou a operar em um novo nível no Vale do Silício, como trabalhar em uma empresa de capital de risco, como levantar dinheiro, como trabalhar com pessoas poderosas e como fazer o que faço agora todos os dias na Bulletproof. Se não conhecesse essas regras que me permitiram começar a pensar como um jogador de xadrez, eu não estaria onde estou hoje. *As 48 leis do poder* não apenas mudou o curso de minha carreira, mas também inspirou a estrutura deste livro.

Quando me sentei com Robert e lhe perguntei sua opinião sobre se tornar a pessoa que se quer ser, ele disse que a maioria de nós sempre soube quem quer ser – nós apenas esquecemos. Na infância, isso provavelmente é bastante óbvio. Ele se refere aos assuntos pelos quais você se inclina a se interessar, mesmo quando tem apenas três anos de idade, como suas inclinações primitivas. Essas são suas forças básicas, e não devem ser tratadas superficialmente, pois você é uma pessoa completamente única. Mais ninguém teve ou vai ter esse conjunto exato de moléculas ou seu DNA. Seu cérebro único aprende em uma velocidade bem mais rápida quando está aprendendo sobre algo que o anima. Quando você *quer* aprender, você aprende. Robert diz que se você for forçado a aprender algo em que não está interessado, vai absorver apenas um décimo da informação que absorveria se estivesse profundamente envolvido com o assunto.

Ainda assim, quando a maior parte das pessoas escolhe uma carreira, segue os conselhos bem-intencionados de pais e amigos ou almeja o dinheiro em vez de buscar as coisas das quais realmente gosta. Você pode chegar bem longe dessa maneira, mas nunca vai desenvolver a verdadeira maestria em algo que não ama porque não vai aprender a nível ótimo. Robert diz que se todos descobrissem aquilo que realmente amam e gastassem todo o seu tempo e energia nisso, o domínio ia se desenvolver de forma orgânica. Posso afirmar com base em fatos que isso é real.

Na verdade, isso se resume a agir de acordo com suas forças, algo que eu desejava ter aprendido a fazer mais cedo. Eu não gostava da sensação de ser ruim em algo, então decidia melhorar. Dediquei toda a minha energia a me tornar um gerente de projetos diplomado e acabei sendo parcamente mediano em algo que drenava minha energia e ia contra minhas forças naturais. Eu me dei conta de que podia ter usado melhor a energia que havia desperdiçado me tornando um gerente de projetos fraco para realmente ter influência em outras áreas. Por isso, apaguei o projeto Microsoft e trabalhei com gerentes de projeto experientes que pareciam ter poderes mágicos de unicórnio de gerenciamento, mas na verdade eram apenas bons em seus trabalhos porque amavam o que faziam e tinham dominado o conjunto de habilidades necessário.

Depois, consegui pôr em prática essa lição quando fui para a Escola Wharton, onde as pessoas se esforçavam muito para tirar sempre as melhores notas. Decidi antecipadamente obter o conhecimento básico para passar nas matérias que me drenavam ativamente e, assim, liberar energia para mergulhar fundo em áreas que me fascinavam. Acabei intencionalmente tirando notas medianas em várias matérias, mas consegui o mesmo MBA que meus amigos que só tiravam notas altas sem me sentir um fracassado. Concentrar-me nas áreas que eu amava fez mais por minha carreira do que passar tempo extra em áreas de estudo que não me empolgavam.

Com o auxílio do lendário coach empresarial Dan Sullivan da Strategic Coach, aprendi a priorizar minhas ações em três grupos: coisas que drenam minha energia, coisas com as quais não me importo mas são importantes e úteis e coisas que me dão energia e me trazem alegria. Meu objetivo é dividir minhas ações diárias de modo a tentar não passar nenhuma parte do meu tempo em tarefas que caiam na primeira categoria, dez por cento do meu tempo na segunda categoria, e noventa por cento do meu tempo na última categoria, a que Robert Greene chama de *inclinações primitivas*. Quando percebo que estou me afastando demais disso, revejo minhas ações.

Agora, isso pode parecer impossível. A maioria das pessoas passa a maior parte do tempo em tarefas que caem na primeira categoria, mas na verdade não precisa ser assim, se você usar o ciclo de competência e confiança para criar a motivação para se tornar a pessoa que quer ser e concentrar sua energia em suas inclinações primitivas.

Itens de ação

- Descubra três palavras que definem seu melhor e mais elevado eu e escreva-as onde puder vê-las durante o dia. Ou faça como Brendon e programe um alarme para tocar três vezes ao dia para lembrá-lo dessas palavras. Anote-as aqui. Faça isso agora.

    - Palavra 1: _____

    - Palavra 2: _____

    - Palavra 3: _____

- Identifique suas inclinações primitivas – coisas que você ama e sobre as quais não consegue evitar aprender.

    - _____

- Escreva o percentual de tempo que passa fazendo coisas que detesta, coisas com as quais não se importa e coisas que o empolgam. Anote-as aqui.
    - Percentual de tempo gasto com coisas que me drenam:

    _____

    - Percentual de tempo gasto com coisas com as quais não me importo:

    _____

    - Percentual de tempo gasto com coisas que me dão alegria, incluindo minha inclinação primitiva: _____

- Agora faça o que for preciso para mudar a proporção para 0:10:90.

Áudios recomendados
- Brendon Burchard, "Confidence, Drive & Power", *Bulletproof Radio*, episódio 190.
- Brendon Burchard, "Hacking High Performers & Productivity Tricks", *Bulletproof Radio*, episódio 262.
- Robert Greene, "The 48 Laws of Power", *Bulletproof Radio*, episódio 380.
- Dan Sullivan, "Think About Your Thinking: Lessons in Entrepreneurship", *Bulletproof Radio*, episódio 485.

Leituras recomendadas
- Brendon Burchard, *O poder da alta performance: os hábitos que tornam as pessoas extraordinárias*.
- Robert Greene, *As 48 leis do poder*.

Lei nº 3: Quando diz que vai tentar, você está mentindo

As palavras que escolhe são mais importantes do que você pensa, não apenas para as pessoas com quem você fala, mas também para seu próprio sistema nervoso. Sua linguagem determina seus limites e molda, em grande parte, seu destino. Quando você usa inconscientemente palavras que o deixam fraco, você deixa de confiar em si mesmo e faz os outros questionarem sua integridade. Pessoas que viram o jogo escolhem deliberadamente palavras que inspiram confiança para se libertar de limitações autoimpostas. Então pare de tentar e comece a fazer.

Minha querida amiga JJ Virgin é uma especialista em saúde e bem-estar bastante conhecida, autora que entrou na lista de mais vendidos do *New York Times* quatro vezes e beneficiou centenas de milhares de pessoas com seu trabalho na área da nutrição. Além disso, ela ensina alguns dos especialistas mais inovadores da medicina a usar seu conhecimento para alcançar as pessoas que precisam dele. Alguns anos atrás, o filho adolescente de JJ, Grant, estava a caminho da casa de um amigo quando um motorista o atropelou e o deixou agonizando na rua. Os médicos disseram a JJ que não valia a pena transportar Grant de helicóptero para o único hospital que podia realizar a arriscada cirurgia da qual ele precisava para salvar seu coração, pois isso poderia provocar uma hemorragia cerebral. Ela poderia salvar o coração ou o cérebro, disseram eles, mas não os dois.

JJ, sendo a mãe dedicada e durona que é, contrariou várias vezes os médicos que cuidavam de Grant, contrariava as probabilidades com sua ajuda. Ele sobreviveu à cirurgia, acordou do coma (coisa que os médicos disseram que nunca aconteceria) e começou a ler, andar e depois correr. JJ atribui a sobrevivência de Grant contra todas as probabilidades a muitas coisas, de terapias de ponta e boa nutrição a cirurgiões habilidosos. Mas ela tomou uma atitude que, ela acredita, teve papel crucial na recuperação do filho: foi intencional em relação às palavras que ela e outros usavam em torno dele.

Mesmo quando Grant estava em coma e os médicos acreditavam que ele não podia ouvi-la, JJ nunca expressou dúvidas quanto à recuperação do filho na frente dele, e ela também não permitia que médicos e enfermeiros o fizessem. Isso porque JJ sabe que nossos corpos escutam nossas palavras em um nível sutil. Ao lado de sua cama, JJ dizia várias e várias vezes para Grant que aquilo seria a melhor coisa que já tinha acontecido com ele e que ele sairia daquela situação muito melhor do que antes. Quando um médico disse a ela: "Estamos fazendo o melhor para que ele chegue a um ponto em que possa andar novamente se por acaso acordar", JJ rapidamente retirou o médico do alcance da audição de Grant. Ela não queria que ele ouvisse que não acordar e nunca mais andar fossem sequer possibilidades remotas.

Como esperado, quando Grant acordou, já tinha a intenção de se recuperar até 110%. Ele nunca considerou a possibilidade de não voltar a andar. E eu não tenho dúvida de que as palavras que sua mãe escolheu com tanto cuidado tiveram um papel enorme em sua milagrosa recuperação. Palavras são poderosas. Elas estabelecem expectativas e limites e enviam mensagens para nossos cérebros e até nossos corpos sobre o que somos capazes de fazer. A linguagem é parte de nosso software mental. Use-a com consciência e precisão e você vai alcançar coisas que provavelmente nunca imaginou que poderia.

Talvez ninguém conheça mais o poder das palavras que Jack Canfield, o homem por trás de *Canja de galinha para a alma*, que vendeu várias centenas de milhões de exemplares e bateu um recorde mundial quando teve vários livros na lista de mais vendidos do *New York Times* ao mesmo tempo. O foco de Jack é destilar o que torna as pessoas bem-sucedidas, culminando em seu livro *Os princípios do sucesso*. Durante a entrevista, conversamos sobre como a linguagem tem impacto sobre o sucesso, e fiquei surpreso ao saber que ele mantém uma lista de palavras limitadoras que aconselha pessoas bem-sucedidas a evitarem.

Eu também faço isso. Quando usei biohacking para aumentar minhas habilidades de concentração e ficar mais atento nas palavras que saem da minha boca, descobri que usava frequentemente expressões autolimitadoras sem sequer notar. Mesmo quando estava em estado profundo de consciência usando neurofeedback, sem saber estava determinando intenções ao usar essas palavras limitadoras. Meu subconsciente usava palavras seguras que faziam com que coisas sem importância parecessem enormes, e palavras que me permitiam abrir espaço para evitar fazer coisas grandes que eu queria fazer.

Eu chamo essas palavras limitadoras de "palavras e expressões traiçoeiras". As pessoas que trabalham na Bulletproof sabem que, em uma reunião, eu vou repreender aqueles que usarem linguagem fraca na tentativa subconsciente de evitar responsabilidades. De forma parecida, Jack diz que mantém jarros vazios em seus escritórios, e se um membro de sua equipe usar uma palavra traiçoeira, ele terá que botar dois dólares no aquário. Não é um castigo, mas serve para mostrar que há um custo em usar essas palavras. Um discurso claro significa um pensamento claro e uma execução clara. Ao ouvir e analisar as palavras que você usa com regularidade, você aprende a parar de se programar inconscientemente para ter um desempenho limitado.

Há quatro palavras ou expressões particularmente traiçoeiras que você provavelmente usa muitas vezes ao dia sem se dar conta. Use-as na minha frente e vou garantir que você comece a perceber (só se eu gostar de você!).

EXPRESSÃO TRAIÇOEIRA 1: NÃO CONSIGO

Essa expressão é a primeira na lista de Jack e na minha também. Possivelmente ela é a expressão mais destrutiva que você usa todo os dias. A expressão "não consigo" significa que não há, de jeito nenhum, uma maneira de você fazer alguma coisa. Ela rouba sua força e esmaga o pensamento inovador. Quando você diz "Não consigo fazer isso", o que está realmente dizendo é uma dessas quatro coisas: você precisa de ajuda para fazer isso; você não tem as ferramentas para fazer isso naquela hora; você simplesmente não sabe como fazer; ou você simplesmente não quer fazer isso. Ou, droga, talvez ninguém na história tenha descoberto como fazer "isso". Com recursos e criatividade suficientes na solução de problemas, você *pode* fazer o que quer que seja. Pode ou não valer o tempo e o esforço para descobrir como, ou talvez seja apenas uma ideia idiota, mas não é impossível.

O verdadeiro significado de "não consigo" é óbvio para nosso cérebro consciente, mas não é tão óbvio para seu cérebro inconsciente, porque essa parte de seu cérebro não entende contexto. Ainda assim, ela está ouvindo as palavras que você usa. Essa falha de comunicação entre as duas partes de seu cérebro cria confusão e estresse. Se você começar a usar palavras que significam a mesma coisa para seu cérebro consciente e seu cérebro inconsciente, será uma pessoa mais calma e forte. E como outras pessoas também escutam suas palavras tanto a nível consciente quanto inconsciente, quando escolhe aquilo que vai falar com mais intenção, as pessoas tenderão a confiar mais em você.

Essa lição funcionou para mim quando estava escrevendo este livro. Eu estava pegando um avião para Nova York para participar do programa de TV *The Dr. Oz Show*, mas cheguei ao aeroporto 59 minutos antes da decolagem em vez de uma hora. Embora tivesse feito o check-in pela internet, não pude passar pela segurança sem o cartão de embarque impresso. A funcionária da United no portão afirmou que não imprimiria o cartão para mim. Ela chegou a dizer:

– Infelizmente o senhor não vai conseguir pegar o voo.

Como sou programado para ouvir "não conseguir" como uma mentira, isso me fez pensar sobre o problema de forma diferente. Então perguntei em uma companhia aérea mais solícita qual era a passagem aérea mais barata para qualquer lugar e a comprei, o que me deu um precioso cartão de embarque impresso para passar pela segurança e embarcar em meu voo original. Foi uma sensação boa chegar no portão da United e ver a expressão incrédula no rosto da funcionária que tinha dito que eu não conseguiria passar pela segurança sem um cartão de embarque. Foi uma sensação ainda melhor conseguir pegar meu voo e não ter que faltar a um compromisso.

"Não consigo" é sempre mentira. Aprenda a enxergar isso dessa maneira e você vai resolver problemas de forma diferente. Passe uma semana sem usar a expressão "não consigo". Normalmente eu diria "Aposto que não vai conseguir", mas seria mais honesto dizer "Aposto que vai ser muito difícil até você conseguir".

EXPRESSÃO TRAIÇOEIRA 2: EU PRECISO

Pais usam o verbo "precisar" com crianças o tempo todo. "Nós *precisamos* ir, então você *precisa* botar um casaco." A verdade é que você não *precisa* ir, e você não *precisa* usar um casaco. Seus pais podem *querer* sair, e você simplesmente sentiria frio sem casaco. Ao dizer a seus sistemas primitivos que você precisa de algo, você transforma o desejo por alguma coisa em uma verdadeira questão de sobrevivência. Em um nível profundo, seu cérebro primitivo acredita que você vai morrer se não conseguir aquilo que você diz "precisar", embora seu cérebro consciente saiba que isso não é verdade.

Claro, você provavelmente também usa essa palavra de várias outras maneiras. "Preciso lanchar" ou "Preciso de um casaco novo" são dois bons exemplos. Você não precisa dessas coisas, e mentir para o cérebro em relação ao que você precisa deixa-o fraco. A dura realidade é que há poucas coisas das quais você realmente precisa: oxigênio a todo minuto, água a cada cinco dias, e comida antes que você morra depois de dois *meses* de fome. Você precisa de abrigo e precisa de um modo de se manter aquecido. O resto são vontades, não necessidades. Seja honesto e use o verbo "precisar" apenas quando for 100% verdadeiro; o resto do tempo substitua-o pela verdade. Você quer. Você escolhe. Você decide.

Isso é ainda mais importante se você ocupa uma posição de liderança. Nossos sistemas não são bons em distinguir entre ameaças reais e percebidas. Imagine o pânico e as decisões ruins que pode provocar se sua equipe acreditar que vai morrer se não fizer algo que você sugere que eles "precisam" fazer. Em um estado físico de estresse, não é possível agir e tomar decisões sábias. Você pode fazer as pessoas fugirem de algo assustador, ou fazê-las correr em direção a algo incrível. Então, em vez de dizer à minha equipe na Bulletproof que precisamos cumprir um prazo, eu digo:

– Essa missão é fundamental, e nós vamos cumpri-la. Que obstáculos posso eliminar para vocês? O que pode nos ajudar a realizar isso?

Essa linguagem verdadeira significa que podemos ter uma conversa honesta se não formos ser capazes de cumprir o prazo. Pessoas que acreditam na mentira do "precisar" vão correr como loucas na direção de um prazo que elas sabem que não será cumprido, pois é isso que você faz quando sua vida está em risco. Então, pare de precisar e comece a querer. Você não vai morrer.

Proponha a si mesmo o desafio de passar uma semana sem usar o verbo "precisar" a menos que seja verdade. Você ficará tentado a usar a palavra quando a estiver qualificando, mas mesmo nesses casos é improvável que seja realmente verdade. Por exemplo, você poderia dizer "Precisamos sair agora se quisermos chegar à loja antes de fechar". Mesmo com o uso desse complemento, esse ainda é um jeito limitado de pensar. E se você simplesmente ligasse para a loja e pedisse às pessoas ali para permanecerem abertas por mais alguns minutos? Ou simplesmente pedisse a um amigo para ir? Ao usar o verbo "precisar", você põe uma caixa inconsciente em torno da solução determinada, cria estresse subconsciente e limita sua criatividade.

EXPRESSÃO TRAIÇOEIRA 3: ISSO É RUIM

Na verdade, pouquíssimas coisas são inerentemente "ruins"; ruim é um juízo de valor que você determina para algo. O problema em rotular algo como "ruim" é que seu subconsciente escuta e o prepara psicológica e bioquimicamente para o desastre iminente. Na maior parte do tempo, quando você diz que uma coisa é ruim, na verdade quer dizer que não gosta dela ou que não a quer. Por exemplo, você pode dizer "Eu estava planejando um piquenique, mas agora está chovendo, e isso é ruim". A verdade é que você pode almoçar em outro lugar, provavelmente sem formigas. E você tem muita sorte apenas por conseguir comer hoje, então é realmente ruim que esteja chovendo? Não.

As pessoas tendem a usar muito a palavra "ruim" em relação a comida, o que também cria problemas. Alguns alimentos funcionam melhor para algumas pessoas do que para outras. Esses alimentos não são bons ou ruins – nem as pessoas que os comem! Mesmo ao comer algo obviamente "ruim", como um pseudo-hambúrguer vegano cheio de glutamato monossódico, ainda é melhor do que morrer de fome. A palavra "ruim" cria um falso binário. A palavra não cai naturalmente em dois campos. Claro, há coisas que são realmente ruins, como violência e desastres naturais, mas quando se trata de nossas vidas cotidianas, julgar coisas através do binômio bom e ruim é limitador e cria obstáculos desnecessários e um pensamento em preto e branco. Quando você rotula algo como "ruim", perde uma oportunidade de descobrir como aquilo pode ser bom.

EXPRESSÃO TRAIÇOEIRA 4: VOU TENTAR

"Tentar" sempre pressupõe uma probabilidade de fracasso. Pense nisso. Se alguém diz que vai *tentar* buscá-lo no aeroporto quando você chegar, você vai contar que a pessoa fará isso? De jeito nenhum. Você sabe que há uma boa chance de ela não aparecer. Entretanto, se alguém diz que *vai* buscá-lo, você pode acreditar. Se disser a si mesmo que vai *tentar* permanecer na dieta ou vai *tentar* ler um livro, você já se planejou subconscientemente para o fracasso. Você não vai fazer isso.

Jack ilustra o poder de "tentar" durante suas poderosas apresentações-chave quando pede a pessoas da plateia para botar alguma coisa (um caderno, uma caneta ou qualquer coisa que tenham à mão) no colo e levantá-la. Depois de fazerem isso e as abaixarem novamente, ele diz: "Agora, dessa vez, apenas tente pegá-la." Isso confunde todo mundo, e as pessoas não se mexem por um momento. Então, algumas pessoas começam a pegar o item, mas de repente estão lutando contra o mesmo objeto que tinham erguido sem nenhum esforço momentos antes, como se o objeto tivesse ganhado vários quilos. Isso acontece porque, ao ouvir o verbo "tentar", você supõe que o que quer vá "tentar" fazer pode não ser possível. Isso dá uma desculpa para o cérebro.

A questão é que, para se tornar um humano melhor, você deve forçar seu cérebro a funcionar com todo o seu potencial em vez de dar a si mesmo uma desculpa para fracassar. Isso não significa que você precisa fazer tudo o que lhe pedem. Se você não acha que uma atividade é o melhor uso para seu tempo e sua energia mental, então recuse-a com honestidade e clareza (e de maneira simpática). Mas se escolher fazer algo, comprometa-se com isso com todas as suas forças. Como disse Yoda, "Não há tentar. Apenas fazer". Você acha que ele desenvolveu poderes Jedi apenas tentando? De jeito nenhum, e é fato que você também não vai.

Itens de ação

- Peça a alguém no trabalho e em casa para alertá-lo quando você usar palavras traiçoeiras e para multá-lo em um valor simbólico a ser depositado em uma lata para obras de caridade (ou para o fundo de café do escritório) quando fizer isso.
- Programe seu computador para fazer correção automática e colocar em maiúsculas ou em destaque palavras traiçoeiras, de modo que você precise mudá-las para palavras mais verdadeiras. É incrível como lembretes frequentes levam a mudanças de comportamento!

Áudios recomendados

- JJ Virgin, "Fighting for Miracles", *Bulletproof Radio*, episódio 386.
- Jack Canfield, "Go Beyond Chicken Soup & Confront Your Fears", *Bulletproof Radio*, episódio 471.

Leituras recomendadas

- JJ Virgin, *Miracle Mindset: A Mother, Her Son, and Life's Hardest Lessons*.
- Jack Canfield e Janet Switzer, *Os princípios do sucesso*.

2

ADQUIRA O HÁBITO DE FICAR MAIS INTELIGENTE

Médicos e outros cientistas acreditavam que nós nascíamos com um cérebro de alto desempenho ou não. Ou você era inerentemente programado para ser inteligente, focado e capaz de aprender com facilidade – ou não era. Perto do final do século XX, cientistas começaram a entender o conceito de neuroplasticidade, a capacidade do cérebro desenvolver células novas e criar novas conexões neurais ao longo da vida.

Você pode usar essas células novas e conexões recém-formadas para desenvolver novos hábitos e crenças, aprender mais rápido e lembrar com mais eficiência. São melhorias dramáticas que podem ter um impacto enorme em seu desempenho em todos os aspectos da vida. Isso também significa que não importa se você acha que não é inteligente o bastante nem bom o bastante. Você pode mudar isso.

Um número enorme de convidados do meu podcast acredita que criar bons hábitos e disciplina é uma das coisas mais importantes que você pode fazer para ter um desempenho melhor como ser humano. Na verdade, essa resposta foi a terceira mais citada entre todas as coisas do mundo para melhorar o desempenho, à frente até da educação. Esses inovadores sabem que os hábitos, as coisas que fazemos todos os dias sem mesmo pensar, em grande medida determinam quem somos e do que somos capazes.

Ainda assim, criar novos hábitos não é tão simples quanto fazer resoluções. Para transformar nossas ações em hábitos automáticos que podemos manter sem esforço consciente, nossa mente precisa criar novas redes neurais. Como consequência, qualquer coisa que pudermos fazer para maximizar nossa habilidade em criar esses caminhos vai nos ajudar a realmente implantar os hábitos que beneficiarão nosso desempenho. Hábitos funcionam porque liberam espaço mental para fazer coisas grandes. Os novos hábitos e estratégias destacados nas leis deste capítulo vão ajudá-lo a transformar suas falsas crenças e permitir que você aprenda mais rápido, a se lembrar com mais facilidade e, no fim, a abrir espaço em sua cabeça e em sua vida para alcançar seus objetivos com mais rapidez e facilidade.

Lei nº 4: Até suas falsas crenças são verdadeiras

> As crenças que você tem e as histórias que conta a si mesmo dão forma a seu modelo interno da realidade. Quando seu modelo está errado, você constrói hábitos defeituosos e toma decisões que não criam o que você quer. Você sofre. Uma mente flexível muda a si mesma e constrói um modelo melhor à medida que obtém mais informações sobre a realidade. Construa uma mente flexível com o hábito arraigado de questionar suas suposições sobre a realidade para poder crescer.

Vishen Lakhiani é professor de meditação há mais de vinte anos e administra o maior programa de treinamento de meditação on-line do mundo. Sua empresa de duzentos funcionários, a Mindvalley, permitiu que ele se tornasse um filantropo substancial, e seu livro de sucesso, *O código da mente extraordinária: 10 leis para ser feliz e bem-sucedido fazendo o que você acredita*, pode ensinar a você a otimizar o cérebro para obter o máximo de felicidade e desempenho.

Em sua entrevista, Vishen compartilhou como passou a acreditar em uma história falsa sobre si mesmo. Ele tem ascendência do sul da Ásia, mas cresceu na Ásia, onde parecia diferente das outras crianças. Tinha um nariz maior que a maioria de seus colegas de turma e mais pelos nos braços e nas pernas. Os outros garotos o chamavam de Pernas de Gorila e Narigão, e Vishen internalizou essas mensagens. Enquanto sua mente, que ele chama de "máquina de combinar significados", tentava dar sentido ao mundo a seu redor, como fazem todas as mentes jovens, ela criava o significado de que ele era feio, e ele se ateve a essa crença por muitos anos.

Vishen se refere a esse tipo de histórias e crenças como nosso hardware, porque elas estão incutidas em nós, normalmente antes dos sete anos de idade, de forma parecida com um hardware instalado em um computador. Nós não as escolhemos deliberadamente. Figuras de autoridade, nossa sociedade e cultura, nossos sistemas educacionais e as observações que fazemos quando crianças nos doutrinam nessas crenças quando somos muito novos. Se permitirmos que elas permaneçam inquestionadas, elas podem ter um impacto negativo enorme em nossas vidas. Nossas crenças nos dizem o quanto somos importantes, do que somos capazes, nosso papel na sociedade, e assim por diante. Se nossas crenças são limitadas, elas podem diminuir drasticamente nosso potencial humano. O problema é que nossas crenças *parecem* a realidade porque elas *são* a realidade, até você perceber que elas são falsas.

A boa notícia é que, da mesma maneira que você pode fazer um upgrade no hardware do seu computador, você pode fazer um upgrade em suas crenças quando toma consciência delas. No livro de Vishen, ele ensina uma forma codificada de aprendizado e desenvolvimento humano que ele chama de *engenharia da consciência*. O primeiro passo da engenharia da consciência é reconhecer que suas crenças não são quem você é. São apenas hardware que foi instalado muito tempo atrás, e podem ganhar um upgrade ou serem substituídas.

A neuroplasticidade nos ensina que podemos trocar uma crença negativa ou incapacitante por uma crença que vai ter melhor serventia para nós. Vishen diz que quando as pessoas mudam suas crenças, suas vidas se transformam completamente, porque essas crenças informam como elas experimentam o mundo. Por exemplo, quando Vishen se livrou da falsa crença de que suas diferenças o tornavam feio, isso alterou sua confiança e toda a sua perspectiva, e sua vida e seus relacionamentos rapidamente mudaram de maneira positiva.

Substituir as crenças limitadoras é crucial se você deseja ir de Humano 1.0 para Humano 2.0, mas não é fácil. Nós nos apegamos a crenças limitadoras sem nem mesmo perceber. Elas parecem tão reais que nem sempre nos damos conta de que elas existem. Para nós, são simplesmente o jeito como as coisas são. Vishen recomenda modalidades como hipnoterapia ou meditação (voltarei a esse assunto mais tarde), que podem levar a momentos de despertar que o tornem consciente de suas crenças. Aí você pode começar a mudá-las intencionalmente.

Pessoas com alto desempenho se concentram em reconhecer e mudar crenças limitadoras, pois sabem que suas crenças se tornarão realidade, sejam ou não baseadas em fatos. Na verdade, ajudar pessoas a descobrir e corrigir crenças autolimitadoras é um dos principais papéis de um coach de vida ou um coach empresarial. Por exemplo, se você acredita que está tendo um dia de sorte antes de uma apresentação, não importa se existe ou não "sorte". Sua crença em sua própria sorte vai levá-lo a ter mais confiança e a realmente ter um desempenho melhor nessa apresentação. É como um efeito placebo com esteroides.

Quando medito, digo a meu sistema nervoso que sou grato porque as coisas acontecem como devem acontecer, porque há uma conspiração para me ajudar a obter sucesso, e porque o universo me apoia. (Gabby Bernstein, autora do ótimo livro *The Universe Has Your Back* [Tradução livre: O universo está no seu time], inspira essa última parte. Sua entrevista no *Bulletproof Radio* foi incrível.) Não importa se essas crenças são realmente verdadeiras ou mesmo se meu cérebro racional acha que são verdadeiras. Quero que os sistemas mentalmente simples em meu corpo acreditem que aquilo é real e me ajudem automaticamente a fazer com que as coisas aconteçam com menos resistência.

Suas crenças positivas podem literalmente lhe proporcionar sucesso. Você pode contar a si mesmo a história de que é bem-sucedido e seu cérebro vai acreditar nisso e agir a partir daí. O oposto também é verdadeiro. Com base em trinta anos de pesquisa com mais de um milhão de participantes, o dr. Martin Seligman e seus colegas na Universidade da Pensilvânia descobriram que crenças positivas eram um previsor significativo de conquistas.[1] Quando vendedores otimistas acreditavam que fariam uma venda em particular, eram 55% mais bem-sucedidos que seus colegas pessimistas. Suas crenças têm impacto direto no resultado de seus esforços, portanto é essencial trabalhar suas crenças negativas para poder alcançar seu potencial ou ultrapassar o que acredita ser seu potencial no presente. Gasto uma quantidade substancial de energia e tempo com pessoas que pensam maior que eu, porque isso edita minhas próprias histórias sobre meu potencial, e fazer isso tem expandido minha vida e minha empresa mais do que jamais esperei. (Claro que não esperava; eu tinha uma história limitadora!)

O segundo aspecto da engenharia da consciência é aperfeiçoar seus sistemas de vida, também conhecidos como seus hábitos. Vishen diz que os hábitos são como aplicativos de celular. Eles consistem em coisas como sua dieta, sua rotina de exercícios e sua qualidade de sono – os padrões que dão forma a seus dias. Ele recomenda aprender novos sistemas através do estudo dos grandes e descobrir que hábitos fazem diferença para as pessoas que causam mais impacto... Mais ou menos o que você está fazendo ao ler este livro!

Para aprender mais sobre como criar novos hábitos com facilidade, procurei Robert Cooper, neurocientista e autor best-seller do *New York Times* que teve um impacto positivo na vida de quatro milhões de pessoas que compraram seus livros. Robert combina efetivamente duas áreas que parecem não ter nenhuma relação entre si – neurociência e estratégia de negócios – para ajudar pessoas com um desempenho de elite e líderes importantes a obterem o máximo de seus cérebros, seu tempo e seu desempenho.

Pedi a Robert que fizesse o discurso principal na terceira Conferência Anual de Biohacking da Bulletproof, e depois conversamos sobre como hackear os hábitos arraigados que podem limitar o desempenho e como construir novos hábitos que imprimam programas melhores na estrutura do cérebro. Robert diz que o cérebro tem um código de desempenho para o mundo de dois mil anos atrás gravado nele. Você pode ignorar essa programação ultrapassada e torcer pelo melhor, ou pode fazer um upgrade e reprogramar o cérebro para se tornar compatível com a realidade do mundo atual.

Primeiro, você precisa tomar consciência dos sistemas padrão do cérebro. Nosso instinto é continuar fazendo as coisas do mesmo jeito que sempre fizemos. Isso ajuda no dia a dia, como quando você dirige para o trabalho seguindo o mesmo caminho de sempre sem pensar sobre isso, mas voltar-se constantemente para comportamentos automáticos pode barrar o pensamento inovador. Robert chama isso de "conexões duras". Suas "conexões vivas", por outro lado, representam sua habilidade de crescer e mudar – a parte "plástica" da neuroplasticidade.

Robert diz que, mesmo quando você está se apoiando nas suas conexões duras, seu cérebro está constantemente mudando. A questão então passa a ser: em que direção você está mudando? Quando você entra no modo padrão e se torna inflexível como uma criatura rabugenta que fica com raiva se alguém pega seu lugar favorito à mesa, você está "reduzindo suas conexões". Muitas pessoas fazem isso com a idade, mas não precisa ser assim. Quando você se debruça sobre possibilidades e se torna diferente com a intenção de melhorar, você está "aumentando suas conexões".

A chave para aperfeiçoar seu desempenho é passar a maior parte do tempo ampliando conexões em vez de reduzi-las. Apesar disso, para conservar energia, o instinto de seu cérebro é reduzir. Ele gosta de repetir as mesmas coisas que fez antes e mantê-lo a mesma pessoa que sempre foi. É por isso que, para muitos, é mais confortável e menos assustador permanecer o mesmo. Em geral, seu cérebro é um órgão temeroso e burro que teme a mudança. (Sem ofensa.) Aumentar as conexões exige mais esforço e risco. Você precisa apontar seu cérebro para longe de seu modo padrão de conforto e, em vez disso, conduzi-lo na direção de escolhas intencionais que apoiam o tipo de crescimento que você quer alcançar.

Para fazer isso, Robert lhe encoraja a identificar momentos nos quais você pode impedir uma resposta automática e guiar a si mesmo em uma direção melhor. Muitos especialistas em atenção plena se referem a um momento como esse como "metamomento" – uma fissura no tempo entre um gatilho e uma resposta. Por exemplo, quando alguém diz algo que irrita você, em vez de reagir com raiva como faria normalmente, faça uma pausa e pense por que o comentário lhe aborrece tanto, então escolha a intenção com a qual quer reagir. Com a prática, encontrar metamomentos acabará se tornando um hábito como qualquer outro.

É empolgante saber que seu cérebro, suas crenças e sua realidade são incrivelmente mutáveis. Você decide quem é, e você também pode escolher sua própria verdade. Isso é algo poderoso para virar o jogo.

Itens de ação

- Escolha um dos métodos dessa lei para descobrir quais crenças sobre si mesmo são realmente verdadeiras. Desconfie muito de qualquer crença que sugira que você "deveria" ser de um jeito ou fazer alguma coisa, qualquer crença que diga que você "tem que" ou "precisa" fazer algo, e qualquer crença que caracterize as pessoas ou o mundo como bom ou mau. Escreva as três primeiras que surgirem em sua mente.

- Crença 1: _____
- Crença 2: _____
- Crença 3: _____
  - Medite sobre coisas que você acredita serem verdade sobre si mesmo e o mundo à sua volta. Faça isso de manhã ou à noite.
  - Escreva um diário sobre as coisas que você acredita serem verdade durante meia hora por semana. Comece hoje.
  - Marque entrevistas mensais ou semanais com um coach ou terapeuta que possa destacar quando você acredita na sua própria história.

- Durante uma semana, enquanto medita ou ao acordar, experimente repetir e se concentrar nessas frases e realmente invocar o sentimento de gratidão: "Sou grato por haver uma conspiração que faz com que as coisas aconteçam como deveriam. O universo me protege." Você não precisa acreditar nisso, mas faça o possível para senti-lo – você estará enganando seu sistema nervoso.
- Desenvolva o hábito de ouvir. A programação que a maioria de nós tem é a de pensar no que diremos em seguida em vez de ouvir o que a outra pessoa está dizendo. A história que impulsiona esse hábito é a que você aprendeu na infância – que quando os adultos estão falando, ninguém vai ouvi-lo a menos que você fale imediatamente. A realidade na qual vivemos agora é a que, se você escutar e falar, *todo mundo* vai ouvi-lo. Escolha um amigo ou colega que normalmente tem algo bom a dizer e se comprometa conscientemente a *não* planejar o que vai dizer na próxima vez em que falar com ele. Você vai se surpreender com o que vai aprender e com o que vai acabar dizendo quando não planejar antecipadamente. Quem é a pessoa próxima a você que mais vale a pena escutar?

Áudios recomendados
- Vishen Lakhiani, "10 Laws and Four-Letter Words", *Bulletproof Radio*, episódio 309.
- Robert Cooper, "Rewiring Your Brain & Creating New Habits", *Bulletproof Radio*, episódio 261.
- Gabrielle Bernstein, "Detox Your Thoughts to Supercharge Your Life", *Bulletproof Radio*, episódio 455.

Leituras recomendadas
- Vishen Lakhiani, *O código da mente extraordinária: 10 leis para ser feliz e bem-sucedido fazendo o que você acredita*.
- Robert K. Cooper, *Get Out of Your Own Way: The 5 Keys to Surpassing Everyone's Expectations*.
- Gabrielle Bernstein, *The Universe Has Your Back: Transform Fear to Faith*.

Lei nº 5: Um QI alto não o torna inteligente, mas aprender, sim

Seu QI mede sua inteligência cristalizada, a soma de seu aprendizado e sua experiência. Você pode elevá-lo, mas isso não importa tanto quanto a memória fluida, sua habilidade de aprender e sintetizar novas informações. A maioria dos cientistas acredita que a inteligência fluida é fixa, mas ela não é. Logo, você pode hackeá-la. Há técnicas específicas ao seu dispor para aumentá-la drasticamente. Você pode perder tempo aprendendo devagar ou se libertar mudando seu cérebro e melhorando sua forma de aprender.

Jim Kwik é um super-herói. Ele é um especialista internacional amplamente conhecido em leitura dinâmica, melhoria de memória, desempenho do cérebro e aprendizado acelerado. Ele é humilde em relação a isso, mas treinou inúmeros CEOs de empresas da lista Fortune 500 e dezenas de atores e atrizes importantes, entre eles o elenco dos filmes *X-Men*. Na verdade, ele treinou o Professor X! Jim sobe frequentemente ao palco para fazer demonstrações de leitura dinâmica e memoriza centenas de nomes. Mas ele não faz isso para impressionar ou para se exibir. Ele faz isso para mostrar que é possível não apenas para ele, mas para qualquer um. Quando jantamos, Jim decora o nome de todos os funcionários do restaurante que vêm à nossa mesa porque se referir às pessoas por seus nomes faz com se sintam bem.

Jim não nasceu com essas habilidades. Na verdade, quando estava no jardim de infância, sofreu um grave acidente que resultou em um trauma cerebral. Ele acabou tendo desafios de aprendizado e baixa concentração, e sempre precisou se esforçar para acompanhar os colegas de turma. Quando chegou à faculdade, Jim estava cansado de sempre ficar para trás. Queria um novo começo e deixar sua família orgulhosa, então trabalhou tão pesado que negligenciou necessidades como dormir, comer, se exercitar e passar tempo com os amigos. Em vez de melhorar seu desempenho, isso fez com que ele desmaiasse de exaustão na biblioteca. Jim caiu de um lance de escadas e bateu a cabeça novamente. Quando acordou no hospital dois dias depois, estava pesando 53 quilos, conectado a vários tubos endovenosos e profundamente malnutrido. Pensou consigo mesmo: "Deve haver outro jeito."

No momento seguinte, uma enfermeira apareceu com uma caneca de chá. A caneca tinha uma foto de Albert Einstein com a famosa citação: "O mesmo nível de pensamento que criou o problema não vai solucionar o problema." O universo estava lhe mandando uma mensagem, porque a caneca fez com que Jim percebesse que ele sempre achara que o problema era o fato de aprender devagar, então tentava resolver a questão passando todo o seu tempo aprendendo. Naquele momento, ele perguntou a si mesmo se podia pensar no problema de modo diferente: em vez de passar mais tempo aprendendo, será que poderia descobrir um meio de aprender mais rápido?

Jim relembrou sua educação. Na escola, seus professores tinham ensinado a ele *o que* aprender, mas ele nunca tivera uma aula sobre *como* aprender – sobre criatividade, solução de problemas ou como pensar, se concentrar, ler mais rápido e, mais importante, melhorar sua memória.

Sócrates disse: "Sem lembrança, não há aprendizado." Jim percebeu que poderia aprender mais rápido se conseguisse lembrar melhor. Então começou a estudar a mente e como ela se lembra das coisas para ver se poderia descobrir um atalho.

As técnicas de memória desenvolvidas por Jim funcionaram imediatamente. Ele deixou de ter dificuldades em seus cursos e passou a tirar apenas notas altas, e logo começou a usar suas técnicas para ajudar outras pessoas. Ele não queria que ninguém sofresse como ele e nem tivesse as dificuldades que tinha tido.

Uma de suas primeiras alunas mais de duas décadas atrás foi uma caloura que queria ler trinta livros em trinta dias e conseguiu fazer isso usando as técnicas de Jim. Ele perguntou por que ela queria fazer isso e descobriu que sua mãe tinha sido diagnosticada com câncer terminal, e haviam dito que ela tinha sessenta dias de vida. Os livros que a estudante estava lendo eram todos sobre saúde, bem-estar, medicina, psicologia, autoajuda e espiritualidade – qualquer coisa que ela achasse que pudesse salvar a vida da mãe.

Seis meses depois, Jim recebeu um telefonema. No início, ele não conseguiu identificar a voz do outro lado da linha, tudo o que ouviu foi um choro. Por fim, percebeu que era a jovem. Ela estava chorando lágrimas de alegria porque a mãe não apenas sobrevivera, mas estava começando a melhorar. Os médicos não sabiam como nem por que isso tinha acontecido, mas sua mãe atribuiu a cura aos grandes conselhos que a filha tinha obtido tão rápido de todos aqueles livros.

Foi então que Jim percebeu que suas ideias podiam mudar vidas e, em alguns casos, até salvá-las. Desde então, ele está em uma missão para ajudar a mudar o modo de aprendizado das pessoas, ajudá-las a se apaixonar pelo aprendizado e permitir que percebam a genialidade de que são capazes. Ele concentra muito de seu trabalho na leitura, porque ler é um hábito fundamental através do qual as pessoas aprendem. Se um autor tem décadas de experiência e conhecimento que colocou em um livro, e você pode se sentar e ler esse livro em um ou dois dias e absorver diretamente toda a informação, essa é uma ferramenta poderosa.

Diferentemente da leitura dinâmica tradicional, que é mais uma passada pela superfície e a apreensão da essência do que se lê, Jim ensina a ler com maior foco e concentração, de modo que você não apenas lê mais rápido, mas também aprende e se lembra do que leu com mais eficiência. Seu método é resumido com as iniciais das palavras em inglês que formam a sigla F-A-S-T [depressa]:

F: FORGET [ESQUECER]

Pode parecer estranho, quando se fala em aprendizado, leitura e memória, começar com esquecer, mas Jim descobriu que muitas pessoas não conseguem aprender nada novo quando acham que já conhecem o assunto. Digamos que você é um especialista em nutrição que vai a um seminário sobre o assunto. Você deveria absorver toda a informação nova, mas a maioria das pessoas não consegue fazer isso, pois, quando se consideram especialistas, fecham-se para aprender coisas novas. Você precisa esquecer temporariamente o que já sabe sobre um assunto para poder aprender alguma coisa desconhecida. Pode ser um clichê, mas é verdade. Sua mente é como um paraquedas; ela só funciona quando está aberta. Para abrir a sua, esqueça o que já sabe.

Você também deve esquecer suas limitações. Muita gente tem crenças autolimitadoras sobre o quanto a memória é boa ou o quanto é inteligente. Como Vishen sugere, essas crenças podem refreá-lo. Jim explica que sua mente está sempre ouvindo o que você diz a si mesmo. Se você diz para si mesmo que não é bom em se lembrar dos nomes das pessoas, sua mente não vai se abrir para aprender em todo o seu potencial. É exatamente assim que falsas crenças se tornam verdadeiras.

A última coisa da qual você precisa esquecer é todo o resto que está acontecendo à sua volta para se concentrar no que está aprendendo. Jim diz que só conseguimos nos concentrar em sete elementos de informação ao mesmo tempo. Portanto, se você está lendo um livro e pensando nos filhos, preocupado com o trabalho e se perguntando se devia levar o lixo para fora, você fica com apenas quatro elementos de informação nova nos quais pode se concentrar. Afaste tudo isso para conseguir se concentrar no livro e aprender o máximo possível.

A: ACTIVE [ATIVO]

A educação do século XX foi baseada no modelo de aprendizagem de rotina e repetição. Um professor parava diante da turma e apresentava fatos para que os alunos os repetissem várias vezes. Os estudantes aprendiam dessa forma. Mas o problema com esse tipo de aprendizado é que ele leva tempo demais. Jim compara isso à malhação: você pode ir à academia e levantar pesos de dois quilos durante uma hora todos os dias, ou pode ir com muito menos frequência, mas aumentar drasticamente o peso. O aprendizado intenso, como o exercício intenso, lhe dá os mesmos resultados em menos tempo.

Jim diz que, no século XXI, a educação deveria ser baseada na criação, não no consumo. Isso exige que sejamos participantes ativos em nosso aprendizado, procurando agarrar o conhecimento em vez de deixar que ele nos seja entregue de mão beijada. Isso significa fazer muitas anotações e dividir o que aprendemos. Essas técnicas não apenas nos ajudam a aprender, mas permitem que lembremos do que aprendemos.

Jim recomenda tomar notas à moda antiga: com caneta e papel. Risque uma linha no meio da página. O lado esquerdo é para "anotações capturadas", no qual você escreve os pensamentos e ideias que está aprendendo, e o lado direito é para "anotações criadas", em que você escreve suas impressões, pensamentos e questões sobre o que está aprendendo. Essa estratégia envolve todo o seu cérebro, de modo que você consegue aprender mais e de forma mais ágil.

S: STATE [ESTADO]

Todo aprendizado depende do estado. Jim define seu estado como a situação presente ou o estado de ânimo de seu cérebro e *seu corpo*. Muitas pessoas não percebem que isso é algo que está totalmente sob nosso controle. A maioria das pessoas acha que, se está entediada, é por causa do ambiente. Se está deprimida, é porque algo de ruim aconteceu. Mas Jim diz que não somos termômetros, somos termostatos, o que significa que não temos apenas que reagir ao ambiente à nossa volta. Em vez disso, podemos determinar um padrão elevado para nós mesmos e então criar e modificar nosso ambiente para corresponder a ele.

T: TEACH [ENSINAR]

Se você tivesse que assistir a um vídeo ou ler um livro e depois apresentá-lo no dia seguinte, você prestaria um nível diferente de atenção do que faria em outra situação? Você organizaria ou capturaria a informação de maneira diferente? Se você tiver de aprender um novo assunto ou uma nova habilidade de forma rápida, vista o chapéu de professor. Pergunte a si mesmo: "Como ensinaria isso a outra pessoa?". De repente, você descobrirá que sua retenção da informação estará dobrada, porque você a está absorvendo com a intenção de explicá-la para alguém.

Esse último ponto sobre ensinar é mais poderoso do que você imagina. No início da minha carreira no Vale do Silício, procurei um emprego paralelo na Universidade da Califórnia ensinando engenheiros a construir a internet. Acabei chefiando o programa de engenharia para a internet do campus do Vale do Silício da UCSC durante o nascimento da internet moderna! Isso me colocou em uma situação em que fazia uma palestra de duas horas várias noites por semana para uma sala cheia de engenheiros inteligentes e experientes. O resultado foi que, em dois anos, na idade provecta de 27 anos, fui promovido a chefe de planejamento estratégico tecnológico de uma empresa bilionária. Eu simplesmente não podia ter assimilado o conhecimento exigido para esse trabalho se não o tivesse ensinado primeiro. Então encontre uma desculpa para ensinar para outra pessoa o que você quer aprender, e você vai dominar isso mais rápido do que imagina. Se não estiver realmente ensinando algo, finja que está!

Uma conversa sobre inteligência fluida não estaria completa sem um bate-papo com Dan Hurley, um premiado jornalista especializado em ciências que desenvolveu um nicho escrevendo sobre a ciência de aumentar a inteligência. Dan é alguém que mudou fundamentalmente a forma como pensamos o aprendizado e a inteligência. Ele diz que quando as pessoas falam sobre ficar inteligentes, costumam se referir ao conhecimento e à informação que já possuem. Mas deixam de olhar para onde, originariamente, conseguiram esse conhecimento. Se um grupo de pessoas se sentasse em uma sala de aula durante exatamente o mesmo período de tempo, então estudasse a informação ali apresentada durante exatamente a mesma quantidade de tempo, elas não acabariam com as mesmas notas em um teste. Isso porque nem todos aprendem tão bem – os indivíduos têm níveis variáveis de inteligência fluida.

Seu QI é diferente de sua inteligência fluida. A maioria dos testes de QI avalia todos os tipos de fatores, incluindo conhecimento cristalizado, que está mais relacionado às experiências de uma pessoa do que às suas habilidades. Por isso, a maioria dos estudos sobre inteligência não se preocupa com testes de QI. Cientistas sabem sobre a inteligência fluida há muito tempo, mas até recentemente todos os psicólogos que estudam inteligência concordavam que você não podia aumentar sua inteligência fluida. Eles estavam tentando havia cem anos; tinham feito estudo após estudo. Até que, em 2008, um grupo de cientistas decidiu se concentrar em aumentar a memória de trabalho, uma parte da memória de curto prazo.

A memória de trabalho é crítica para a inteligência fluida, e os cientistas queriam saber se aumentar a memória de trabalho de um indivíduo também aumentaria sua inteligência fluida. Eles pediram às pessoas que praticassem um teste simples chamado "Dual N-Back" para melhorar a memória de trabalho. Depois de cinco semanas praticando meia hora por dia, a inteligência fluida das pessoas cresceu em média 40%.[2] Essa foi uma descoberta incrível.

Há, porém, um contratempo. O teste "Dual N-Back" é tão irritante que faz você ter vontade de arremessar seu computador do outro lado da sala. Pense nele como CrossFit para o cérebro – você simplesmente precisa insistir. Ao fazer o teste, você vê na tela algo como um tabuleiro de jogo da velha. Um quadrado se acende, depois mais um e mais um. Primeiro pedem a você que aperte um botão toda vez que um quadrado acender novamente na mesma posição após um intervalo. Isso é um "two-back". Então, se você domina essa habilidade, que é bastante fácil, você avança para um "three-back". Durante todo o teste, você ainda deve escutar uma voz recitando letras em uma ordem específica que também precisa decorar. Então tem que se lembrar de quais quadrados se acenderam na mesma posição *e* a letra que escutou após dois intervalos. Isso lhe força a estreitar seu foco e realmente se concentrar.

Embora o teste não seja muito divertido, ele sem dúvida produz resultados. Desde aquele estudo inovador de 2008, dezenas de outros estudos confirmaram que realizar tarefas para a memória de trabalho não apenas aumenta a memória, mas também todos os tipos de outras habilidades com base na inteligência, da compreensão da linguagem escrita à habilidade matemática. E isso é apenas a ponta do iceberg; o campo da pesquisa de inteligência está mesmo pegando fogo, e estou animado para ver o que o futuro nos reserva.

Usei um aplicativo de treinamento de "N-Back" de código aberto quando comecei o blog Bulletproof em 2011, e quando fiz meu teste de QI depois, ele tinha aumentado doze pontos. Quando escrevi sobre esse resultado em meu blog e compartilhei o software que tinha usado, foi surpreendente o número de pessoas que insistiu que meus resultados eram impossíveis. É o argumento padrão dos trolls da ciência: "Isso é impossível, portanto não é possível." Tudo o que posso dizer é que o treinamento funcionou para mim na época, e há muito mais estudos que apoiam sua eficiência atualmente.

Segundo Dan, embora testes de QI não meçam inteligência fluida, os níveis de QI geralmente aumentam quando as pessoas melhoram sua memória fluida. Apesar dos meus resultados, descobri que o treinamento era tão exaustivo e desestimulante que muitas pessoas não o completavam. Nos primeiros dias da Bulletproof, eu viajava pelo mundo inteiro ensinando gerentes de fundos de investimentos a hackear seus cérebros. Mesmo em meio a esse grupo altamente motivado, pouquíssimas pessoas completaram o treinamento de "N-Back" porque ele faz com que você se sinta um fracassado várias vezes antes de ver qualquer resultado.

Se pretende tentar, minha sugestão é primeiro usar as outras ferramentas deste livro para fortalecer seu cérebro e sua força de vontade. O "N-Back" não é tão exigente quando seu cérebro está funcionando a toda força, e se você exercita seu músculo da força de vontade de maneira regular, tem muito mais chances de prosseguir. Então recomendo fazer o treinamento durante um mês. Seu cérebro, no início, não vai gostar – você ficará entediado e frustrado, e provavelmente terá sonhos estranhos. À medida que melhorar, poderá descobrir que está com mais fluência verbal ("Dual N-Back" melhorou radicalmente minhas habilidades para apresentações ao vivo a ponto de eu poder falar diante de milhões de pessoas com confiança e tranquilidade), que desenvolveu a sua habilidade de ouvir, que aperfeiçoou a memória de leitura e mais. Depois de completar o treinamento, não vai mais saber como o seu cérebro funcionava com apenas metade da memória de trabalho que acabou de ganhar. Isso é tão poderoso como um upgrade de memória RAM para a sua cabeça.

A melhor parte do treinamento de "N-Back" é que os efeitos parecem ser permanentes. Depois de completar vinte sessões, eu não fiz mais nenhum treinamento por oito meses para ver se iria me esquecer das habilidades funcionais que tinha adquirido e se teria que recomeçar. Surpreendentemente, os resultados foram o exato oposto do que eu esperava. Depois da pausa, tive um desempenho melhor que nunca, como se meu cérebro tivesse otimizado ainda mais durante os oito meses de folga.

Itens de ação

- Experimente um dos cursos de Jim Kwik (https://kwiklearning.com) ou algum outro curso de leitura dinâmica para poder literalmente aprender mais rápido.
- Ensine o conteúdo deste livro para um amigo, colegas, seu cônjuge ou seus filhos, para que você se lembre de tudo!
- Aumente sua inteligência fluida fazendo treinamento de "Dual N-Back". Eu recomendo o aplicativo de "Dual N-Back" de Mikko Tyrskeranta nas lojas do iTunes e do Android.
- Dicas:
  - Faça isso durante pelo menos vinte dias, mas o melhor seriam quarenta.
  - Faça isso pelo menos cinco vezes por semana, quando não estiver cansado.
  - Você pode ter dificuldades por algumas semanas, mas insista mesmo assim.
  - Não subvocalize (murmure para si mesmo) quando estiver treinando para ativar apenas o lado direito de seu cérebro.
  - Force-se a fracassar todas as vezes – suba um nível mesmo se estiver em apenas 70 ou 80% de um nível existente. O software que recomendo faz isso por você automaticamente.
  - Diga a um amigo ou um coach que está fazendo "Dual N-Back" para que eles possam rir de você quando disser a eles como é irritante.

É como ir à academia todos os dias durante um mês – manter uma contabilidade ajuda.

Áudios recomendados
- Jim Kwik, "Speed Reading, Memory & Superlearning", *Bulletproof Radio*, episódio 189.
- Jim Kwik, "Boost Brain Power, Upgrade Your Memory", *Bulletproof Radio*, episódio 267.
- Dan Hurley, "The Science of Smart", *Bulletproof Radio*, episódio 104.

Leitura recomendada
- Dan Hurley, *Smarter: The New Science of Building Brain Power*.

Lei nº 6: Lembre-se de imagens, não de palavras

Seu cérebro evoluiu em um mundo de sensações, sons e imagens, não em um mundo de palavras. Treine para construir imagens a partir do que ler e ouvir para utilizar totalmente o hardware visual profundamente enraizado em seu cérebro. Lembrar-se de palavras vai deixá-lo mais lento e desperdiçar energia para qual você pode dar melhor uso.

Mattias Ribbing tem um título do qual você provavelmente nunca ouviu falar: ele é o principal treinador de cérebros da Suécia e três vezes campeão de memória do país, ranqueado em 57º lugar no mundo. Mattias na verdade foi premiado como o Grande Mestre da Memória pelo Conselho Mundial de Esportes da Memória, coisa que apenas outras 154 pessoas já alcançaram. Ele começou a hackear sua memória em 2008. Antes disso, ele diz que tinha uma memória média; podia se lembrar de apenas uns dez dígitos de cada vez, agora ele consegue memorizar até mil.

Mattias sempre amou aprender, e quando descobriu que sua memória podia melhorar drasticamente, começou a treinar seu cérebro. Apenas alguns meses depois, ganhou seu primeiro campeonato sueco de memória.

Ele compara o treinamento do cérebro a aprender a dirigir um carro. Leva alguns meses, depois você tem uma nova habilidade para o resto da vida. Melhor ainda, a habilidade pode aumentar e ficar mais forte ao longo dos anos, assim como (espero) suas habilidades ao volante.

Mattias diz que o jeito mais básico de hackear sua memória é ensinar o cérebro a pensar em *imagens* em vez de palavras. Isso exige treinar suas habilidades de visualização. Quando você visualiza uma imagem, a informação pega um atalho na parte de armazenamento de memória no cérebro, passando por cima da memória de curto prazo e seguindo direto para a memória de longo prazo. Dos cinco sentidos, a visão é o mais importante para o cérebro, pois é o mais intimamente ligado à sobrevivência. Três quartos dos neurônios que trabalham com nossos sentidos estão conectados à visão. (É por isso, também, que fontes de luz de baixa qualidade esgotam tanto a energia do cérebro e porque usamos óculos True Dark que alteram a percepção da luz quando fazemos treinamento para o cérebro no programa de neurofeedback 40 years of Zen [40 anos de Zen].) Algumas pessoas acham que aprendem melhor através do som e do tato, mas Mattias afirma que os especialistas sabem que aprendemos melhor através da visualização. Aprender fazendo ou ensinando é um meio ainda mais poderoso de se lembrar de novas informações, mas isso porque essas duas abordagens envolvem seus sentidos visuais.

Quando você aprende através do som, repetindo informação em voz alta várias vezes, o cérebro absorve apenas uma pequena quantidade de informação de cada vez. Quando aprende com imagens, o cérebro absorve mais informação mais rapidamente. Como isso funciona em um nível prático no dia a dia? Vamos dizer que você está lendo o jornal. Enquanto lê, veja se consegue visualizar o conteúdo de uma reportagem, como se fosse um filme em sua mente. Comece com algo relativamente fácil de visualizar. Por exemplo, em vez de usar uma reportagem sobre economia ou política internacional com esse objetivo, olhe para as notícias policiais e imagine uma história sobre um roubo.

Visualize o ladrão fugindo, saindo de um banco e correndo pela calçada. Como ele se parece? Visualize seu gorro preto, jaqueta verde e calça amarela. Imagine-o correndo, sendo perseguido por dois policiais armados. Você consegue mesmo ver? Treine seu cérebro para preservar essa imagem por algum tempo, então torne-a maior. Perceba os olhos do ladrão, seu cabelo. Qual a aparência de seu rosto? Comece a ver a calçada com mais detalhes.

Você já deve ter feito isso antes sem nem mesmo se dar conta, provavelmente enquanto lia um romance. Ao criar intencionalmente essas imagens, porém, você consegue se lembrar melhor dos detalhes, porque as imagens deixam uma marca duradoura em nossos cérebros. Quanto mais você fizer isso, mas vai começar a fazê-lo com naturalidade. Imagens começarão a surgir automaticamente, e aprender através de visualizações se tornará seu novo hábito.

Se você acha que "não é uma pessoa visual", simplesmente precisa melhorar em visualização. Para fazer isso, comece com algo simples. Feche os olhos e visualize um cachorro. Escolha um cachorro específico, o primeiro que lhe vier à mente. Quando estiver visualizando, sempre use a primeira imagem que surgir em sua mente. Veja o cachorro à sua frente. Agora aumente essa imagem. Veja-a em mais detalhes, com a maior clareza possível. É importante se assegurar de que suas visualizações sejam em 3-D. Essas imagens duram mais tempo no cérebro do que imagens unidimensionais.

Você pode começar com um cachorro ou uma reportagem de jornal, mas Mattias diz que, depois de algum tempo, você passará a traduzir habitualmente todo tipo de informação em imagens, mesmo números e fórmulas matemáticas loucas. Ele sugere praticar essa habilidade sempre que ouvir alguém falando. Ao ouvir, veja quais imagens surgem em sua mente e guarde-as aí. Concentre-se realmente nos detalhes para se lembrar bem deles. As imagens vão funcionar como pistas que seu cérebro poderá seguir para encontrar o caminho de volta para a informação original. Depois de um tempo, com prática, seu cérebro vai funcionar quase como um ímã, atraindo informações novas e armazenando-as.

Claro, a técnica de visualização não é nada inovadora – é um conceito antigo praticado há milênios. Quando fui ao Tibete para aprender meditação, os monges me mandaram ficar sentado durante horas em um templo com os olhos fechados, executando visualizações incrivelmente detalhadas. Não era nada do tipo "visualize o Buda". Era mais como: "Visualize o Buda sentado em um trono. O trono tem três degraus. Cada degrau tem uma pintura de três flores com seis pétalas." Quando chegavam ao ponto de descrever o que o Buda estava vestindo e em que posição ele estava sentado, não havia como se lembrar de tudo sem montar a imagem. Eu não percebi na época que visualizar era treinar meu cérebro a pintar imagens em vez de lembrar palavras, mas esse foi exatamente o resultado.

Com seu nível de especialização, Mattias diz que consegue armazenar informações indefinidamente examinando as imagens que criou, como se estivesse olhando fotos em seu celular. Ele nunca mais precisa se referir à informação original, apenas às imagens em sua mente. Mattias pratica visualizações em momentos tranquilos, como quando espera alguém ou escova os dentes. Ele examina algumas poucas imagens de cada vez para mantê-las guardadas na memória.

Imagens são úteis para mais coisas do que apenas se lembrar de listas. Na verdade, ainda sou péssimo em me lembrar de listas longas, e memorizar coisas sempre exige esforço. Ainda assim, sou grato pela ferramenta da visualização, porque ela me permite utilizar o poder das imagens para melhorar meu desempenho. Ela me permite entender e interagir com uma grande variedade de especialistas com todo tipo de formação, tão diversas quanto neurociência funcional, liderança empresarial, substituição de hormônios, desempenho esportivo e antienvelhecimento sem ficar perdido. Eu não poderia guardar bem toda informação sobre cada uma dessas pessoas e suas áreas de conhecimento em minha cabeça para realizar uma boa entrevista se meu cérebro estivesse simplesmente cheio de palavras. Na verdade, escrevi meu último livro primeiro desenhando imagens de caminhos mitocondriais para cada capítulo e, *depois*, criando as palavras. Tudo tem a ver com a imagem: ao visualizar uma imagem detalhada de algo, você ganha uma espécie de conhecimento que simplesmente não seria possível através da memorização pela repetição.

Afinal de contas, explicou-me Mattias, a linguagem é limitada. Há uma quantidade finita de palavras em qualquer língua, mas as imagens são infinitas. E, assim como essas imagens, se você treinar seu cérebro para fazer um upgrade no hardware, em seu software e em sua programação, você também pode se tornar sem limites.

Itens de ação

- Na próxima vez em que ouvir um podcast ou um audiolivro, *feche os olhos* e veja se consegue imaginar as imagens que o narrador está

tentando desenhar em sua cabeça. Fechar os olhos põe você em estado cerebral alfa, que é condutor da criatividade e libera seu hardware visual. (Obviamente, faça isso apenas quando não estiver dirigindo nem ocupado com outra coisa!)
- Tente mapear sua mente: tomar notas em um papel usando poucas palavras, mas ilustrando as conexões entre elas.
- Considere fazer os cursos de memória de Jim Kwik em www.jimkwik.com.
- Se memorizar coisas for um dos seus objetivos, considere os cursos on-line de Mattias Ribbing (incluindo um treinamento gratuito) em www.grandmasterofmemory.com.

Áudios recomendados
- Mattias Ribbing, "Mastering Memory", *Bulletproof Radio*, episódio 140.
- Jim Kwik, "Speed Reading, Memory & Superlearning", *Bulletproof Radio*, episódio 189.
- Jim Kwik, "Boost Brain Power, Upgrade Your Memory", *Bulletproof Radio*, episódio 267.

3

SAIA DA PRÓPRIA CABEÇA PARA PODER ENXERGAR DENTRO DELA

Várias e várias vezes, as pessoas que entrevistei e que mudam o mundo levantaram a importância de encontrar o autoconhecimento para alcançar o sucesso e a felicidade. Na análise de dados, o autoconhecimento é a sexta coisa mais importante para se ter um desempenho melhor. Mas o que, na verdade, é o autoconhecimento? Você poderia defini-lo como uma compreensão íntima dos fatores normalmente subconscientes que o motivam. Esses fatores incluem não apenas suas paixões e seus medos, mas também suas crenças limitadoras e todas as formas como seus traumas passados – grandes e pequenos – afetam sua vida diária. Só ao tornar conscientes esses fragmentos de informação normalmente subconscientes você pode fazer o trabalho necessário para mudá-los e finalmente sair de seu próprio caminho.

Há muitas maneiras de se tornar mais autoconsciente, desde a meditação (que vamos discutir no Capítulo 13) até criar conexões íntimas com os outros (que vamos explorar no Capítulo 5). Mas há outro método fortemente eficiente – embora menos convencional – para se chegar a um estado aprimorado que pode levar ao autoconhecimento.

Drogas.

Mais especificamente, nootrópicos: compostos que aumentam a função do cérebro, também conhecidos como "drogas inteligentes", assim como substâncias legais e regulamentadas usadas, em geral, estrategicamente. Embora nenhum dos convidados do programa tenha dito claramente que o uso de drogas que alteram a consciência (psicodélicos ou alucinógenos como ayahuasca [daime], DMT, cogumelos, MDMA ou LSD) seria um dos conselhos mais importantes para uma pessoa que deseja um melhor desempenho, olhando para as informações e, a julgar por nossas conversas nos bastidores, ficou claro que muitos de meus convidados usaram essas ferramentas *eventualmente* como um mecanismo para descobrir o tão importante autoconhecimento. Pessoas que viram o jogo honram e buscam as partes transcendentes da vida porque é lá que estão os limites do alto desempenho. Uma razão para não ouvir os convidados falando sobre isso no ar é porque o uso de microdoses – a prática de tomar doses pequenas e controladas dessas substâncias – ainda é ilegal na maioria dos países. Os riscos são verdadeiros, mas este livro estaria incompleto se ignorasse essa tecnologia cada vez mais comum e eficiente. Dezenas de convidados me perguntaram sobre isso ou compartilharam histórias – mas apenas quando o microfone estava desligado.

É importante observar que todos os convidados que mencionaram alucinógenos *também* têm uma prática de meditação e outros meios de encontrar a autoconsciência que usam em conjunção com drogas naturais ou farmacêuticas. Eles não usam drogas de forma irresponsável ou com o objetivo de ficarem doidões. Embora haja uma minoria ruidosa por aí que insiste que você pode simplesmente tomar um monte de alucinógenos para encontrar a iluminação ou a paz interior, não é disso que estou falando aqui, e isso não funciona. Todo o conceito de biohacking está relacionado a fazer todo o possível para alcançar seus objetivos biológicos, e depende de cada um de nós definir sua própria proporção risco/recompensa.

Durante anos, fui aberto em relação aos meus objetivos – viver até pelo menos os 180 anos, maximizar meu potencial e literalmente irradiar energia – e ao meu uso eventual de plantas medicinais e farmacêuticos cuidadosamente escolhidos para me ajudar a alcançar esses objetivos. Por alguma razão, usar drogas de melhoria do cérebro é considerado controverso. Algumas pessoas veem isso como "trapaça", mas produtos químicos são apenas ferramentas: você pode usá-los para o bem ou para o mal. Na minha concepção, usar uma droga para me ajudar a ficar mais autoconsciente ou para aguçar meu foco não é diferente de tomar café para me ajudar a ficar menos cansado, usar óculos de leitura para ler as palavras em uma página com mais clareza, ou tomar um Tylenol contra uma dor de cabeça que me impede de fazer meu trabalho. Há risco envolvido em cada uma dessas coisas – café prejudica o sono, óculos de leitura deixam seus olhos mais fracos e Tylenol faz mal ao fígado. Ainda assim, usamos essas ferramentas com regularidade quando o benefício é maior que o risco *com base em nossos próprios objetivos.*

É hora de considerarmos todas as opções disponíveis para ajudar as pessoas a entenderem melhor a si mesmas. Encare os fatos: passar sua vida inteira lutando lentamente para sair de seu próprio caminho é simplesmente desrespeitoso com a vida que você tem a sorte de ter e com todas as pessoas que você pode não tratar com compaixão ou respeito por causa do que se passa em sua cabeça. Na minha opinião, se uma dose eventual e farmacêutica de uma droga alucinógena em um ambiente legal e seguro pode ajudar, vale a pena levar isso em conta. Isso me ajudou.

Poucas pessoas sabem que um dos pais fundadores dos Estados Unidos era um médico chamado dr. Benjamin Rush. Ele fez lobby para incluir a liberdade da medicina como um direito básico e alertou os outros pais fundadores do risco da "tirania médica" se eles não protegessem nosso direito de escolher os remédios que queríamos usar. O dr. Rush foi um dos biohackers originais. Há duzentos anos, ele acreditava na organização de todo o conhecimento médico existente e em explicar por que as pessoas ficavam doentes em vez de como tratá-las, e na importância do ambiente e do cérebro na saúde, tornando-se um dos fundadores da psiquiatria americana. Sua ciência era muito infundada (indução de vômito, sangrias e vesicatórios na verdade não são saudáveis, embora fossem táticas comuns há duzentos anos, antes de conhecermos os micróbios). Ainda assim, ele estaria no topo de minha lista de pessoas a entrevistar se estivesse vivo hoje, com base na mudança que causou. (Espero que Lin-Manuel Miranda, criador de *Hamilton*, esteja lendo isto!)

Concordo com o dr. Rush quando se trata de liberdade médica. Independentemente de aprovar ou não que outros usem drogas de melhoria da cognição – entre elas psicodélicos –, é um direito humano básico escolher o que ingerimos em nossos próprios corpos. Meu corpo, minha bioquímica, minha decisão. Então vamos falar sobre isso.

Lei nº 7: As drogas inteligentes chegaram para ficar

Quando seu cérebro está funcionando a plena capacidade, tudo o que você quer fazer exige menos esforço, incluindo o trabalho necessário para se tornar mais autoconsciente. Os nootrópicos, ou drogas inteligentes, fazem exatamente isso: eles deixam você mais inteligente. Muitas delas são legais, mas algumas não são. Se não estiver apoiando ativamente suas funções cognitivas de todas as maneiras, você simplesmente tem menos chance de ter um bom desempenho naquilo que considera mais importante.

Há literalmente centenas de compostos documentados para aumentar a função cognitiva de um jeito ou de outro, e a maioria deles vêm de plantas, e não de fabricantes farmacêuticos. Ao longo dos últimos vinte anos, eu experimentei todos os que consegui encontrar. Alguns tiveram praticamente nenhum impacto sobre mim (além de causar dores de cabeça e náuseas); outros tiveram um impacto tremendo. Meu feedback dessas experiências resultou no desenvolvimento de muitas fórmulas nootrópicas com base em plantas na Bulletproof. Mas o que quero discutir aqui são os nootrópicos potentes que você *não vai* encontrar produzidos por empresas de suplementos.

Um químico suíço chamado Albert Hofmann descobriu os efeitos de altas doses de LSD em 1943, quando ingeriu um pouco acidentalmente em seu laboratório. No início, ele temeu ter se envenenado, mas quando seu assistente de laboratório verificou seus sinais vitais e lhe assegurou que estava bem, ele se acalmou e descobriu que o LSD abria sua mente a percepções que alteravam sua perspectiva e intensificavam suas emoções. Ele reconheceu que o LSD tinha benefícios terapêuticos.

Alguns anos depois, o dr. Stanislav Grof, pai da psicologia transpessoal, legalmente, como um psiquiatra registrado, tratou milhares de pacientes com LSD com grande sucesso na então Tchecoslováquia. Hoje, o LSD é provavelmente a droga psicodélica mais famosa, mas ao longo dos últimos anos, a conversa deixou de ser sobre tomar um ácido no festival Burning Man e passou a ser sobre tomar uma microdose controlada como nootrópico.

Em meio a funcionários da área de tecnologia no Vale do Silício e outros profissionais de alto desempenho, entre eles atletas de ultrarresistência, tomar microdoses de LSD se tornou bastante comum (e pelo menos um atleta de elite me contou que achava que a maior parte das pessoas que disputava corridas de 160 quilômetros estava usando microdoses de LSD).

Essa ideia não é tão louca quanto parece. O LSD é, sem dúvida, uma droga que expande a mente. A chave para usá-lo como nootrópico é tomar uma dose mínima – um vinte avos ou um décimo de uma dose completa. Para algumas pessoas, isso leva a maior positividade, criatividade, foco e empatia, sem criar efeitos psicodélicos. Alguns líderes criativos usam drogas como o LSD há anos, mas com pouca frequência. Steve Jobs disse que creditava ao LSD uma contribuição a seu sucesso com a Apple. Ele disse que tomar uma dose completa de LSD era uma experiência profunda e uma das coisas mais importantes que havia feito na vida.[1]

O LSD faz com que a região do cérebro envolvida com a introspecção (pensar em você mesmo) se comunique de forma mais intensa do que o habitual com a parte do cérebro que percebe o mundo exterior.[2] Isso explica por que muitas pessoas se sentem unidas com o universo e os demais e deixam seus egos de lado quando usam LSD. Ele também interage com os circuitos neurais que usam o transmissor de boa sensação da serotonina, simulando a serotonina no cérebro.[3] Embora algumas pessoas se preocupem com um potencial viciante (quando uma droga simula um produto químico, o corpo começa a confiar na droga em vez de produzir o próprio químico), estudos sugerem que o LSD é muito menos arriscado do que sua reputação sugere.

Mesmo com uma dose inteira (de dez a vinte vezes maior que uma microdose), pesquisadores consideraram o LSD a quarta droga recreativa menos perigosa – muito abaixo do álcool e da nicotina[4] –, e historicamente ninguém nunca morreu de overdose de LSD.[5] Mas muitas pessoas *morreram* por fazer coisas estúpidas enquanto estavam doidões, e algumas pessoas que usam a droga acabam piores psicologicamente do que quando começaram. O uso a longo prazo também é provavelmente uma má ideia. Em um estudo, pesquisadores ministraram doses completas para ratos dia sim, dia não, durante noventa dias, e descobriram que os animais desenvolveram hiperatividade, menor interação social e mudanças nos genes de metabolismo de energia.[6] Existe um risco, especialmente se usado para diversão em vez de objetivando o crescimento pessoal, com assistência de especialistas treinados e experientes, ou se usado antes que seu cérebro tenha terminado de amadurecer (antes dos vinte anos).

Os benefícios do LSD, entretanto, são reais. Em estudos duplos-cegos, participantes com doenças que ameaçavam suas vidas mostraram uma redução significativa na ansiedade depois de terapia assistida com LSD, sem nenhum efeito colateral nem questões de segurança.[7] Uma meta-análise de 536 participantes retirada de estudos dos anos 1950 e 1960 (antes que a droga se tornasse ilegal) descobriu que uma única dose de LSD reduzia significativamente o alcoolismo.[8] O efeito durava muitos meses depois da dose. Mais recentemente, um estudo de 2006 descobriu que o LSD reduzia a intensidade e a frequência de cefaleias em salvas.[9]

Mais relevante para este livro é o fato de que o LSD pode realmente fortalecer o seu cérebro. Ele aumenta a produção do fator neurotrópico derivado do cérebro (BDNF, do inglês "brain-derived neurothropic fator"), uma proteína poderosa que estimula sua produção de células encefálicas e fortalece as já existentes.[10] Estudos descobriram que drogas psicodélicas ajudam os coelhos a aprenderem uma tarefa nova com mais rapidez.[11] Não sabemos ao certo se isso se traduz para o aprendizado humano, mas é promissor e pode ser uma das razões para a terapia assistida com psicodélicos ajudar pacientes a combater a depressão e o transtorno de estresse pós-traumático com mais eficiência do que terapias padrão. Outros psicodélicos, como cogumelos e a ayahuasca (uma bebida xamânica da América do Sul contendo dimetiltriptamina [DMT], que vamos discutir adiante), também elevam o fator neurotrópico derivado do cérebro, assim como a prática de exercícios físicos. Eu gosto de juntar meus estimuladores de BNDF para obter o maior benefício possível.

Steve Jobs não foi a única pessoa que mudou o mundo a usar psicodélicos em sua busca por autoconhecimento. Tim Ferriss, autor de *4 horas para o corpo*, *Trabalhe 4 horas por semana* e *Ferramentas dos titãs*, apareceu duas vezes no *Bulletproof Radio*. Ele falou sobre sua experiência usando ibogaína, um psicodélico africano, em um protocolo de microdoses.

A ibogaína é usada por algumas pessoas como um estimulante muito suave. Na verdade, ela era vendida na França muitos anos atrás exatamente com esse objetivo. A ibogaína tem um mau retrospecto de segurança em comparação com outros psicodélicos, em sua maioria relacionado a ocorrências cardíacas. Tim estima que algo entre uma em cem e uma em trezentas pessoas que usam ibogaína vão experimentar uma ocorrência cardíaca fatal, e recomenda fazer isso apenas sob supervisão médica adequada e conectado a máquinas que registram seu pulso e sua frequência cardíaca. Tim usou doses de ibogaína muito pequenas – de dois a quatro miligramas, aproximadamente um centésimo de uma dose completa. Ele experimentou uma leve dor de cabeça pré-frontal, teve uma sensação leve de viagem e uma sensação de ansiedade bem suave pelas primeiras três ou quatro horas. Mas nesse período de tempo, experimentou uma atenção elevada.

O mais interessante, porém, não foi o que aconteceu naquele primeiro dia, mas o que aconteceu depois. Durante os dois ou três dias seguintes, Tim relata que seu estado de felicidade estava de 15 a 20% mais elevado do que o normal. Ele também se sentia um pouco sem reação: estava tranquilo e impassível e não reagia de maneira emocional. Esse é um estado que, segundo ele, precisaria de duas ou três semanas de meditação diária para alcançar.

Estou sugerindo que você use ibogaína para aumentar seu desempenho? Definitivamente não. Eu não experimentei e não estou planejando fazer isso porque, para mim, o risco não vale a recompensa. Tenho filhos pequenos. Meu nível de felicidade é consistentemente mais elevado do que já foi. Meu fluxo vem de servir aos outros, de falar em público, de neurofeedback de eletroencefalogramas e de escrever. Mas repito: acredito que todos deveriam ter o direito de avaliar os riscos e escolher por conta própria.

Tim se assegurava de ter uma equipe médica cuidando dele quando usava ibogaína, em parte porque tinha testemunhado em primeira mão os efeitos negativos dos alucinógenos. Quando era muito jovem, experimentou LSD, decidiu sair para caminhar à noite e saiu andando pelo meio da rua. Acabou dando de cara com faróis apontados para ele. O primo de Tim, que tinha um histórico familiar de esquizofrenia, deixou de ser um mago do xadrez com um funcionamento superalto para ficar parcamente comunicativo depois de tomar LSD. Alguns especialistas acreditam que psicodélicos podem exacerbar ou mesmo disparar doenças mentais como a esquizofrenia. Ainda assim, há muitas aplicações para essas drogas, e Tim e eu estamos felizes por muitas pessoas que viram o jogo estarem iniciando uma conversa responsável sobre elas.

A serviço de meu próprio crescimento, viajei para Amsterdam dezenove anos atrás para experimentar cogumelos medicinais, que eram legalizados no país. Essa experiência única mudou meu cérebro profundamente, atraindo minha atenção para padrões difíceis de encontrar. Ela me ensinou a olhar para o mundo mais atentamente, e eu acredito que me ajudou a processar alguns dos medos que estavam me segurando e a enxergar as histórias que eu estava contando a mim mesmo para começar a editá-las. Esse é o verdadeiro valor desse tipo de medicamento. Tomar cogumelos ajudou em meu sucesso e eu faria isso outra vez? Com certeza, e sem reservas.

Observe que eu estava em um país onde era possível usar cogumelos legalmente. Como biohacker, faço questão de experimentar tudo que pode me ajudar a elevar meus limites, mas também não quero ser preso. Em 2013, tomei microdoses de LSD durante trinta dias seguidos e descobri que o efeito era muito parecido com o de nootrópicos totalmente legalizados sobre os quais você vai ler mais adiante neste capítulo. Descobri que isso não compensava o risco legal, porque as recompensas não foram muito altas *para mim*. Se não houvesse o risco legal, eu iria acrescentá-lo a meu conjunto de nootrópicos de vez em quando.

Até no uso de microdoses há um risco para sua carreira. Durante meu experimento de trinta dias, tomei acidentalmente uma dose mais alta do que planejava. Senti uma euforia leve pouco antes de subir ao palco diante de uma sala com cerca de 150 executivos influentes em Los Angeles para ser entrevistado sobre biohacking. Nada bom. Passei pela entrevista praticamente incólume, embora tenha contado algumas piadas que não foram engraçadas para ninguém, exceto para mim. Se a dose tivesse sido apenas um pouco mais alta, quem sabe o que mais poderia ter dito? Mesmo quando você está longe de estar doidão, seu julgamento pode se alterar com microdoses, e você só vai descobrir isso depois.

E, sim, eu vou ao Burning Man e valorizo muito minhas experiências ali, algumas das quais podem incluir doses completas de psicodélicos. Quando acontecem, são sempre com pessoas que estão presentes para torná-las seguras (incluindo profissionais da área médica), e eu saio delas uma pessoa melhor. Falarei mais sobre experiências com doses completas mais tarde. O fato é que microdoses de psicodélicos não são uma panaceia para o crescimento pessoal e do desempenho, nem totalmente inúteis e perigosas. Psicodélicos podem curar. E também podem fazer mal. Em doses muito baixas, podem aumentar seu desempenho. Se decidir usá-los, comece devagar, faça com alguém de confiança, use pela primeira vez quando não estiver planejando um grande dia de trabalho e faça em um lugar em que seja legalizado. Essas não são drogas recreativas.

Você também não deve esperar tomar um comprimido e de repente atingir novos níveis de autoconsciência. Quando usadas de maneira apropriada, essas drogas podem ativar uma consciência elevada que dispara novas percepções, mas para realmente cultivar o autoconhecimento, você precisa trabalhar. Em outras palavras, as drogas em si não vão deixá-lo mais consciente, mas podem lhe dar a oportunidade de ver as coisas em que precisa trabalhar. Depende de você, então, tomar uma atitude e trabalhar nelas!

Mas usar microdoses de psicodélicos está longe de ser a única maneira de se beneficiar de certas drogas. Eu me beneficio ativamente de outra classe de drogas, os nootrópicos, desde 1997, quando enfrentava um sério declínio em meu desempenho cognitivo no trabalho. Como meu médico não estava capacitado para me ajudar, tomei as rédeas da situação e encomendei quase 1000 dólares em drogas inteligentes da Europa (o único lugar onde se podia comprá-las na época). Eu me lembro de abrir o pacote pardo sem identificação e me perguntar se o conteúdo realmente melhoraria meu cérebro. Melhorou, e sou desde então um grande fã de melhoradores cognitivos.

Como psicodélicos, drogas inteligentes não vão automaticamente cobri-lo de autoconhecimento. Encontrar o autoconhecimento demanda energia. Sempre que puder dar a si mesmo uma função celular melhor, mais energia, maior neuroplasticidade e habilidades de aprendizado melhoradas (o que muitas dessas drogas fazem), fica mais fácil obter o autoconhecimento. Você pode progredir mais rápido se estiver correndo a todo vapor.

O problema de usar um termo genérico como nootrópicos é que ele engloba todo tipo de substância. Tecnicamente, você pode argumentar que cafeína e cocaína são ambos nootrópicos, mas estão longe de ser iguais. Com tantas maneiras de melhorar sua função cerebral, muitas das quais têm riscos significativos, é muito importante olhar caso a caso. A seguir estão alguns dos nootrópicos com os quais tive mais sucesso ao longo dos anos.

RACETAMS

Talvez o maior apoiador da família racetam seja Steve Fowkes, um bioquímico que escreveu e editou uma newsletter chamada *Smart Drug News* [*Notícias sobre drogas inteligentes*], a partir dos anos 1980. Foi seu trabalho inicial que chamou minha atenção para os nootrópicos e me inspirou a encomendar um pacote pardo sem identificação com drogas inteligentes. Imagine meu prazer quando ele se tornou um convidado do *Bulletproof Radio* vinte anos depois! Steve explica que a família racetam de farmacêuticos contém dezenas de compostos relacionados, incluindo alguns nootrópicos bem conhecidos. O mais bem estudado é o piracetam, mas os nootrópicos racetams mais eficientes que encontrei são o aniracetam e o fenilpiracetam. Gosto mais do aniracetam que do fenilpiracetam porque este age rapidamente, reduz o estresse e aumenta sua habilidade de guardar ou esquecer coisas na memória. O fenilpiracetam é altamente energizante e estimulante, o que ajuda com algumas tarefas, mas atrapalha outras. Também é uma substância proibida em alguns esportes.

Quando tomo oitocentos miligramas de aniracetam, acho que falo mais fluentemente e não fico à procura de palavras. Esse efeito provavelmente se deve ao fato de a família racetam melhorar a função mitocondrial e enviar oxigênio extra para o cérebro. Grande parte da pesquisa foi feita com pessoas com problemas neurológicos (com resultados incríveis), mas há muitas provas boas para apoiar seu uso em indivíduos saudáveis. Em estudos, quatrocentos miligramas de fenilpiracetam tomados diariamente durante um ano melhoraram significativamente a função cerebral e a cognição em pessoas se recuperando de um derrame;[12] duzentos miligramas de fenilpiracetam tomados durante trinta dias melhoram a função neurológica em 7% em pessoas com danos cerebrais[13] e em 12% em pessoas com epilepsia.[14] Em estudos com ratos, o aniracetam melhorou a memória e combateu a depressão.[15] Um único estudo pequeno sobre o piracetam em adultos saudáveis descobriu que depois de catorze dias ele melhorou significativamente o aprendizado verbal.[16]

Os efeitos colaterais são pequenos – em sua maioria, os racetams podem amplificar os efeitos da cafeína ou consumir um nutriente chamado colina, que pode ser reposto comendo gemas de ovos ou suplementado com citicolina ou lectina de girassol. A razão de risco/recompensa dessa família é muito boa. Eles são legalizados nos Estados Unidos e amplamente disponíveis on-line. Não comece com uma "pilha" de múltiplos racetams. Experimente-os separadamente e observe como seu corpo reage; os efeitos de cada um são altamente variáveis. Você tem tantas chances de ficar com raiva, desenvolver uma dor de cabeça ou não sentir nada de uma pilha quanto de conseguir o que está procurando devido a reações cruzadas.

MODAFINIL (PROVIGIL)

Você já assistiu ao filme *Sem limites*, com Bradley Cooper? Ele é vagamente baseado no modafinil. Esse produto lhe dá poderes de processamento mentais super-humanos com poucos ou nenhum inconveniente. Estudos mostram que, em adultos saudáveis, o modafinil melhora os níveis de fadiga, motivação, reação, tempo e vigilância.

Eu usei modafinil durante oito anos – ele me ajudou em tudo, desde estudar na Wharton até trabalhar em uma startup que foi vendida por 600 milhões de dólares. Eu não teria um MBA se não fosse por ele. Eu o recomendei para inúmeros amigos com grandes resultados, e você pode ter me assistido no programa *Nightline* da rede ABC ou na CNN falando sobre seu uso para o desempenho de executivos. O *Nightline* enviou uma equipe para minha casa durante dois dias porque fui o único executivo a admitir publicamente estar usando a substância para progredir no trabalho e nos estudos que eles conseguiram encontrar. Eu tornei meu uso público, pois queria promover uma conversa a nível nacional sobre drogas inteligentes e remover o estigma. Funcionou, e as drogas inteligentes agora são muito mais conhecidas.

O modafinil melhora a memória e o estado de ânimo, reduz a tomada de decisões impulsivas, aumenta sua resistência ao cansaço e até melhora sua função cerebral quando você está sofrendo de privação de sono. Uma análise recente de 24 estudos sobre o modafinil desde 1990, feita por especialistas de Oxford e Harvard, descobriu as mesmas coisas sobre as quais tenho escrito com base no que ele fez por mim: aumentou significativamente a atenção, a função executiva e o aprendizado em pessoas saudáveis que não estavam privadas de sono enquanto desempenhavam tarefas complexas – com praticamente nenhum efeito colateral. Os autores concluíram que "o modafinil pode muito bem merecer o título de primeiro agente nootrópico farmacêutico bem validado". Bam!

Diferentemente de muitas outras drogas inteligentes, o modafinil não é um estimulante; ele é, na verdade, um eugeroico – um agente que promove o estado desperto. Isso significa que ele não lhe deixa acelerado nem agitado, como fazem a maioria dos estimulantes, e não traz problemas nem causa abstinência porque não é viciante.[18] Descobri que podia reduzir minha dose, à medida que minha saúde melhorava e eu precisava de menos quantidade para funcionar bem. Atualmente, faz quatro anos que não uso. Quando aplico todos os outros métodos de hackeamento, não há diferença quantitativa significativa entre meu cérebro com modafinil e sem ele. Mas eu o mantenho em minha bolsa de viagem caso queira fazer tudo que estiver ao meu alcance em uma emergência. Não acho que precisarei dele novamente, porque mesmo acumulando reservas de energia além de minhas expectativas mais loucas, me sinto feliz que ele esteja em minha bolsa caso haja necessidade.

Na verdade, que se dane. Depois de ler toda a pesquisa usada para escrever esta seção, acabei de decidir tomar cinquenta miligramas para ver se isso torna o resto do livro melhor. Estou animado para ver o que acontece.

Se você lida com jet lag, cansaço intenso ou quer muito fazer alguma coisa, esse pode ser um nootrópico poderoso, capaz de mudar sua vida. Ele tem seus riscos – algumas pessoas desenvolvem dores de cabeça quando usam, e cerca de cinco em um milhão podem desenvolver uma condição autoimune perigosa – um risco parecido com o de tomar ibuprofeno. Se você conhece sua sequência genética (através do 23andMe ou um serviço similar de sequenciamento de DNA), pode verificar se tem os genes que o colocam em risco. Eles estão listados no blog da Bulletproof. O modafinil não combina bem com o álcool.

Você pode comprar modafinil da Índia pela internet sem receita médica, e a maior parte dele é real. Entretanto, para conseguir uma receita nos Estados Unidos, ajuda se você alegar ter sintomas de distúrbio do sono decorrentes do trabalho em turnos, o que a maioria das empresas seguradoras vai reembolsar. Como essa é uma droga medicinal, é melhor obter uma receita. Seu médico pode recomendar uma forma mais cara e às vezes mais potente chamada Nuvigil.

Minha nossa, o modafinil de dois parágrafos atrás acabou de fazer efeito. Por que estava escrevendo este livro sem ele?

NICOTINA

Nunca fui fumante, e fumar é um hábito ruim. Mas a nicotina, separada do tabaco, é apenas um dos milhares de produtos químicos na fumaça do cigarro. E quando você a usa por via oral em pequenas doses em sua forma pura – sem toxinas e carcinogênicos embalados e enrolados em um cigarro – a nicotina pode ser um nootrópico formidável. Segundo consta, é a substância de melhoria da cognição mais amplamente estudada na Terra, mais ainda que o café.

Quando usada na quantidade certa, ela pode fazer muito por seu desempenho. Em primeiro lugar, ela lhe dá uma função motora mais rápida e precisa. Pessoas manifestam uma escrita à mão mais controlada e fluente depois de consumir nicotina, e também são capazes de digitar mais rápido sem prejudicar a precisão.[19] A nicotina lhe deixa mais vigilante e aguça sua memória de curto prazo. Em um estudo, os indivíduos que receberam nicotina através de adesivos e chicletes se lembraram melhor de uma lista de palavras que tinham acabado de ler e também repetiram uma história palavra por palavra cometendo menos erros do que aqueles que receberam um placebo.[20] Você pode inclusive acelerar seu tempo de reação com a nicotina. Tanto fumantes quanto não fumantes reagiram mais rapidamente a exemplos visuais depois de uma injeção de nicotina,[21] embora minhas injeções sejam apenas de vitaminas, obrigado.

Claro, há alguns aspectos negativos na nicotina, e o mais infame deles é o potencial de vício. A nicotina ativa seu sistema mesolímbico de dopamina, que cientistas apelidaram apropriadamente do "caminho do prazer" do cérebro. O caminho do prazer é uma faca de dois gumes. Comida, sexo, amor e drogas recompensadoras, todos eles fazem essa parte de seu cérebro se acender, mandando uma torrente eufórica de dopamina através de seu sistema e o deixando em êxtase. Se você se permitir isso com regularidade, porém, o estímulo constante embota o caminho. Seus receptores começam a retroceder para seus neurônios, que são difíceis de ativar, e você começa a se sentir fisicamente doente, a menos que obtenha mais do que quer que estivesse desfrutando ou alguma outra coisa igualmente estimulante. É assim que começa a dependência. A boa notícia é que os sintomas físicos da abstinência de nicotina chegam ao auge de três a cinco dias depois de parar. A abstinência psicológica de fumar (não apenas a nicotina) que é famosamente difícil de resistir. Então não fume nem vaporize. Comprimidos, chiclete, spray e adesivos funcionam melhor e constituem menos hábito.

A nicotina em si (separada do tabaco) também provoca câncer em ratos e camundongos. A ligação do câncer nunca apareceu em estudos em humanos, mesmo depois de muitas tentativas. O que se sabe é que a nicotina promove a angiogênese, formação de novos vasos sanguíneos.[22] Se você tem doenças cardíacas ou estiver exercitando ou treinando o cérebro, a angiogênese é algo bom, pois seu corpo deve criar novos vasos sanguíneos como parte de seu autorreparo. Se você tem tumores existentes, isso é ruim.

Se você não tem câncer, a nicotina, usada via oral, protege os rins e simula o efeito de exercícios no corpo através de uma proteína chamada PGC-1 alfa. Pesquisadores acreditam que esse composto pode ter tido um papel importante na diferenciação de humanos e macacos,[23] e que seja o principal regulador da biogênese mitocondrial.[24] Em outras palavras, ele faz com que suas células (incluindo as células do cérebro) construam novas usinas de força. É também um regulador determinante do metabolismo de energia e aumenta os genes de receptores de hormônio da tireoide e a função mitocondrial. Se você leu *Head Strong*, já sabe que quase qualquer coisa que fizer para melhorar a função de suas mitocôndrias vai ajudar seu cérebro. A nicotina desempenha esse papel!

(Desculpe-me por fazer uma pausa enquanto escrevo para desfrutar de uma versão inicial ainda não lançada de um produto de nicotina "limpo". Parece que muitos trabalhos de literatura foram escritos sob a influência da cafeína e da nicotina, incluindo este.)

Você pode se viciar em nicotina, então ela é indicada apenas para uso eventual, a menos que você não veja problema em ficar viciado em algo que faz crescer novos vasos sanguíneos e melhora a função mitocondrial. É extremamente útil para escrever, e o produto de teste que mencionei mais cedo continha um miligrama de nicotina oral, em comparação às seis a doze miligramas de um cigarro sujo. Chicletes, adesivos, comprimidos ou sprays são a melhor forma, pois a nicotina via oral (não fumada nem vaporizada) produz benefícios diferentes. A maior parte dos produtos de nicotina via oral têm adoçantes artificiais e produtos químicos ruins. Se você está usando nicotina para o cérebro, por que acrescentar lixo que o altera na direção errada? Sou fã de startups como os chicletes Lucy (www.lucynicotine.com), que estão trabalhando para lançar produtos de nicotina com ingredientes limpos. Mascar chiclete nunca lhe dá uma boa aparência, então é melhor usar chiclete de nicotina guardado na bochecha do que mastigá-lo.

Fico muito satisfeito por ter nicotina em meu cérebro. E fumar é nojento.

CAFEÍNA

Poucas pessoas sabem, mas o primeiro produto comercial vendido pela internet era uma camiseta que dizia: CAFEÍNA: MINHA DROGA FAVORITA. Sei disso porque em 1993 eu a vendia do meu quarto no alojamento, o que resultou em uma foto minha com 135 quilos e rosto redondo na revista *Entrepreneur,* usando a camiseta no tamanho GGG. Então, claro, a cafeína é meu nootrópico favorito de todos os tempos. Na verdade, o café. O café é feito de milhares de compostos, e a cafeína é apenas um deles.

Por si só (não apenas no café), a cafeína é um intensificador de energia e fortificador cognitivo. Ela pode até ajudar a aliviar o declínio cognitivo e reduzir o risco de desenvolver o mal de Alzheimer, bloqueando a inflamação no cérebro.[25] Você já sabe que este livro é impulsionado por café (e alguns nootrópicos adicionais).

Uma das razões para a cafeína estar neste livro é fazer você pensar. Se acha que fazer uso de substâncias que melhoram a cognição é algo louco demais para você, largue essa xícara de café e pegue um bom copo amargo de suco de couve-galega. Veja por quanto tempo essa mudança dura! Se você é como a maioria das pessoas, está tomando um dos grandes nootrópicos da natureza há anos. A verdade é que a humanidade procurou a melhoria cognitiva desde o começo da civilização, e as tecnologias neste capítulo são apenas uma continuação dessa tradição nobre e longeva.

Na verdade, todos os melhoradores cognitivos trazem alguns riscos, mas as pessoas com o melhor desempenho decidem se esses riscos valem a recompensa. Cabe a você pesar os benefícios contra os riscos em potencial e determinar se vale a pena. Se decidir experimentar com qualquer nootrópico, por favor, o faça com segurança, conheça as leis locais e siga as recomendações de um médico.

Drogas inteligentes lhe tornam mais o que você é, e elas podem ser ferramentas importantes em seu arsenal de autoconhecimento. Elas não vão torná-lo um humano iluminado e amoroso da noite para o dia. Se você é em geral um babaca, vai ser ainda mais com drogas inteligentes. Mas a experiência de usar essas drogas pode ajudá-lo a ver suas tendências babacas quando você normalmente estaria cego para elas. O objetivo é observar a si mesmo e usar sua inteligência recém-descoberta para fazer um trabalho importante de desenvolvimento pessoal, se você ainda não o tiver feito.

Itens de ação

- Use drogas psicodélicas apenas com intenção, supervisão e aconselhamento jurídico sólido, para garantir que você não esteja desrespeitando as leis. Elas são ferramentas poderosas, não brinquedos. E faça isso depois dos 24 anos, pois somente a partir dessa idade o córtex pré-frontal de seu cérebro estará completamente formado.
- Se resolver tomar microdoses de qualquer coisa – de nicotina a LSD ou qualquer substância entre eles –, faça antes uma pesquisa e saiba o que você pode conseguir. Comece devagar e não desobedeça às leis. E não o faça pela primeira vez antes de subir em um palco, em uma grande reunião ou mesmo ao volante de um carro.
- Pense na possibilidade de tomar aniracetam ou fenilpiracetam, drogas inteligentes muito seguras, quase farmacêuticas.
- Pense na possibilidade de usar um nootrópico para ver como ele afeta seu desempenho. Há verdadeira ciência por trás de compostos com base em plantas para a melhoria cognitiva, mas seria necessário um livro inteiro para escrever sobre todos eles. (Recomendo o Smart Mode da Bulletproof porque eu o formulei há muitos.)
- Peça a três pessoas em quem confia para lhe darem um retorno honesto sobre como você se comporta quando começa a usar qualquer

nootrópico – um membro da família, um amigo próximo e um colega. Às vezes, quando fica muito mais rápido imediatamente, todos ao seu redor parecem bem lentos. Você pode agir como um idiota ou ficar deprimido sem saber. Essas pessoas serão seu sistema de feedback. Quem elas serão?

- Família _____
- Amigo _____
- Colega _____

Áudios recomendados
- "Mashup of the Titans" com Tim Ferriss, partes 1 e 2, *Bulletproof Radio*, episódios 370 e 371.
- Tim Ferriss, "Smart Drugs, Performance e Biohacking", *Bulletproof Radio*, episódio 127.
- "The Birth of LSD" com Stanislav Grof, pai da psicologia transpessoal, *Bulletproof Radio*, episódio 428.
- Steven Fowkes, "Increase Your IQ & Your Lifespan for a Dime a Day", *Bulletproof Radio*, episódio 456.
- Steve Fowkes, "Hacking Your pH, LED Lighting & Smart Drugs", partes 1 e 2, *Bulletproof Radio*, episódios 94 e 95.

Leitura recomendada
- Michael Pollan, *Como mudar sua mente – o que a nova ciência das substâncias psicodélicas pode nos ensinar sobre consciência, morte, vícios, depressão e transcendência.*

Lei nº 8: Saia de sua cabeça

Há um valor incrível em acessar estados alterados nos quais você encara seus demônios interiores. É aí que a magia e a cura acontecem. Culturas antigas sempre souberam disso, e as pessoas que viram o jogo hoje em dia também sabem. Então vá para a floresta e experimente ayahuasca. Faça um retiro de dez dias de meditação Vipassana. Jejue em uma caverna em busca de uma visão. Prenda eletrodos de encefalograma em sua cabeça para acessar estados alterados. Faça exercícios de respiração avançados até deixar seu corpo. Vá ao Burning Man. Ou pense na possibilidade de usar conscientemente e com cuidado doses inteiras de psicodélicos em um ambiente espiritual ou terapêutico. Faça o que for necessário para, de vez em quando, sair de sua cabeça para poder possuir com mais força o que você possui ao voltar. E faça isso com a ajuda de especialistas.

Pouco tempo atrás, quando estava de passagem por Nova York, meu amigo Andrew me convidou para um jantar em sua moderna cobertura de 20 milhões de dólares no SoHo. Considerando que eu não sabia que ele tinha essa cobertura, fiquei surpreso quando passei pela porta e entrei no que parecia um palácio. Ele obviamente gosta de surpreender as pessoas, porque eu não fazia ideia de que o "jantar com amigos" seria uma reunião de pessoas incrivelmente poderosas, bem-sucedidas e influentes das indústrias de Nova York, variando entre as faixas etárias de 25 a 75 anos. O jantar foi estruturado como um diálogo jeffersoniano. Apenas um convidado falava de cada vez, de modo que a mesa inteira ficava no mesmo assunto. Quando tive a oportunidade de fazer uma pergunta, entre todos os convidados, perguntei: "Quantos de vocês usaram psicodélicos para desenvolvimento pessoal pelo menos uma vez?".

Todos à mesa levantaram as mãos, de gerentes de fundos de investimentos a artistas, de CEOs a professores. Nós falamos sobre isso pela meia hora seguinte em uma das conversas mais fascinantes que tive em muito tempo.

Embora psicodélicos tenham sido agrupados com outras drogas ilícitas e rotulados de "maus" pelo governo, quando usados de forma terapêutica, eles podem ser ferramentas extremamente poderosas para encontrar a autoconsciência e (algo questionável) entrar em um estado de fluxo. Um desempenho elevado é um estado alterado. Quando você está disposto a entrar de vez em quando em um estado mais extremamente alterado, você pode aprender coisas que o tornarão mais forte em seus estados regulares de vida e trabalho.

Esse é um assunto que surgiu com muitos dos meus entrevistados, de jornalistas premiados a médicos, e muitas pessoas que estão mudando o mundo. Uma delas é o dr. Alberto Villoldo, que passou mais de vinte e cinco anos estudando as práticas de cura de xamãs amazônicos e incas. Ele é um psicólogo e antropólogo médico, autor de sucesso e fundador do respeitado Instituto de Medicina Energética da Sociedade dos Quatro Ventos. Na época em que o dr. Villoldo tinha 27 anos, ele era um estudante de pós-graduação sem nenhum dinheiro. Uma grande empresa farmacêutica lhe ofereceu um financiamento para ir à Amazônia ajudá-los a descobrir a próxima grande droga. Ele foi até áreas remotas e aprendeu com os curandeiros nativos.

Três meses depois, os executivos da empresa farmacêutica perguntaram a ele o que havia descoberto.

– Nada – disse ele. – Não encontrei nada porque as pessoas que visitei não têm Alzheimer, não têm doenças cardíacas, nem câncer.

Não havia doenças para curar, então eles não tinham necessidade de drogas farmacêuticas. Mas mesmo assim ele retornou, e estudou para se tornar um xamã.

O dr. Villoldo credita as diferenças entre a saúde das pessoas na Amazônia e na cultura ocidental ao estresse. Quando você vive em um constante estado de lutar ou fugir, o cérebro produz dois hormônios esteroides, cortisol e adrenalina. Isso o deixa sempre ligado e o impede de acessar o estado extático e enlevado no qual você pode realmente ser criativo e sonhar com a realização do futuro, que se chama estado de fluxo. Quando seu cérebro está tomado por hormônios do estresse, ele ativa o eixo hipotálamo-pituitário-adrenal (HPA). Quando o eixo HPA é acionado, ele se dedica aos hormônios e faz com que a glândula pituitária continue a produzir cada vez mais hormônios do estresse. Quando você não está em um estado de lutar ou fugir, entretanto, sob as circunstâncias certas, a glândula pituitária pode ajudá-lo a entrar em estado de fluxo, transformando os neurotransmissores como a serotonina em dimetiltriptamina (DMT), uma molécula que está presente naturalmente em muitas plantas e animais.

A DMT é uma das substâncias psicoativas mais poderosas do planeta. Ela é preparada por várias culturas com propósitos de cura e ritualísticos. Além disso, dispara estados visionários extáticos. E nós mesmos podemos produzi-la. Fazemos isso naturalmente após dar à luz e ao morrermos, mas o dr. Villoldo diz que podemos fazê-lo outras vezes também, quando estamos no estado mental correto.

Apesar disso, segundo o especialista, 99% das pessoas têm cérebros prejudicados pelo estresse e não podem criar as próprias substâncias alucinógenas. É por isso que não devemos manter nem acalentar a ideia de manifestar nossos sonhos em realidade. Quando o dr. Villoldo estava na selva amazônica como antropólogo médico e, depois, como um estudante dos xamãs, os xamãs disseram a ele:

– Você precisa comer a casca daquela árvore e aquelas raízes.

Quando ele perguntou por quê, eles disseram simplesmente:

– Porque a planta nos disse.

Essa resposta não foi boa o suficiente. Ele queria conhecer a ciência que havia por trás daquilo, mas foi em frente e comeu o que mandaram.

Vinte anos depois, quando levou todas as amostras para o laboratório, descobriu que os xamãs estavam consertando seu cérebro. As cascas de árvore e raízes que tinham lhe oferecido acionaram os genes Sir2 da longevidade, e há poucas substâncias capazes de fazer isso.

O dr. Villoldo diz que também podemos consertar nossos cérebros curando os intestinos e consumindo ácidos graxos com ômega 3, que são basicamente blocos de construção do cérebro. Ao fazer todas essas coisas, as habilidades místicas que associamos a sacerdotes de vodu, xamãs e sensitivos têm o potencial de se tornarem habilidades naturais de todos nós. Agora, nós encontramos essas habilidades em um grupo tão pequeno da população que nós os consideramos anormais ou mesmo tolos e motivo de riso. Mas o dr. Villoldo afirma que essas habilidades são comuns, assim como outras tradições antigas de outras partes do mundo, entre elas os sutras de ioga de Patanjali. Quando você conserta o cérebro, cura os intestinos, abastece o cérebro com alimentos mitocondriais e dispara o reparo mitocondrial, essas habilidades podem começar a aparecer por conta própria. Você só precisa fazer o básico, então seu potencial humano começa a se revelar para você.

Por milhares de anos, os xamãs da Amazônia usaram a ayahuasca, um psicodélico conhecido por induzir esses tipos de experiências espirituais. O cipó da ayahuasca contém DMT, mas você só pode usá-lo misturado com outras plantas contendo químicos conhecidos como inibidores de monoamina oxidase (MAO). Sim, a mesma DMT que seu corpo produz é o ingrediente ativo no poderoso psicodélico ayahuasca. Sem a combinação correta de plantas, seu sistema digestivo destruiria a DMT e você não sentiria nenhum efeito.

Estudos sobre a ayahuasca mostram que ela faz mais do que apenas fornecer uma experiência espiritual. Em 2015, em um estudo piloto da Universidade de São Paulo, pesquisadores deram ayahuasca a seis pacientes com depressão resistente a tratamentos. Seus sintomas de depressão diminuíram significativamente uma hora após ingerirem ayahuasca, e eles mostraram uma redução de aproximadamente 70% em seus sintomas de depressão 21 dias após tomarem aquela única dose. Não apresentaram nenhum efeito colateral significativo, exceto vômitos logo depois de tomá-la, o que os xamãs consideram uma limpeza e algo essencial para a experiência.[26]

Também há indícios de que a ayahuasca pode ajudar a aliviar o vício. Em um estudo de 2013, doze participantes que fizeram sessões de terapia sob efeito da ayahuasca relataram reduções significativas no abuso de álcool e cocaína mesmo seis meses depois do fim da terapia.[27] Muitos cientistas acreditam que a ayahuasca é tão eficiente porque aumenta a sensibilidade dos receptores de serotonina no cérebro.[28] Drogas populares que combatem a depressão, como o Prozac, forçam seu cérebro a liberar mais serotonina, um neurotransmissor que contribui com sensações de bem-estar e felicidade. Mas esses medicamentos levam cerca de seis semanas para fazer efeito, e a longo prazo acabam por privar o cérebro de serotonina,[29] enquanto a ayahuasca parece capacitar melhor o cérebro para utilizar a serotonina que você já tem.

Essa ciência interessante me levou a procurar os principais especialistas do mundo em plantas alucinógenas. O trabalho de Dennis McKenna se concentra na etnofarmacologia e em alucinógenos vegetais. Quando obteve seu doutorado em 1984, sua pesquisa era na verdade sobre investigações etnofarmacológicas da botânica, da química e da farmacologia da ayahuasca e do oo-koo-he, dois alucinógenos ministrados via oral com base em triptamina usados por povos indígenas no noroeste da Amazônia. (Quem diria que você poderia obter um PhD em alucinógenos?)

Dennis credita (ou culpa) seu irmão famoso Terence por seu interesse no assunto. Terry era quatro anos mais velho que Dennis, que sempre quis fazer o que quer que o irmão estivesse fazendo. Eram os anos 1960, e

Terry estava vivendo em Berkeley, onde todo mundo tomava LSD. Quando Terry descobriu a DMT e a compartilhou com Dennis, os dois acharam que aquilo era incrível e decidiram jogar todo o resto fora e se concentrar no que acreditavam ser a descoberta mais importante feita pelo homem.

Quarenta e cinco anos depois, Dennis não mudou muito de opinião sobre o assunto. Ele acredita no potencial terapêutico dos psicodélicos, que foi explorado bem a fundo nos anos 1960 como tratamento do alcoolismo e da depressão. Levou cerca de quarenta anos para voltar ao ponto no qual a pesquisa tinha parado, mas afirma que o potencial terapêutico é claro. O desafio é como tomar essas substâncias, que há muito tempo foram vilipendiadas e proibidas, e reintegrá-las à medicina, especialmente quando empresas farmacêuticas contam com lucros de consumidores que tomam suas drogas todos os dias em vez de as três ou quatro vezes necessárias para obter os mesmos ou mais benefícios de um psicodélico.

Ainda assim precisamos encontrar um jeito, porque, como diz Dennis, não apenas os psicodélicos são terapêuticos para indivíduos, mas usados no contexto correto, também seriam terapêuticos para sociedades e, por fim, para todo o planeta, porque tendem a nos tornar mais compassivos. Ele acredita que essa foi uma das razões para o governo suprimir o uso de LSD nos anos 1960. Afinal, as pessoas estavam tomando LSD e dizendo:

— Você quer que eu vá para o Vietnã e mate aquelas pessoas? Por que faria isso?

Isso é particularmente irônico, porque há fortes indícios de que a CIA na verdade introduziu os psicodélicos nos Estados Unidos, embora eu acredite que o resultado hoje não é o que eles esperavam.

Dennis e eu acreditamos que uma sociedade de pessoas menos interessadas em matar umas as outras é uma coisa boa. Assim como Rick Doblin, fundador e diretor executivo da Associação Multidisciplinar para Estudos Psicodélicos (MAPS, do inglês Multidisciplinary Association for Psychedelic Studies), um grupo de pesquisa e educação sem fins lucrativos fundado em 1986 para fazer o trabalho importante de desenvolver contextos médicos, legais e culturais para pessoas se beneficiarem do uso de psicodélicos e maconha. Você pode não esperar que alguém com essa descrição de emprego tenha doutorado em políticas públicas da Escola de Governo John F. Kennedy da Universidade de Harvard. Rick trabalha para promover a pesquisa e a educação por trás dos benefícios de psicodélicos e maconha, principalmente como remédios receitáveis, mas também para crescimento pessoal para pessoas em geral saudáveis.

Como Dennis, Rick cresceu nos anos 1960, mas ele acreditou na propaganda de que uma dose de LSD iria deixá-lo permanentemente louco. Ainda assim, ele estava estudando os mecanismos psicológicos do que estava acontecendo no mundo e a desumanização do "outro" – a crença essencial que pode fazer as pessoas temerem, em seguida trabalharem contra e matarem outras pessoas. Ele começou a pensar que se as pessoas pudessem ser ajudadas a experimentar seu sentido de conexão com os outros, isso resultaria em discussões e negociações mais pacíficas. Claro, isso o levou ao LSD, que fez com que se sentisse conectado, como se estivesse ultrapassando seu ego. Ele se deu conta de que os psicodélicos eram ferramentas incríveis com implicações terapêuticas e políticas importantes, e quando o governo reprimiu essas drogas e criminalizou seus vendedores e usuários, Rick se tornou um terapeuta psicodélico clandestino. Então ele começou a trabalhar para trazê-los de volta da clandestinidade.

Hoje em dia a MAPS é uma empresa farmacêutica sem fins lucrativos que trabalha para transformar psicodélicos e maconha em remédios aprovados pelo governo americano. Ela faz um esforço para trabalhar dentro de um contexto científico muito rigoroso para tornar as drogas disponíveis em remédios para serem usados apenas algumas vezes e sob supervisão. Eles trabalham com veteranos por meio de um programa de tratamento de três meses e meio. Durante esse período, pacientes usam a droga uma vez por mês combinada à psicoterapia semanal sem drogas durante cerca de três semanas antes da primeira dose, e novamente depois de cada dose para ajudar com a integração. É essencialmente um processo psicoterapêutico intensivo pontuado por experiências poderosas com alucinógenos que trazem traumas e experiências para a superfície, para que possam ser totalmente explorados e trabalhados em busca da cura.

Outra convidada com quem conversei no *Bulletproof Radio* foi a jornalista três vezes vencedora do Emmy Amber Lyon. Amber é uma antiga correspondente investigativa da CNN que usou psicodélicos para tratar seu próprio transtorno de estresse pós-traumático. Ela é cineasta, fotógrafa, fundadora do site de notícias Reset.me e apresentadora do podcast *Reset with Amber*

Lyon [Reinicie com Amber Lyon], ambos os quais cobrem terapias naturais em potencial e remédios psicodélicos. Como jornalista que cobriu zonas de guerra e tráfico sexual de crianças, ela começou a experimentar muitos dos sintomas de TEPT de soldados que enfrentaram combate. Ela tinha absorvido o trauma que presenciara, enfrentava problemas para dormir e estava hiperestimulada. Se ouvisse um barulho alto, entrava em pânico. Isso estava afetando sua carreira e toda a sua vida.

Amber sabia que precisava de ajuda, mas não queria seguir o caminho dos remédios vendidos com prescrição depois de fazer reportagens sobre os efeitos colaterais negativos desses medicamentos ao longo de sua carreira. Começou a pesquisar sobre remédios naturais, e um amigo lhe sugeriu psicodélicos. No início, ela ficou desconfiada. Sempre achara que psicodélicos eram drogas perigosas. Mas quando começou a ler histórias de pessoas que tinham se curado de desordens de saúde mental, entre elas transtorno de estresse pós-traumático, com psicodélicos, começou a acreditar que eles podiam ajudá-la. Foi a Iquitos, no Peru, e participou de uma cerimônia com cerca de catorze outras pessoas, liderada por um xamã. Em uma estrutura similar a uma iurta, todos consumiram ayahuasca ao mesmo tempo, então ficaram juntos e discutiram suas experiências no dia seguinte para integrar o que tinham aprendido.

Amber descobriu que aquele era um processo bonito e profundamente curativo. Vinte segundos depois de consumir a ayahuasca, percebeu que havia muito mais no universo do que estava experimentando. A ayahuasca também lhe permitiu processar muito do trauma que havia armazenado em seu organismo. Sentiu uma presença à sua frente sugando formas escuras de energia de seu corpo. Uma delas tomou a forma de uma vítima de tráfico sexual que ela havia entrevistado para um documentário. Outra estava na forma de um animal que ela tinha visto, coberto de óleo durante um derramamento de óleo. Essas formas partiram dela, até que todo o trauma que estava carregando deixou seu corpo.

Então ela conseguiu voltar à sua mente e assistiu a um filme de sua vida para ver onde seu próprio trauma havia começado, e tinha sido na infância, durante o divórcio tumultuado de seus pais. Ela reviveu e reprocessou essas experiências, e as removeu da pasta de memória de "medo e ansiedade" para a pasta "segura". Isso foi extremamente curativo.

Assim como Amber, eu também experimentei ayahuasca no Peru. Isso foi em 2003, quando estava gordo, esgotado de trabalhar no Vale do Silício e prejudicado por um envenenamento por mofo que eu sequer sabia que tinha. A abordagem médica tradicional não estava me ajudando, então comecei a olhar para maneiras alternativas de melhorar meu estado de ânimo e desempenho cognitivo. Acabei em uma pousada nos Andes Peruanos, pedindo aos proprietários em um espanhol horrível que me apresentassem a um xamã de ayahuasca. Na época, foi difícil encontrar quem concordasse em fazer isso por mim, um gringo. Agora percebo uma enorme diferença no Peru, onde os moradores locais fazem fila oferecendo "tours de ayahuasca". É mais importante que nunca tomar cuidado em quem confiar nessa experiência. Eu soube que o xamã que encontrei era bom quando ele me perguntou se eu estava tomando inibidores de monoamina oxidase ou outros antidepressivos que reagem com a *Banisteriopsis caapi*, uma das plantas usadas na preparação da ayahuasca. Você pode morrer se experimentar ayahuasca tomando certos antidepressivos.

No amanhecer do dia seguinte, o xamã me levou a uma colina de onde se avistava as ruínas de Sacsayhuamán, bem perto da antiga capital inca. Ele armou uma tenda e pegou uma bolsa de pedras, as quais pôs ao nosso redor em um círculo enquanto cantava. Eu estava cético em relação às pedras, mas disposto a suspender minha descrença e aproveitar a experiência. O primeiro copo, para minha surpresa, ele derramou na boca de seu cachorro, explicando que o cachorro sempre viajava com ele. O xamã bebeu a dose seguinte, então me deu uma dose dupla. (Eu tenho 1,93 metro e pesava 120 quilos na época.)

Não me lembro muito bem das horas seguintes, apenas imagens passageiras e uma sensação de liberdade que nunca havia experimentado. Saí da experiência com uma energia enorme e cheio de determinação. Por toda a minha vida até aquele momento, eu tinha que me esforçar demais para fazer qualquer coisa, pois estava sempre cansado. De repente, isso passou, e essa sensação durou vários meses. Em um nível profundo, aquilo me ajudou a entender que somos mais que apenas robôs de carne. Há mais ali dentro, e o que pensamos, sentimos e fazemos devem estar alinhados. Isso fez com que eu me concentrasse em criar alinhamento em minha vida. Mas, na verdade, muitas outras coisas que não eram drogas também faziam isso.

No meu caso, as coisas que experimentei me ajudaram a entender que eu precisava trabalhar meu corpo físico assim como o lado emocional, e que os dois eram inseparáveis.

Não é surpresa para mim que cada vez mais gente, especialmente executivos de alta energia, estejam "saindo do armário" em relação ao uso terapêutico de psicodélicos. Se você tem uma missão na vida e está preso, passando dois terços de seu tempo lidando com traumas da infância que incutiram um padrão na maneira como você interage com o mundo, por que gastar todo o seu tempo e energia usando técnicas de baixa potência para se curar quando tem a possibilidade de escolher uma variedade de técnicas mais rápidas que podem levá-lo ao ponto de onde poderá ver sua programação? Sim, elas são mais assustadoras e ainda mais propensas a risco, mas, para muitos, os riscos compensam para obter acesso a essa programação com maior rapidez. Então você poderá reescrever o código e retomar o controle de sua biologia e de como interage com o mundo em vez de deixar que seus sistemas primitivos escolham por você.

Não me entenda mal, psicodélicos são poderosos. Mas não são uma panaceia, normalmente não são divertidos de tomar e são ilegais. Você não precisa usá-los para sair de sua própria experiência, e eles não são a escolha correta para muitas pessoas. Eu os usei pouquíssimas vezes, mas eles tiveram importância na minha evolução como ser humano, e não estou sozinho, não mesmo. E eles nem sempre são seguros.

Há várias outras coisas que você pode fazer com efeitos similares. Muitos executivos fazem retiros de dez dias de meditação vipassana, que os forçam a entrar em um estado alterado. Eu experimentei esse estado durante um retiro de meditação tibetano no Nepal. Mas, como uma pessoa que foi obesa e tinha desejos enormes, e sempre se sentia sozinha não importa com quem estivesse, eu queria apertar meus botões de medo até o fim, portanto entrei em uma versão de busca por visão. Em muitas culturas, quando alguém está imobilizado ou chega a certa idade, parte para a natureza e não volta até ter uma visão. Eu fiz isso sozinho, no meio do deserto, em uma caverna, sem nenhuma comida, conduzido por um xamã que me levou até lá e me buscou quando terminou. Foi uma experiência profundamente transformadora ficar sentado durante dias em jejum, sentindo minha solidão e me perguntando se animais me devorariam à noite.

A chave é que todas essas experiências envolvem estados alterados. Mas, incrivelmente, respirar, outra maneira de entrar em estado alterado, teve um efeito muito mais profundo em mim do que qualquer planta medicinal.

Itens de ação

- Descubra como você pode entrar em um estado alterado em uma experiência intensa. Aqui está uma lista das coisas que eu fiz. Classifique a lista do que mais lhe atrai ao que menos lhe atrai. Então pesquise sua principal escolha e marque-a. Ou escolha algo totalmente diferente.
  - Comparecer a uma cerimônia medicinal com alucinógenos.
  - Comparecer a um retiro de meditação vipassana de dez dias.
  - Ir em busca de uma visão na natureza.
  - Finalmente ir ao Burning Man.
  - Tentar respiração holotrópica (ver a próxima lei).
  - Participar de um retiro intenso de neurofeedback de cinco dias da 40 Years of Zen (eu fundei o retiro, então minha opinião é parcial).
  - Se decidir experimentar plantas medicinais, considere a possibilidade de encontrar um terapeuta regularizado de drogas psicodélicas assistidas que tenha 180 horas de treinamento no Instituto de Estudos Integrais da Califórnia (www.ciis.edu), ou um praticante xamânico tradicional com linhagem de treinamento autêntica e muita experiência.

Áudios recomendados

- Alberto Villoldo, "Shamanic Biohacker", *Bulletproof Radio*, episódio 79.
- "Adventures in Ayahuasca and Psychedelic Medicine" com Dennis McKenna, *Bulletproof Radio*, episódio 329.
- Rick Doblin, "Healing with Marijuana, MDMA, Psilocybin & Ayahuasca", *Bulletproof Radio*, episódio 200.
- Amber Lyon, "Psychedelic Healing & Reset.me", *Bulletproof Radio*, episódio 143.

Leituras recomendadas

- Alberto Villoldo, *One Spirit Medicine: Ancient Ways to Ultimate Wellness*.

- Terence McKenna e Dennis McKenna, *The Invisible Landscape: Mind, Hallucinogens, and the I Ching*.

Lei nº 9: A respiração é a droga mais poderosa do mundo

O simples ato de respirar é tão poderoso que o padrinho do LSD substituiu sua terapia psicodélica por uma prática de controle profundo da respiração. Respirar fundo é simples, mas você pode ir muito além em sua própria cabeça aprendendo a respirar de verdade.

Você leu antes sobre o dr. Stanislav Grof, um dos principais nomes na área da pesquisa psicodélica. Ele tem mestrado e doutorado, e a pesquisa que realizou com a esposa nos anos 1960 e 1970 levou à criação da área da psicologia transpessoal, que reconhece os aspectos espirituais e transcendentes da experiência humana e os une a uma estrutura de psicoterapia e psicologia modernas.

O dr. Grof literalmente escreveu o livro sobre psicoterapia com LSD. Sua pesquisa clínica começou nos anos 1960 em Moscou e na Universidade John Hopkins, com foco nos tipos de terapia que se tornavam disponíveis para a pessoa que usa essas poderosas substâncias psicodélicas. O dr. Grof foi posteriormente pesquisador residente no Instituto Esalen em Big Sur, na Califórnia. Ele é autor de mais de vinte livros e centenas de artigos, e ainda leciona, apesar de ter 86 anos de idade. Ele dá palestras e conduz oficinas no mundo todo e é um dos grandes mestres de sua escola de terapia. É tão cheio de energia que gravou sua entrevista fantástica comigo no palco em um evento da Bulletproof à noite depois que todos os presentes tinham passado o dia fazendo seus exercícios respiratórios.

Apesar disso, ele começou como um psicólogo tradicional. No início de sua carreira, foi ficando cada vez mais desapontado com os limites da psicanálise tradicional. Na época, a psiquiatria era medieval. Psiquiatras ainda usavam tratamentos bárbaros, como terapia de eletrochoques, terapia por choque insulínico, terapia por coma insulínico e até lobotomias pré-frontais.

O dr. Grof estava trabalhando em uma clínica psiquiátrica em Praga quando recebeu uma caixa da empresa farmacêutica Sandoz, da Suíça, cheia de ampolas misteriosamente identificadas como LSD-25. Uma carta anexa a descrevia como uma nova substância para pesquisa. Parecia, com base em um estudo piloto, que seria algo interessante para psiquiatras e psicólogos. O médico ficou animado com a possibilidade de uma abordagem totalmente nova, então se ofereceu como voluntário para tomar LSD e teve uma experiência completamente transformadora. Em seis horas, ele deu um rumo totalmente diferente à sua vida.

Comprometido com a pesquisa dos usos terapêuticos do LSD, o dr. Grof chegou aos Estados Unidos em 1967 com uma bolsa de estudos, mas não demorou muito para que o LSD se tornasse ilegal no país. Ele ficou devastado. Acreditava que a psiquiatria tinha perdido uma ferramenta valiosa com grande potencial de cura. Começou a buscar uma alternativa que pudesse ajudar seus pacientes a experimentar os mesmos benefícios que tinha obtido com o LSD. Incrivelmente, ele encontrou-os na respiração.

Durante milhares de anos, culturas antigas e sabedorias tradicionais reconheciam na respiração mais que uma simples função que nos mantém vivos, mas uma força vital que pode ser manipulada para produzir grandes mudanças. O dr. Grof descobriu que, quando a respiração é acelerada, as pessoas experimentam algo semelhante a um estado psicodélico. Na verdade, qualquer médico pode contar uma história sobre alguém que chegou à emergência com uma "condição psiquiátrica", mas estava apenas hiperventilando. Para se ter uma ideia do quanto a respiração é poderosa.

Claro, se alguém está hiperventilando, a maioria dos médicos desacelera a respiração. Mas não o dr. Grof. Ele desenvolveu uma técnica de respiração chamada respiração holotrópica. É uma prática profunda que pode ajudá-lo a explorar um estado mental incomum (holotrópico). O processo em si é muito simples, combinando respiração acelerada com música evocativa em um ambiente pacífico. Com os olhos fechados e deitada em uma esteira, cada pessoa usa a própria respiração e a música ambiente para entrar em um estado incomum de consciência. Esse estado ativa o processo de cura natural interior da psique do indivíduo, levando a um conjunto particular de experiências internas. Com a inteligência de cura interior guiando o processo, a qualidade e o conteúdo produzidos são únicos para cada pessoa e para aquele tempo e local em especial. Embora temas recorrentes sejam comuns, nunca há duas sessões iguais.

Eu fiz respiração holotrópica várias vezes, duas delas com o dr. Grof, e descobri na prática que ela é ainda mais benéfica que a ayahuasca. A respiração holotrópica foi a primeira experiência transcendente ou espiritual que vivenciei, e ela me levou do foco em drogas inteligentes a entender que, para se aperfeiçoar, você precisa prestar atenção às partes espirituais, emocionais, cognitivas e físicas da vida todas ao mesmo tempo.

Quando fiz respiração holotrópica combinada à hipnose na mesma semana em uma organização sem fins lucrativos chamada Fundação Star, voltei direto ao momento do meu nascimento. Não tinha ideia que isso pudesse acontecer. Já sabia que tinha chegado ao mundo com o cordão umbilical enrolado no pescoço. Mas não sabia que isso significava que meu cérebro de bebê havia interpretado a experiência como um trauma, me predispondo como adulto a uma resposta apressada como lutar ou fugir. A respiração holotrópica me permitiu sentir o terror que tinha experimentado quando bebê e a me lembrar de mais detalhes de meu nascimento, que mais tarde pude confirmar com meus pais. Francamente, como um engenheiro racional, isso me assustou muito.

Como era a prática nos hospitais na época, os médicos me puseram em uma incubadora aquecida, o que significou que fui imediatamente tirado de minha mãe. Durante o estado alterado induzido pela respiração holotrópica, experimentei novamente a sensação de ficar deitado, indefeso, me sentindo sozinho, e tomando uma decisão como um bebê de cinco minutos: como havia chegado ao mundo sozinho, teria de permanecer sozinho para sempre. Durante trinta anos depois desse momento, eu não fiz conexões saudáveis com outras pessoas. Isso enlouqueceu minha cabeça. Sem precisar de nenhum LSD.

Sinto dizer isso, mas separar um filho de sua mãe imediatamente após o nascimento é seriamente ruim para os bebês. Ainda assim, essa prática é corriqueira em situações como essa nos Estados Unidos, especialmente depois de uma cesariana. Se você nasceu ou deu à luz por cesariana, não se estresse nem se sinta culpado em relação a isso. Conhecimento é poder. Agora que sabe que um trauma no nascimento pode causar estresse mais tarde na vida, você pode usar uma das muitas modalidades de cura para zerar a resposta a essa situação. A respiração holotrópica me ajudou a encontrar um trauma absurdamente escondido que estava me limitando em muitos níveis. Quando descobri o que era, embarquei em um caminho para curá-lo e o fiz. Agora tenho amigos de verdade. Tenho amor em minha vida. Estou apto para ser um bom pai. E parei de fugir do fracasso, o que me permitiu abraçar a grande e difícil missão que me anima todos os dias.

Se você me dissesse que alguma dessas coisas fossem prováveis ou mesmo possíveis um minuto antes que eu começasse a sessão de respiração facilitada, eu teria rido. Estou contando isso aqui com a esperança sincera que isso abra sua mente para a possibilidade de haver coisas das quais você não tem consciência e que o estão segurando, não importa o quanto você seja bem-sucedido. Na época em que fiz isso, tinha os marcadores materiais do sucesso. Mas todo o dinheiro e reconhecimento do mundo não significam que tudo vai bem na sua vida.

Se você experimentou um trauma no nascimento ou algum outro tipo de trauma, ou está experimentando um padrão preocupante de comportamento, você pode finalmente fazer alguma coisa em relação a isso. Drogas são um meio de acessar um estado que leva a descobertas pessoais. Respiração holotrópica é outro. Neurofeedback e uma forma de terapia de movimentos rápidos dos olhos chamada dessensibilização e reprocessamento por movimentos oculares (EMDR) podem funcionar também, assim como técnicas de libertação emocional que usam os campos de energia do corpo para acabar com a ansiedade e o trauma. Não importa qual técnica você escolha utilizar (se escolher uma), encontrar uma prática segura para identificar padrões ocultos em sua vida – quase sempre provocados por traumas no passado – é um dos meios mais poderosos de se tornar uma pessoa que muda o jogo. Sair de seu próprio caminho é muito mais fácil quando você sabe o que o está segurando. As pessoas mais felizes, mais bem-sucedidas e de maior impacto no mundo, todas elas encontram um meio de fazer isso.

A respiração holotrópica é apenas um aspecto de respirar para obter alto desempenho. Iogues têm praticado o pranayama, o lado iogue da respiração, há milhares de anos (essa é a base das técnicas de respiração populares da Arte de viver, que pratiquei toda manhã durante cinco anos.) Biohackers como Patrick McKeown modificam seus níveis de oxigênio com respirações especiais. No mínimo, aprenda a respiração ujjayi, que Brandon Routh discutiu no *Bulletproof Radio*. Brandon interpretou o Super-Homem em *Superman: O retorno* e hoje interpreta o Átomo em *Lendas do amanhã*. Se isso funciona para um super-herói, vale a pena tentar! Domine sua respiração, domine a si mesmo.

Itens de ação

- Pense na possibilidade de fazer respiração holotrópica – há grupos locais ou terapeutas que oferecem isso na maioria das cidades.
- Aprenda a respiração ujjayi; instruções em www.bulletproof.com/ujjayi.
- Experimente um curso da Arte de Viver ou de pranayama.

Áudios recomendados

- "The Birth of LSD" com Stanislav Grof, pai da psicologia transpessoal, *Bulletproof Radio*, episódio 428.
- "How to Breathe Less to Do More" com Patrick McKeown, rei do oxigênio, *Bulletproof Radio*, episódio 434.
- Brandon Routh, "Hacking Hollywood & Avoiding Kryptonite", *Bulletproof Radio*, episódio 162.

Leituras recomendadas

- Stanislav Grof, *LSD Psychotherapy (The Healing Potential of Psychedelic Medicine)*.
- Stanislav Grof e Christina Grof, *Holotropic Breathwork: A New Approach to Self-Exploration and Therapy*.
- David Perlmutter e Alberto Villoldo, *Power Up Your Brain: The Neuroscience of Enlightment*.

4

DETENHA O MEDO

Se há um aspecto crucial para o sucesso com o qual todas as pessoas que viram o jogo concordam é esse: você deve ser destemido.

Isso não quer dizer que inovadores não sintam medo – todo mundo sente medo. Mas, ao contrário da maioria das pessoas, aquelas que viram o jogo se recusam a permitir que esse instinto as impeça de desbravar o desconhecido. Claro, o desconhecido geralmente é assustador. Lembre-se, sua mente é uma criatura de hábitos que opera com base no medo – ela está sempre examinando seu ambiente em busca de coisas das quais ter medo, e toma decisões por você com o interesse de mantê-lo "seguro". Mas, na verdade, ceder ao medo não o deixa seguro. E não assumir riscos o torna mais fraco, não mais forte.

Pessoas que viram o jogo sabem disso. Tomando emprestado uma frase da lendária autora de autoajuda Susan Jeffers, "elas sentem medo e fazem as coisas mesmo assim". Elas educam a si mesmas, continuam a aprender, tomam uma atitude e permanecem curiosas. Pessoas que viram o jogo criam um sentido de missão e desenvolvem hábitos que impedem seus corpos de sequestrarem sua criatividade de modo que podem passar suas vidas inovando constantemente. É assim que acabam virando o jogo para o resto de nós.

Também rejeitam o conforto que vem de se esconder atrás de regras e autoridades. Não há nenhum mistério aqui: figuras de autoridade são criadas para proteger o *status quo*. Tornar-se um inovador exige pensar fora da caixa. A estagnação é inimiga da inovação. Com desculpas (e gratidão sincera) a todos os meus ex-professores, a inovação não acontece a menos que você esteja disposto a quebrar as regras que outras pessoas escreveram. Simples assim.

Lei nº 10: O medo mata a mente

O fracasso é assustador porque, conforme os humanos evoluíam, o fracasso significava que você iria ser devorado por um tigre, iria ficar sem comida, sua tribo iria bani-lo ou você nunca encontraria um parceiro, e então morreria, assim como toda a sua espécie. Nada disso é verdade hoje em dia, mas o medo biológico do fracasso permanece nas partes automatizadas de seu sistema nervoso. Aprenda a encarar seu medo irracional de críticas e fracasso e faça grandes coisas mesmo assim. Quando aprende a deixar seu corpo com menos medo do fracasso, ele libera uma energia enorme que você pode usar para fazer o que quiser. O medo do fracasso causa o fracasso. Não ceda. Hackeie-o, em vez disso.

Ravé Mehta é um engenheiro, empresário e professor que virou o jogo, assim como um pianista e compositor premiado. Ele está mudando a forma como educamos crianças através de sua empresa, a Helios Entertainment, que cria jogos, música e livros que ensinam adultos e crianças a superar o medo ao aprender assuntos complexos de ciência, tecnologia, engenharia e matemática. Eu o convidei a se juntar a mim no *Bulletproof Radio* para conversarmos sobre medo.

Ele me contou uma história sobre um safári na África do Sul, no qual ele e um grupo de outras pessoas observavam, de um jipe aberto, um bando de leões. De repente, um dos leões se aproximou do veículo. Ravé estava no banco da frente, mais perto do chão, e, à medida que o leão se aproximava, ele ouviu o guarda sentado ao seu lado dizer em voz baixa:

– Pare de se mexer. Pare de respirar. Finja que você não existe.

Ravé podia sentir o hálito do leão em seu antebraço. Ele temia estar prestes a morrer, e precisou se segurar para não fazer nenhum som nem se mover um centímetro. Começou a praticar uma técnica de respiração para acalmar seu sistema nervoso parassimpático e se manter no momento presente. Embora não acreditasse muito nisso, disse a si mesmo que tudo ficaria bem. E, em instantes, o leão deu meia-volta e foi embora.

Na época em que isso aconteceu, Ravé tinha passado anos estudando, hackeando e perseguindo o medo para descobrir como ele funcionava.

Mas aquele momento realmente testou seu conhecimento e suas habilidades. Se ele não tivesse conseguido entrar em posição de confiança e permanecer conectado ao momento presente, quem sabe o que poderia ter acontecido?

Através de seu estudo do medo, Ravé descobriu que todas as emoções negativas – raiva, inveja, insegurança, culpa, vergonha e cobiça – estão enraizadas no medo, enquanto todas as emoções positivas – segurança, graça, humildade, coragem, gratidão – estão enraizadas na confiança. Quando ele reduziu isso a apenas esses dois estados fundamentais, ficou fácil enxergar como poderia transformar emoções baseadas no medo em emoções enraizadas na confiança.

Ravé acredita que há uma força vital por baixo de todos os sentimentos e todas as emoções, a que ele chama de amor. Essa é a força que une todas as coisas, e através da qual tudo é criado. George Lucas chamou-a de a Força. Na China, eles se referem a ela como *chi*. Na Índia, é chamada de *prana*. Ravé apenas se refere a ela como amor. Ele visualiza nossa habilidade para acessar o amor como um cano. O medo aperta o cano de modo que o amor não consegue penetrar, enquanto a confiança abre o cano.

Segundo Ravé, confiança e medo existem em um espectro. O medo começa com a dúvida, que leva ao ceticismo e, no fim, culmina no medo paralisante. A confiança começa com esperança, e sobe na escala até você ter confiança total no universo, em seu lugar nele e em todos os eventos que acontecem ao seu redor. Embora você possa ou não saber por que algo está acontecendo, você tem uma sensação de conforto por tudo estar trabalhando a seu favor e a vida fluir como deveria. Quando está em um estado de confiança absoluta, é possível beber desse fluxo.

Nesse estado, você se permite ficar vulnerável, porque confia que não vai se machucar, nem física nem emocionalmente. A vulnerabilidade, diz Ravé, aumenta sua capacidade de alcançar um estado de fluxo. Ele diz que o fato de nos permitirmos ser vulneráveis e confiantes reforça nosso "sistema imunológico emocional" – nossa habilidade de nos protegermos de experiências dolorosas. Esse sistema pode ficar fraco quando estamos constantemente nos protegendo e bloqueando nossos sentimentos verdadeiros. Quando praticamos a vulnerabilidade, nos tornamos mais resistentes aos golpes inevitáveis da vida. Foi o conhecimento de que a vulnerabilidade cria resistência que me inspirou a compartilhar as partes duras de minha história ao longo deste livro.

Ravé divide o medo em três partes:

TEMPO

Quando está confiando completamente, você está presente e receptivo naquele momento. É quando se afasta do presente que permite a entrada do medo. Isso normalmente toma a forma de perguntas do tipo "e se". E se aquele leão me atacar? E se eu morrer? O medo sempre vai tirá-lo do momento presente, pois está baseado no que *pode* acontecer no futuro, e não no que está acontecendo agora. Ao permitir a entrada do medo, você perturba o presente. Entretanto, quando está completamente presente, não há espaço para o medo, e você tem acesso ao amor ilimitado, ou ao fluxo.

LIGAÇÕES

A ideia de estar ligado a ideias e objetos materiais tem certa má reputação, e, no início, Ravé acreditou que não devíamos ter essas ligações. Com o tempo, ele percebeu que não havia nada de errado com as ligações em si. É a natureza delas que pode se tornar problemática.

Segundo Ravé, há dois tipos principais de ligações. A primeira é rígida, como uma viga de aço que conecta você ao objeto e cria estresse. O outro tipo é gravitacional. Nesse caso, há uma conexão segura entre você e a outra pessoa ou objeto, mas é mais flexível que uma ligação rígida. Como diz Ravé, nada o está segurando no lugar além de sua gravidade e da gravidade do objeto de sua ligação. Vocês giram em torno um do outro sem nenhum estresse no sistema. Quando a dinâmica muda, vocês podem naturalmente gravitar para longe ou para perto um do outro. Por exemplo, se você tem uma ligação rígida com outra pessoa, vai tentar controlá-la. No caso de uma ligação gravitacional, entretanto, você estará mais confiante em sua conexão e mais focado em si mesmo e se tornará uma pessoa melhor. Isso vai atrair as coisas certas para seu espaço e afastar as coisas erradas, mas vai exigir uma pequena mudança de atitude mental: em vez de se concentrar na outra coisa, concentre-se em você mesmo, e tudo vai se acertar.

EXPECTATIVA

O terceiro pilar do medo é a expectativa. Ravé define a expectativa como estar ligado a um resultado específico – querer ver determinado resultado para seus esforços. Ter expectativas é uma situação em que ninguém ganha: se você alcançar sua expectativa, não há alegria nisso porque é apenas o que você esperava que acontecesse. Mas se não alcançar o resultado esperado, vai se sentir decepcionado ou talvez com raiva, culpado ou envergonhado. Todas essas emoções negativas inibem seu estado de fluxo.

Isso não significa que você nunca deve desejar um resultado ou objetivo. Ravé nos estimula a simplesmente mudar nossas expectativas para preferências. Desse jeito, se alcançar o resultado desejado, você vai se sentir eufórico, mas não ficará consternado se não alcançá-lo. Você deixou a porta aberta para outros resultados. Aquele que você queria era meramente uma preferência.

Ravé diz que os três pilares – tempo, ligação e expectativa – precisam estar ativos para o medo existir. Se você derrubar pelo menos um deles, o medo vai se levantar como fez aquele leão, e se afastará em silêncio.

Isso é incrivelmente importante, porque o medo pode sequestrar mais do que apenas sua criatividade; ele também pode sequestrar suas células. Quando entrevistei o biólogo celular dr. Bruce Lipton, um dos pais da epigenética – o estudo de como o ambiente afeta nossos genes –, tivemos uma conversa fascinante sobre as diferentes maneiras como o medo tem impacto em nossa biologia. Esse não era o tema que o levara ao *Bulletproof Radio* – eu, na verdade, o havia procurado para discutir a função celular –, mas acabamos conversando sobre como as emoções têm impacto em nossa saúde em nível celular.

O trabalho inovador do dr. Lipton começou em 1967, quando ele estava clonando células-tronco em seu laboratório. Na época, era um dos poucos cientistas no mundo inteiro que sabiam o que era uma célula-tronco. Células-tronco são células embrionárias que permanecem em nosso corpo depois do nascimento. Elas têm o potencial de originar múltiplas outras células. Dr. Lipton ficou fascinado pelas células-tronco porque sabia que, independentemente de nossa idade, todos os dias perdemos centenas de bilhões de células devido ao desgaste natural. Células velhas morrem, e o corpo precisa substituí-las. Por exemplo, todo o revestimento de seu trato digestivo, da boca ao ânus, é substituído a cada três dias. Então, de onde vêm todas essas células novas? Células-tronco.

O dr. Lipton botou uma célula sozinha em uma placa de petri e viu que ela se dividia a cada dez ou doze horas. Depois de uma semana, ele tinha 50 mil células, e sua observação mais importante foi que toda célula era geneticamente idêntica. Elas se originaram a partir da mesma célula-tronco. Então ele dividiu essas células geneticamente idênticas em três placas de petri diferentes e alterou um pouco a química do meio de cultura em cada uma das placas, distribuindo as células geneticamente idênticas em três ambientes levemente modificados. Em uma placa, as células formaram músculos, em outra, formaram ossos e, em um terceiro meio de cultura, formaram células de gordura.

Na época, o dr. Lipton era professor de uma escola de medicina. Ele ensinava aos alunos a crença amplamente reconhecida de que nossos genes controlam nossas vidas, mas estava vendo no laboratório que isso não era verdade. Os genes não controlavam o destino das células; o ambiente controlava. Isso o levou a observar como as células são alteradas pelo ambiente no interior do corpo, nosso sangue. Ele descobriu que, conforme mudamos a composição de nosso sangue, mudamos o destino de nossas células. Então, o que controla a composição de nosso sangue? O cérebro é o químico. O que a mente percebe, o cérebro vai reduzir à química complementar.

Por exemplo, se quando você olha para o mundo vê alegria e felicidade, o cérebro vai traduzir essa alegria e felicidade em química, como uma liberação de dopamina ao sentir prazer. Essa química aumenta o crescimento. Se você olha para o mundo por uma lente de medo, isso fará com que o cérebro libere hormônios do estresse e agentes inflamatórios que o levarão a um estado de autoproteção, que detém o crescimento. Ficou muito claro para o dr. Lipton que a química do sangue, o meio de cultura das células, muda com base em nossa visão do mundo. Isso impacta fortemente o destino de nossas células.

Como o dr. Lipton explicou no podcast, quando você está em um estado de medo, impulsionado por antigos mecanismos de sobrevivência, seu corpo se concentra em sobrevivência em vez de crescimento. Isso seria uma coisa boa se um tigre-dente-de-sabre estivesse perseguindo você, mas se está em um estado crônico de medo, está inibindo continuamente seu crescimento e potencial. Para piorar as coisas, os hormônios do estresse que detêm o crescimento também desligam o sistema imunológico para economizar energia. Aí são duas consequências negativas. O dr. Lipton acredita que essa é a origem de mais de 90% das doenças. Ele acabou deixando seu trabalho na universidade porque não acreditava mais no que estava ensinando. A comunidade médica diz que nossos genes controlam nossas vidas e que nós somos vítimas da hereditariedade. Mas o dr. Lipton viu que não estamos impotentes; nós somos responsáveis por nossas próprias vidas e nossos próprios destinos. Essa é uma descoberta profunda, e sou muito agradecido por ele ter rejeitado a autoridade e permanecido suficientemente curioso para continuar fazendo as perguntas difíceis que levaram a respostas que viram o jogo, como essas.

Em minha busca por hackear meu próprio medo, tentei muitas coisas loucas, mas nada tão extremo quanto fez Jia Jiang, um empreendedor, palestrante, blogueiro e autor. Você pode estar familiarizado com Jia devido à sua palestra no Ted Talks sobre rejeição, que se tornou viral e já foi vista mais de quatro milhões de vezes. Eu o procurei para entrevistá-lo quando ouvi falar de sua abordagem não convencional para hackear o medo, que ele chama de "terapia da rejeição". Ele descobriu que, se seu corpo se acostumasse a experimentar a rejeição, ele não entraria mais em estado de medo ao se deparar com a possibilidade de ser rejeitado.

Jia estabeleceu o objetivo de ser rejeitado uma vez por dia durante cem dias, pedindo coisas absurdas a estranhos. Ele foi a uma lanchonete e pediu um refil de hambúrguer depois de terminar de comer um sanduíche. Ele bateu na porta de um estranho e perguntou se poderia jogar futebol em seu jardim. Ele pediu dinheiro emprestado a desconhecidos. E assim por diante. Seu objetivo era obter um "não" todos os dias.

O engraçado é que, embora Jia estivesse determinado a ser rejeitado (o que aconteceu muitas vezes), as pessoas disseram sim para ele com muito mais frequência do que ele esperava. No terceiro dia de experimento, ele foi à loja de donuts Krispy Kreme e pediu a um funcionário para fazer donuts interligados que parecessem o símbolo dos Jogos Olímpicos. Quando a mulher encarregada disse sim e apresentou com orgulho o seu feito para Jia, ele quase chorou. Ficou comovido com a simpatia dela.

Mesmo quando as pessoas não podiam dar a Jia o que ele queria, elas muitas vezes tentavam dar a ele alguma outra coisa. Isso fez com que ele se perguntasse quantas coisas ele tinha perdido só porque ficara com tanto medo de ser rejeitado que nem se dera ao trabalho de perguntar se aquilo era possível. Percebeu que, ao fazer isso, ele tinha dito não a si mesmo.

Para hackear o próprio medo, Jim recomenda celebrar o fracasso. Quando você não arrisca, não vai ser rejeitado. Se você estiver disposto a tentar algo audacioso o bastante para não dar certo, celebre. Isso por si só já é uma conquista.

Tudo o que Ravé, o dr. Lipton e Jia disseram sobre o medo teve um efeito profundo sobre mim, principalmente as ideias de Ravé sobre o espectro do medo. Quando trabalho com clientes executivos ao longo de cinco dias de neurofeedback no 40 Years of Zen, ensino a eles sobre o que chamamos de "pirâmide emocional". Apatia e vergonha estão na base da pirâmide. Esse é o estado menos consciente em que se pode estar. Acima da apatia e da vergonha está a tristeza, acima da tristeza estão a raiva e o orgulho, acima da raiva e do orgulho está o medo, e acima do medo estão a felicidade e a liberdade. Segue um diagrama para ajudá-lo a lembrar.

Felicidade e Liberdade
Medo
Raiva e Orgulho
Tristeza
Apatia e Vergonha

Para priorizar sua sobrevivência, seu corpo sempre tentará conduzi-lo na direção das emoções na base da pirâmide. Ela é útil porque está *sempre* correta. Se você sente vergonha de alguma coisa, pergunte a si mesmo qual o verdadeiro motivo de sua tristeza. Então procure raiva ou orgulho. Quando encontrar isso, procure o medo, porque quando sentir medo, a felicidade está perto. E quando a pirâmide hackeia suas emoções negativas um número suficiente de vezes, você começa a aprender que ela sempre leva a seus medos ocultos.

A triste verdade é que seu corpo acredita que, se você está feliz, não vai se concentrar em ameaças externas e não estará seguro. Ele quer que você permaneça vigilante, pronto para fugir, matar ou se esconder de ameaças (e comer donuts ou se reproduzir se não houver ameaças por perto). Para enganá-lo, seu corpo estabelece essa hierarquia para impedi-lo de experimentar a felicidade e, em vez disso, se concentrar em ameaças. Isso tudo não seria um problema, a não ser pelo fato de que o medo inibe o crescimento e a criatividade. Além disso, você provavelmente quer ficar feliz. Então precisa reiniciar sua programação.

Na 40 Years of Zen há um processo chamado "Processo de reinicialização aumentado por neurofeedback" criado para ajudar clientes a parar de responder automaticamente a coisas que não são ameaças. Você usa neurofeedback para ajudar a encontrar uma situação que dispare uma emoção negativa, recriar a sensação com a maior exatidão possível e, então, encontrar algum motivo, por menor que seja, pelo qual você possa ser grato nessa situação. A gratidão desliga o medo. Então você invoca um sentimento profundo de perdão em relação a que ou a quem causou a situação.

Com a ajuda da tecnologia de neurofeedback, isso é mais fácil do que parece, mas ainda é um trabalho desafiador sentir uma emoção negativa de propósito, encontrar algo bom nela, e então liberar seus sentimentos mais difíceis. Entretanto, ao fazer isso, você se livra do medo, e ele não volta mais. Passei quatro meses da minha vida fazendo esse trabalho, e como resultado, é bem difícil me deixar irritado (a não ser que eu queira). Ainda assim, sou grato por ajudar outras pessoas nas raras ocasiões em que conduzo uma sessão na 40 Years of Zen. Ver uma pessoa zerar incansavelmente seus medos sempre me traz um ensinamento sobre meu próprio caminho.

Você pode obter benefícios semelhantes (embora possa levar mais tempo) em qualquer prática de meditação que ensine perdão, gratidão ou compaixão, desde que aplique essas ferramentas tanto ao que causou seu medo *quanto a si mesmo*. A coisa mais importante é ter consciência de que a voz crítica em sua cabeça não é você; é seu antigo instinto de sobrevivência, e ele está trabalhando desesperadamente para impedi-lo de desligar o medo que, ele acha, vai mantê-lo vivo. Quando você sabe o que é, a culpa e a vergonha derretem, e você pode subir a pirâmide até a felicidade. É real: a única coisa de que você precisa ter medo é do próprio medo.

Itens de ação

- Lembre-se de que o medo exige tempo, ligações e expectativas.
- Trabalhe para permanecer no momento presente, eliminando distrações. (Desligue já os alertas do celular!)
- Reformule suas expectativas para se tornarem preferências. Diga "Eu quero" em vez de "Eu preciso".
- Pense na possibilidade de realizar uma prática noturna, como a que faço com meus filhos. No fim de cada dia, peço a eles para listarem três coisas pelas quais são gratos. Então eu pergunto algo em que fracassaram naquele dia. Fracasso significa "algo a que eu me dediquei, mas não consegui realizar". Se tiveram algum fracasso no dia, eu os elogio por terem se dedicado o bastante para fracassar. Se não tiveram fracassos no dia, eu faço uma expressão triste e digo que espero que o dia seguinte seja melhor, e que eles possam se exigir o bastante para fracassar. Se você tem filhos, experimente isso. Se não tem, tente um diário. Escreva um fracasso, não apenas um infortúnio, e reconheça que isso significa que você exigiu muito de si mesmo. Parabenize a si mesmo no diário por assumir o risco. É incrível quanto peso sai de sua psique quando você faz isso apenas algumas vezes.
- Seja rejeitado de propósito! Experimente uma semana de terapia da rejeição – peça coisas que acha que não vai conseguir todo dia até ouvir um "não". Você vai aprender depressa que as pessoas querem desesperadamente ajudar as outras quando têm uma chance. As pessoas são incríveis.

Áudios recomendados

- Ravé Mehta, "Fear & Vulnerability Hacks", *Bulletproof Radio*, episódio 303.

- "The World Is Your Petri Dish" com Bruce Lipton, *Bulletproof Radio*, episódio 336.
- Jia Jiang, "Seeking Rejection, Overcoming Fear, & Entrepreneurship", *Bulletproof Radio*, episódio 237.

Leituras recomendadas
- Bruce H. Lipton, *A biologia da crença – Ciência e espiritualidade na mesma sintonia: o poder da consciência sobre a matéria e os milagres.*
- Jia Jiang, *Sem medo da rejeição: como superei o medo de ouvir um "não" e me tornei mais confiante.*

Lei nº 11: A média é o inimigo

As pessoas que criam as mudanças mais positivas mais rápido estão por definição rompendo o *status quo*. O mundo vai reagir, o que leva ao medo ou à incerteza até mesmo nos inovadores mais confiantes. Através da história, indivíduos com ideias novas foram consistentemente criticados, menosprezados ou até pior. Administre sua resposta emocional a críticas e siga em frente apesar dos obstáculos. Aprenda a enfrentar críticas e continue seu caminho com alegria. A última coisa que você quer ser é mediano.

Hoje, o dr. Daniel Amen é amplamente reconhecido como um dos maiores especialistas em cérebro do mundo. É um escritor que esteve dez vezes na lista de mais vendidos do *New York Times*, fundador e CEO da Clínica Amen e uma pessoa que foi em grande parte responsável por minha decisão de me tornar um biohacker.

Em 1991, o dr. Amen trabalhava como psiquiatra quando assistiu a uma palestra sobre produção de imagens por tomografia computadorizada por emissão de fóton único (SPECT) que mudou o rumo de sua carreira. Essa tomografia é uma técnica de medicina nuclear. Enquanto tomógrafos e equipamentos de ressonância magnética são técnicas anatômicas que mostram o aspecto físico das estruturas cerebrais, a SPECT revela o que está acontecendo em seu cérebro mapeando o fluxo sanguíneo e a atividade, revelando áreas de seu cérebro que se "acendem" quando estão desempenhando certas tarefas ou experimentando emoções em particular.

O médico ficou fascinado pelas imagens de SPECT e começou a usá-las em sua prática clínica para ajudar a diagnosticar e tratar pacientes, muitos dos quais viram grandes melhoras rapidamente. Ainda assim, ele sofreu muito por causa de seus colegas, que reclamaram que essa técnica não era o padrão adequado de tratamento e o chamaram de charlatão. Ninguém gosta de ser diminuído e menosprezado quando se está trabalhando para ajudar pessoas. Ele precisou de muita coragem para seguir em frente apesar dessas acusações, mas estava curioso. Se não pudesse observar o cérebro, argumentava, como poderia saber se estava trabalhando bem? Ele queria ver o que estava tratando, então perseverou, apesar das críticas.

Então sua cunhada ligou para ele uma noite e disse que seu sobrinho de nove anos tinha atacado uma garotinha no campo de beisebol sem nenhum motivo aparente. O dr. Amen perguntou a ela:

– O que mais está acontecendo com ele?

Ela respondeu:

– Danny, ele está diferente. Ele está mau. Não sorri mais.

O dr. Amen foi até a casa deles e encontrou dois desenhos feitos pelo sobrinho. Em um deles ele aparecia enforcado em uma árvore. No outro, estava atirando em outras crianças. Ele se virou para a cunhada e disse:

– Você precisa levá-lo ao meu consultório amanhã.

Quando o dr. Amen se sentou com o sobrinho, perguntou:

– Qual é o problema?

O menino disse:

– Tio Danny, não sei. Sinto raiva o tempo todo.

O dr. Amen perguntou se alguém o estava machucando, provocando ou tocando de forma inapropriada, e ele disse que não. Então fez uma tomografia do cérebro do sobrinho e descobriu um cisto do tamanho de uma bola de golfe ocupando seu lobo temporal esquerdo. A criança, na verdade, não tinha o espaço no exame onde o lobo temporal esquerdo deveria estar. Era a primeira vez que o dr. Amen via aquilo, mas ele viu a mesma situação muitas vezes depois. Na época, um psiquiatra normal provavelmente teria se concentrado nos sintomas emocionais sem examinar a função do cérebro com uma tomografia.

O lobo temporal esquerdo é uma área do cérebro que está ligada à violência, segundo estudos.[1] Quando o dr. Amen encontrou um cirurgião para remover o cisto, o comportamento de seu sobrinho voltou ao normal. O cirurgião disse que o cisto estava fazendo tanta pressão no cérebro do garoto que tinha deixado o osso sobre seu lobo temporal esquerdo mais fino. Se tivesse sido acertado na cabeça com uma bola de basquete, poderia ter morrido instantaneamente.

Nesse momento, o dr. Amen parou de se preocupar se achavam que ele era um charlatão. Pensou em todas as pessoas que estão na cadeia ou que morreram porque seus médicos não sabiam que tinham problemas com seus cérebros que poderiam ter sido identificados com a ajuda de um exame de SPECT, e fez do uso da ferramenta para ajudar o maior número de pessoas possível sua missão.

Eu sou uma dessas pessoas. Quando soube pela primeira vez do dr. Amen em 2002, ele era alvo de grandes críticas, mas sua ciência era incrivelmente sólida. Eu fazia meu MBA em Wharton enquanto trabalhava em tempo integral em uma startup, e estava desesperado. Me esforçava ao máximo, mas estava me tornando menos bem-sucedido em minha carreira, passando por pouco nas matérias e sem sucesso no departamento amoroso. Fiquei pasmo quando uma das tomografias do dr. Amen mostrou que meu cérebro parecia tóxico. Quando o dr. Amen viu os resultados, disse:

– Se eu não o conhecesse e visse a tomografia de seu cérebro, diria que é o cérebro de um viciado vivendo embaixo da ponte.

Em comparação com um cérebro saudável, o meu tinha atividade muito baixa em um padrão que ele disse ver frequentemente em viciados em drogas ou pessoas que foram expostas a toxinas ambientais, como mofo tóxico. Disse que os exames mostraram que eu tinha dano cerebral induzido quimicamente. Era nítido que algo estava errado com meu cérebro.

Pode parecer estranho, mas fiquei empolgado ao ouvir essa notícia. Finalmente sentia alguma esperança, pois tinha uma questão concreta com que trabalhar. Toda minha vida eu tinha pensado que era apenas fraco e não me esforçava o suficiente, embora fosse externamente bem-sucedido. Mas o exame de SPECT mostrou que não era questão de caráter, e sim de hardware. Eu tinha sido exposto a mofo tóxico quando criança e mais uma vez antes de entrar na escola de administração. Com a ajuda do dr. Amen e muito biohacking, consegui reabilitar meu cérebro, que então me permitiu levá-lo a níveis além do que eu esperava. Sou muito grato por ele ter perseverado e permanecido curioso o suficiente para usar SPECT quando outros estavam satisfeitos em zombar de sua técnica ao tratar pacientes sem o benefício de conhecer totalmente o que estava acontecendo no interior de seus cérebros. Se não tivesse olhado para o meu, eu nunca teria descoberto como consertá-lo, e sem dúvida não estaria onde estou hoje.

Mesmo quando não mudaram diretamente o rumo de minha vida, eu procurei constantemente especialistas que rejeitaram a autoridade com grandes resultados. Quando li um dos livros do dr. Gerald Pollack, *Cells, Gels and the Engines of Life* [Tradução livre: Células, gels e os motores da vida], fiquei fascinado por sua descoberta de um quarto estado da água. O cara disse a todo bioquímico do planeta que eles tinham deixado escapar um fato enorme sobre a natureza de algo tão importante quanto a água, o que revirou o campo da biologia celular. Claro que ele tem críticos, mas também tinha os dados de sua pesquisa. Eu queria saber mais sobre seu trabalho e o que o havia levado a estudar algo tão aparentemente mundano como a água.

O dr. Pollack é um renomado professor de bioengenharia na Universidade de Washington, diretor executivo do Instituto de Ciência de Risco e fundador e editor-chefe do jornal *Water*. Ele também é membro fundador do Instituto Americano de Engenharia Médica e Biológica e da Sociedade de Engenharia Biomédica. Em outras palavras, ele é um biohacker fodão, embora eu tenha quase certeza de que essa é a primeira vez que ele é chamado assim.

O dr. Pollack se interessou pela água quando estava estudando músculos e como eles se contraem. Ele notou que, quando pensamos em músculos a nível molecular, geralmente consideramos apenas como as proteínas interagem para produzir força. Entretanto, músculos não contêm apenas proteínas, mas também água. Na verdade, dois terços de nossos músculos, em volume, são água. Mais de 99 em cada cem moléculas de nossos músculos são moléculas de água.

O dr. Pollack se surpreendeu ao perceber que outros cientistas tinham desprezado 99 em cada cem moléculas quando tentavam descobrir como os músculos funcionam. Como elas podiam ser insignificantes? A principal teoria sobre como os músculos funcionavam datava de mais de sessenta anos. Mas, em seu laboratório, o dr. Pollack descobriu que as provas não se encaixavam na teoria. Ele percebeu que o elemento que faltava não era outro se não a água. Todas aquelas diminutas moléculas de água tinham, na realidade, um papel significativo em como nossos músculos funcionam, em comparação às teorias dominantes.

Isso o levou a deixar de lado a pesquisa sobre os músculos e começar a estudar a própria água, e o que ele descobriu foi revolucionário. A maioria de nós aprende que a água tem três estados: sólido, líquido e gasoso. Mas o dr. Pollack descobriu que há na verdade um quarto estado biologicamente importante da água, que fica entre o sólido e o líquido. Esse quarto estado é altamente viscoso, parecido com o mel. Ele se chama água em zona de exclusão, ou água EZ.

O dr. Pollack pode ter sido o primeiro a descobrir esse quarto estado da água, mas outros, há mais de cem anos, previram essa descoberta. Parece que tantos anos atrás, um grupo de cientistas estava perto de descobrir o quarto estado da água, mas eles enfrentavam muitas críticas. Então desistiram. O estudo detalhado de moléculas de água na biologia perdeu o respeito da comunidade científica, e cada vez mais pessoas então passaram a relutar em fazer isso. Só quando o dr. Pollack e seus colegas permitiram que sua curiosidade sobre a água tomasse o lugar dos estudos sobre contrações musculares, eles conseguiram fazer a descoberta e mudar o estudo da água.

As implicações desse quarto estado, a água EZ, são ilimitadas. Esse é o tipo de água que temos em nossas células que sustentam a função mitocondrial. Quanto mais água EZ temos em nosso corpo, melhor é o funcionamento das nossas células. O dr. Pollack descobriu que luz infravermelha, luz natural do sol e vibração, todas elas criam mais desse tipo de água. Desde que falei com ele, tornei prioridade aumentar a água EZ em minhas células e posso sentir os resultados do meu desempenho. Na verdade, estou tão convencido de seus benefícios em conferir saúde e melhorar meu desempenho que financiei pesquisas adicionais em seu laboratório. E adivinhe o que ele descobriu? Quando você mistura a gordura da manteiga (ghee, ou manteiga clarificada) com água, isso cria uma quantidade *enorme* de água EZ.

Essa descoberta resolveu o mistério do Café Bulletproof. Sempre me irritei com o fato de que, se tento comer manteiga e depois ingerir café preto, não sinto a onda de clareza que sinto quando gasto meu tempo misturando os dois, e agora sabemos por quê. Misturar manteiga no café cria água EZ. A descoberta inovadora do dr. Pollack solucionou outro mistério!

Enquanto estava no caminho da descoberta da água EZ, o dr. Pollack encarou uma boa cota de pessoas que duvidavam dele, mas permaneceu em seu caminho e acabou rindo por último. É isso que pessoas que viram o jogo fazem: elas se aferram a suas armas quando acreditam estar certas, mesmo que levem anos para provar isso.

E por falar em pessoas atípicas, quando criei os grãos de café especialmente processados, que não causam tremores, testados em laboratórios e livres de mofo, que fazem parte do café Bulletproof, o mercado para eles era nulo. Era uma ideia louca que imediatamente atraiu críticos (isso sem contar a parte de acrescentar manteiga). Eu fiquei obcecado com essa ideia depois que precisei parar de tomar café normal porque ele sempre me causava ansiedade, tremores e fadiga. Criei um processo especial de torrefação dos grãos e os coloquei no mercado mesmo assim. Seis anos depois, em 2018, as pessoas beberam mais de cem milhões de xícaras do café Bulletproof feito com esses grãos especiais, e milhares de clientes que tinham problemas com tipos padrão de café me agradeceram por permitir que elas tomassem a bebida novamente.

Pelo caminho, mais críticos surgiram. A maioria eram trolls em busca de uma reação, e o crítico mais conhecido tinha nitidamente uma motivação financeira, mas meu favorito foi um jornalista de uma revista sobre café que disse simplesmente que não era possível que um hacker de computadores como eu mudasse o processo de fazer café, porque eu não era um veterano desse ramo da indústria. Meu sucesso veio da curiosidade, seguida pelo fato de fazer aquilo em que acreditava mesmo quando o sucesso atraiu críticas.

É por isso que ter uma missão é tão importante – ela lhe dá o poder de resistir. É por isso, também, que a gratidão é igualmente importante (ver Capítulo 15). A voz em sua cabeça vai se preocupar que outras pessoas podem acreditar nos críticos. É possível mudar sua história lembrando a si mesmo que toda vez que um crítico fala sobre seu trabalho, ele está atraindo mais atenção para o que você está fazendo, não importa o que diga. No mundo de hoje das mídias sociais, ninguém acredita no que os críticos dizem sem verificar primeiro no Google. Na Bulletproof, não importa a história irritante ou preocupante que estava se desenrolando em minha cabeça, as vendas na verdade cresciam toda vez que um crítico com uma forte presença on-line atacava a ciência, e eu me sentia energizado quando percebia que as pessoas que compartilhavam minha missão se erguiam alegremente em defesa do meu trabalho. Então eu ainda digo um "obrigado" em silêncio toda vez que vejo uma crítica infundada on-line. Lembre-se, oferecer gratidão às pessoas que o desafiam é parte de superar o medo. E ser capaz de agradecer a seus críticos dá uma sensação incrível.

Todos temos uma grande dívida de gratidão com cientistas como o dr. Amen e o dr. Pollack, que estavam dispostos a falar e a continuar a pesquisar quando descobriram algo contrário ao conhecimento tradicional. Os dois ultrapassaram obstáculos tremendos para mudar suas áreas e superaram o medo que se seguiu ao serem difamados por seus pares. Sem esse nível de curiosidade e coragem, não haveria nenhuma inovação, e o jogo permaneceria o mesmo para sempre.

Itens de ação

- Exclua críticos inúteis de suas mídias sociais de modo que eles não o tirem de seu jogo mental. Você leva apenas um segundo para fazer isso, enquanto eles gastam muito mais tempo inventando coisas a seu respeito. Quando você faz as contas desse jeito, sempre ganha.
- Antes de excluí-los, diga primeiro um "obrigado" silencioso, porque pelo menos eles estão falando de seu trabalho.
- Interaja com críticos úteis on-line e off-line que realmente questionam seu trabalho, mas não acrescente insultos pessoais à conversa. Eles têm muito a lhe ensinar. Não esqueça de agradecer a eles também.
- Se a crítica atingi-lo em cheio, use a pirâmide emocional da página 104. A crítica sempre toca na vergonha ou no orgulho. A vergonha esconde a tristeza, que esconde a raiva e o orgulho, que escondem o medo, que esconde a felicidade. Então descubra do que você realmente tem medo, encare isso e observe os críticos perderem a força.

Áudios recomendados
- Daniel Amen, "Alzheimer's, Brain Food & SPECT Scans", *Bulletproof Radio*, episódio 227.
- Daniel Amen, "Reverse the Age of Your Brain", *Bulletproof Radio*, episódio 444.
- Gerald Pollack, "It's Not Liquid, It's Water", *Bulletproof Radio*, episódio 304.

Leituras recomendadas
- Daniel. G. Amen, *Change Your Brain, Change Your Life: The Breakthrough Program for Conquering Anxiety, Depression, Obsessiveness, Lack of Focus, Anger, and Memory Problems*.
- Gerald H. Pollack, *The Fourth Phase of Water: Beyond Solid, Liquid, and Vapor*.

Lei nº 12: Não leve um cavalo até a água: faça-o ter sede

Pessoas que viram o jogo não ficam entediadas. Elas procuram aquilo que as fascinam, e isso faz com que queiram pular da cama pela manhã. Sem paixão e propósito, não há felicidade, por isso descubra as coisas que importam para você e dedique a vida a persegui-las. Ponha a paixão à frente do dinheiro, e o sucesso virá – mas também não ignore o dinheiro.

Naveen Jain tem uma história clássica de sucesso americano. Ele chegou com cinco dólares no bolso aos Estados Unidos, vindo da Índia quando era estudante, e conseguiu crescer e se tornar o fundador bilionário de sete empresas. Seu trabalho virou o jogo para a informação (sua empresa Infospace foi grande no ramo da internet), o sistema solar (ele fundou a Moon Express, que está enviando os primeiros robôs mineradores para a Lua), e está usando sua abordagem visionária para descobrir os mistérios do corpo humano com a empresa Viome.

Naveen quer mais horas em um dia. Ele dorme apenas quatro horas por noite porque ama o que faz e isso é todo o sono de que precisa. Com quase sessenta anos, é tão energético quanto eu, aos 45. Ele acorda de manhã e pula da cama porque está muito animado com o que pode aprender naquele dia. Ele diz que o dia em que você para de aprender é aquele em que você morre, e que a maioria das pessoas que está entediada na verdade já está morta. Onde há espaço para o tédio com tantas coisas para ver e aprender no mundo? Naveen acredita que, no minuto em que nossos cérebros não estão mais crescendo, você se torna um parasita da sociedade porque não está mais contribuindo. No dia em que para de sonhar e de ser intelectualmente curioso, você se torna um morto-vivo.

Ele acredita que permanecer intelectualmente curioso é uma das coisas mais importantes que se pode fazer, e não entende como as pessoas podem falar sobre jogar golfe – para ele, se você tem tanto tempo livre que pode passar oito horas em um campo de golfe, sua vida não vale mais a pena. (A menos, é claro, que o golfe o empolgue e proporcione verdadeira alegria. A ideia de Naveen é que você deve se concentrar naquilo que lhe interessa e no que realmente faz diferença, e o golfe é indiferente para muitos.) Embora as pessoas falem sobre serem apaixonadas por alguma coisa, Naveen diz que, em vez disso, você devia ficar obcecado: encontre algo pelo qual seja tão obcecado que não consiga dormir e persiga esse assunto com todo o seu ser.

Para descobrir aquilo pelo que é obcecado, imagine ter tudo o que você deseja na vida. Você tem bilhões de dólares, uma família maravilhosa e tudo o mais que quer e de que precisa. Agora o que você vai fazer? Suas verdadeiras obsessões são as coisas que você buscaria se já tivesse tudo o que deseja quando não se trata de ganhar dinheiro ou alcançar um objetivo. Ele afirma que ganhar dinheiro nunca deve ser o objetivo. Em vez disso, ganhar dinheiro é um subproduto de buscar as coisas que lhe interessam. Naveen diz que ganhar dinheiro é como ter um orgasmo: se você se concentrar nisso, nunca vai chegar lá. Mas se desfrutar do processo, sim.

Naveen o encoraja a sonhar tão grande que as pessoas ao seu redor vão achá-lo louco. Então, quando começarem a lhe dizer que está louco, imagine que isso significa que você *ainda* não está pensando grande o suficiente! Isso exige nunca ter medo de falhar. Ele acredita que você só falha quando desiste. Todo o resto é apenas uma engrenagem. Se as coisas que está fazendo não estão funcionando, você muda, se adapta e altera o esquema; então, a menos que desista, você ainda não falhou. Toda ideia que não funciona é simplesmente um degrau para um sucesso maior. O sucesso chega quando você ainda está curioso e aprendendo.

Como pai, Naveen acredita que seu trabalho é encorajar e cultivar a curiosidade intelectual em seus filhos. As pessoas sempre dizem que você pode levar um cavalo até a água, mas não pode obrigá-lo beber. Naveen defende que você nunca deve levar um cavalo até a água, apenas deixá-lo sentir sede. Se um cavalo for passional, sedento e obcecado por encontrar água, ele vai sair e encontrar a própria água – e vai beber.

Gostaria que esse fosse o objetivo de todos os sistemas educacionais – tornar as crianças tão intelectualmente curiosas que entrem no mercado de trabalho motivadas e com paixão por fazer a diferença. Para aprender mais sobre como podemos encorajar o maior número de pessoas a alcançar o maior impacto potencial, procurei Subir Chowdhury, um consultor de gerenciamento que trabalha com CEOs importantes de empresas da lista Fortune 500 para melhora de desempenho. Se você quer alavancar seu desempenho, provavelmente não há jeito melhor do que prestar atenção ao que ele tem a dizer, em especial sobre a ligação entre paixão e ação. Subir foi ao *Bulletproof Radio* para falar sobre o que faz para ajudar os CEOs mais poderosos do mundo, mas ele também contou muito mais. Seu trabalho mais recente é focado em como produzir uma atitude mental interessada como caminho para o desempenho pessoal e como fazer corporações inteiras começarem a se interessar.

Subir me contou sobre uma jovem chamada Trisha Prabhu. Um dia, Trisha, que tinha treze anos à época, descobriu que uma menina de onze anos havia cometido suicídio depois de ter sido vítima de bullying virtual. Trisha ficou arrasada ao saber que uma garota tão nova tinha tirado a própria vida. Ela começou a pesquisar sobre bullying virtual e descobriu que havia muitos outros adolescentes que tinham tirado a própria vida pela mesma razão. E percebeu que os sites de mídias sociais não estavam fazendo o suficiente para impedir o problema.

Ela se interessou pela questão, e decidiu tomar uma atitude. Criou um aplicativo chamado ReThink, que usa tecnologia patenteada para encontrar mensagens potencialmente ofensivas e então pede que um usuário pare e pense no dano que pode causar antes de postar algo que possa ser prejudicial ou ofensivo. Descobriu que, quando pedia que adolescentes parassem e repensassem sua decisão, eles mudavam de ideia sobre publicar algo prejudicial espantosos 93% das vezes.

A coisa que mais impressionou Subir sobre Trisha foi que ela não pediu a adultos nem a qualquer tipo de figura de autoridade para ajudá-la. Ela viu um problema e entrou em ação para resolvê-lo. Trisha incorpora os quatro atributos humanos que Subir diz formarem uma atitude mental interessada: ser direto, ponderado, responsável e movido por resultados.

Para ser uma pessoa mais interessada, aconselha Subir, pergunte a si mesmo como pode aplicar esses quatro atributos em todos os aspectos de sua vida. Você pode ser mais direto na maneira de se comunicar? Você pensa sobre suas ações antes de agir, mesmo as pequenas? Você é responsável tanto por seus fracassos quanto por seus sucessos? Você se interessa o suficiente por fazer coisas que criam resultados? Todos somos mais fortes em algumas áreas do que em outras. Ele descobriu que a responsabilidade é uma fraqueza comum. Quando alguma coisa acontece, muitos de nós supõem que é problema de outra pessoa. Como teria sido fácil para Trisha deixar a solução do bullying virtual para os sites de mídias sociais ou outras figuras de autoridade. Em vez disso, ela tomou o problema nas mãos e aceitou a responsabilidade.

Madre Teresa disse: "Não espere por líderes, faça sozinho." Pessoas que viram o jogo não deixam que o medo as impeça de fazer as coisas que lhes interessam. Quando você se interessa o suficiente, é apaixonado e não tem medo, suas ações podem realmente fazer a diferença.

Itens de ação

- Encontre um problema pelo qual você é obcecado e dedique o máximo de tempo e energia possíveis em busca daquilo, porque vai fazê-lo feliz.
- Desenvolva um estado mental interessado – direto, ponderado, responsável e movido por resultados.

Áudios recomendados

- Naveen Jain, "Listen to Your Gut & Decide Your Own Destiny", *Bulletproof Radio*, episódio 452.

- Subir Chowdhury, "The Most Powerful Business Success Strategies That Make All The Difference", *Bulletproof Radio*, episódio 419.

Leitura recomendada
- Subir Chowdhury, *The Difference: When Good Enough Isn't Enough*.

5

ATÉ O BATMAN TEM UMA BATCAVERNA

A essa altura do livro, alguma sabedoria dessas pessoas que viram o jogo pode estar fazendo sentido para você. Você já identifica as coisas pelas quais sente paixão e afastou o medo que o impede de buscá-las. Se for assim, está em *estado de avidez*. É uma sensação incrível, e quem a experimenta apenas algumas vezes na vida tem sorte. Mas se você a aciona o tempo todo, há um problema oculto. A paixão por trabalho que faz uma diferença significativa normalmente toma a sua vida inteira, deixando pouco tempo para se recuperar e aproveitar os frutos desse trabalho. Isso pode ser tão viciante quanto drogas, e muitas pessoas já morreram de bom grado por suas paixões.

No entanto, mais de cem pessoas que viram o jogo que eu entrevistei disseram que ter tempo ocioso era fundamental para seu sucesso e seu bem-estar. Como pode ser? Como pessoas que trabalham tão duro para mudar o mundo, amando cada minuto desse tempo, acreditam que é essencial encontrar um momento para relaxar, recarregar as energias e se divertir?

A sociedade nos ensina que seremos mais bem-sucedidos se nos esforçarmos ao limite da exaustão, mas as pessoas que fazem a diferença provam que o oposto é verdadeiro. Elas são capazes de operar em níveis tão altos de desempenho justamente porque tiram tempo para se divertir. Priorizam a recuperação e reservam horários em seus dias porque sabem que, se deixarem ao acaso, isso nunca vai acontecer. Alguns deles aprenderam isso do jeito mais difícil. Muitos dos meus convidados mais impressionantes tiveram estafa antes de aprenderem a priorizar os momentos de ócio. Assim como eu.

Passei a primeira metade de minha carreira trabalhando até a exaustão, movido por meu próprio medo não reconhecido e profundamente arraigado do fracasso, e fui profundamente bem-sucedido. A história em minha cabeça era que, se eu trabalhasse mais, se tivesse mais dinheiro, seria feliz. Então seguia em frente e não tirava férias, dormia pouco e nunca parava.

Não havia como saber que eu não era tão produtivo, feliz ou eficiente quanto poderia ser, até me concentrar de verdade em cuidar de mim mesmo e começar a investir energia, tempo e um bom percentual de meu dinheiro em minha saúde física e mental. Essa estratégia funcionou muito bem enquanto eu estava erguendo a Bulletproof, mas quando comecei a buscar outras paixões, como criar um podcast e escrever livros, cheguei ao limite. Seguir minha paixão pelo que eram essencialmente três empregos de tempo integral, sem mencionar meu trabalho como marido e pai, tornaram tentador demais diminuir o cuidado comigo mesmo.

Decidi fazer algumas mudanças, incluindo reservar tempo em minha agenda para recarregar as energias e tornar esse item não negociável. Agora, sempre que não estou viajando, aproveito para levar meus filhos à escola e depois reservo "tempo para aperfeiçoamento". Estabeleci o compromisso de passar esse período fazendo algo que me torne um ser humano melhor. Às vezes, é fazer exercícios de biohacking no equipamento louco em meus laboratórios. Outras vezes é meditar ou ouvir as meditações energéticas do dr. Barry Morguelan enquanto faço alongamentos incomuns. Às vezes passo uma corrente elétrica sobre minha cabeça ou faço uma caminhada matinal sob o sol sem camisa para captar alguns raios e acertar meu ritmo circadiano.

O fato é que faço alguma coisa, e faço antes do trabalho. Foram necessárias muitas conversas duras com meus incríveis executivos assistentes para explicar exatamente como esse tempo não é negociável, mas depois que eles entenderam, passaram a respeitar... Porque, honestamente, eu não respeitaria. Gosto demais do que faço, por isso reduzo esse tempo, se depender de mim. Não há dúvidas que reservar esse tempo para mim mesmo – e tirá-lo de meu próprio controle – me ajudou a melhorar como autor, apresentador de podcast, CEO e pai.

Também criei uma ordem de operações para organizar meu tempo, uma que pertence ao seu kit de ferramentas. Eu a compartilho com funcionários da Bulletproof e, o mais importante, com aqueles que ajudam a organizar minha agenda. É direto: sua saúde sempre vem em primeiro lugar, porque ela determina seu desempenho em todo o resto; sua família (e amigos que são tão próximos quanto família) vem em segundo; e o trabalho está em terceiro. A maior parte das pessoas vive na ordem exatamente oposta: elas põem o trabalho em primeiro, a família e os relacionamentos em segundo e a si mesmas em último.

O fato é que você nunca vai ser o funcionário, parceiro, pai ou amigo que quer ser se não priorizar sua própria saúde e felicidade. Quando você colocar tempo livre em seu horário, bem ali em sua agenda para todos verem, você ficará melhor em cuidar de sua família, ficará mais eficiente no trabalho e será capaz de causar o impacto que mais deseja.

Lei nº 13: Não force seus limites por tempo demais

O único momento em que um animal se esforça até cair é quando está faminto ou sendo caçado. Quando você se esforça e não se recupera, seu corpo acredita que você está sob ameaça. Um sistema automático entra em funcionamento e desliga os sistemas menos necessários em seu corpo. Os que o mantêm jovem. Os que o mantêm feliz. Os que o ajudam a pensar. Você precisa aprender a ser um profissional da recuperação. Não corra uma maratona todo dia. Em vez disso, dê um pique, descanse, dê outro pique. Crie enormemente em seguida descanse enormemente para manter sua paixão – e seu corpo – viva por toda a corrida.

A dra. Izabella Wentz virou completamente o jogo para centenas de milhares de pessoas com doença da tireoide. Ela é a brilhante autora do livro de enorme sucesso *Hashimoto's Protocol: A 90-Day Plan for Reversing Thyroid Symptoms and Getting Your Life Back* [Tradução livre: O protocolo Hashimoto: um plano de 90 dias para reverter os sintomas da tireoide e recuperar sua antiga vida], que destila seus anos de pesquisa sobre todas as coisas que cobravam um preço alto sobre seu corpo. Sua série de protocolos, focados na otimização de hormônios, superando estresse traumático, erradicando infecções crônicas, melhorando a nutrição e limpando toxinas, ajudou inúmeras pessoas a vencerem uma doença autoimune incrivelmente comum e viverem uma vida plena e saudável. Vale mencionar que eu também já tive tireoidite de Hashimoto, embora tenha testado negativo para anticorpos e não tenha mais sintomas. Eu a convidei ao programa porque ela é mestre em descomplicar nossa biologia complexa, e seu livro foi tão popular que ficou semanas no primeiro lugar da lista de lançamentos de não-ficção do *New York Times*.

A dra. Wentz estava lutando contra a fadiga crônica durante quase uma década quando descobriu que, na verdade, tinha tireoidite de Hashimoto. Quando era pequena, todo mundo a chamava de coelhinho da Duracell. Era uma menina cheia de disposição e entusiasmo, que estava sempre repleta de energia e era uma das melhores alunas, obcecada em ter as notas mais altas. (Agora está assim novamente.) Mas durante seu primeiro ano na faculdade, sua energia desapareceu. Começou a faltar às aulas porque estava tão exausta que não conseguia se levantar da cama. Um dia, estava se preparando para uma prova final quando pegou no sono às 14h e dormiu até as 9h da manhã seguinte. A prova começava às 7h30.

Isso continuou por anos. A dra. Wentz dormia por catorze horas seguidas e acordava ainda se sentindo exausta. Enquanto seus amigos saíam, desfrutavam de seus vinte anos e conquistavam seus objetivos, a dra. Wentz estava dormindo. Logo, ela começou a experimentar sintomas adicionais. Desenvolveu névoa cerebral, síndrome do túnel do carpo, refluxo gástrico e síndrome do intestino irritável. Depois de algum tempo, começou a ter ataques de pânico e a experimentar perda de memória. Ela não conseguia se lembrar das coisas mais simples e tinha que escrever tudo. Sabia que tinha o potencial para virar o jogo, mas, por mais que se esforçasse, não estava obtendo resultados.

Levou nove anos até receber o diagnóstico de tireoidite de Hashimoto, uma condição na qual o sistema imunológico ataca a tireoide, e depois mais vários anos para recuperar a saúde. Ela se tornou farmacêutica e posteriormente uma das maiores especialistas na doença, com o tempo desenvolvendo protocolos que dão a seus pacientes resultados em apenas duas semanas.

O que isso tem a ver com priorizar o tempo ocioso? Bem, depois de tratar, entrevistar e estudar milhares de pessoas com tireoidite de Hashimoto, a dra. Wentz chegou à conclusão de que o estresse é o principal fator que dispara o gatilho que leva os pacientes do estágio um, quando simplesmente têm os genes certos para isso, ao estágio dois, quando começam a desenvolver sintomas. Cerca de 70% de seus pacientes contaram que estavam passando por um período de estresse significativo em suas vidas quando avançaram para o estágio dois.

Isso acontece porque, quando você está severamente estressado, sem a oportunidade de se recuperar, seu corpo considera que está sob ameaça. Isso dispara a inflamação e faz com que os glóbulos brancos ataquem a glândula tireoide ou outros sistemas no corpo. Essa reação é conhecida como resposta autoimune, porque o corpo está usando seu próprio sistema de defesa para atacar a si mesmo. A dra. Wentz diz que uma das considerações mais importantes para prevenir a tireoidite de Hashimoto (ou qualquer outra doença autoimune) é minimizar as coisas que você faz no dia que fazem com que seu corpo sinta como se estivesse ameaçado. Isso importa mais do que você pode imaginar – até 20% da população sofre de uma doença autoimune, a taxa de crescimento é de 20% anualmente,[1] e o percentual é provavelmente mais alto para personalidades muito estressadas.

O que são essas coisas no dia a dia que aumentam seu risco, e como evitá-las? Elas incluem ficar estressado com o trânsito, estar em um relacionamento prejudicial, não dormir o suficiente, se aferrar à raiva e privar seu corpo de nutrição devido a restrição continuada de calorias. Analise sua vida e elimine tudo o que deixaria louco seu homem ou mulher das cavernas. Isso vai dar a seu sistema nervoso um sinal claro de que você está seguro.

Não é coincidência a dra. Wentz ter observado que um grande percentual de pacientes de tireoidite de Hashimoto ser formado por pessoas que, como ela (e eu), são grandes realizadoras de alto nível que se esforçam até o limite, e em seguida se esforçam mais. Ela pede a seus pacientes que se comprometam em eliminar o estresse de suas vidas por um mês. Além disso, ela os ajuda a aprenderem a lidar com qualquer fator de estresse restante praticando exercícios de plena atenção que lhes permitem fazer uma pausa antes de reagir e liberar o estresse e a ansiedade. Então, quando o chefe disser alguma coisa exaltada ou ofensiva, eles devem fazer uma pausa e encontrar compaixão pela outra pessoa em vez de disparar imediatamente uma resposta de estresse no corpo. Mas a dra. Wentz diz que você deve encontrar compaixão por si mesmo antes de poder descobri-la pelos outros. Ela tem razão.

Muitas pessoas impacientes e competitivas acham o cuidado consigo mesmo uma frivolidade, mas a realidade é que ele é essencial para nutrir sua mente e seu corpo, como você faria com uma criança ou um animal de estimação, embora crianças e animais de estimação sejam muito mais inteligentes que os sistemas que controlam seu corpo. Você pode fazer isso não apenas eliminando o estresse, mas acrescentando ao seu dia coisas das quais gosta. Muito simplesmente, minimize em sua vida as coisas que não lhe dão prazer e maximize as que dão. É assim que você muda o jogo para seus genes, seu desempenho e as vidas daqueles ao seu redor. Não é tão difícil quanto parece.

Como diz Mark Bell, um empreendedor que surgiu do nada e um inventor em excelente forma física que poderia explodir minha cabeça em seu bíceps se tivesse vontade, a pessoa mais importante na sala sempre é você. Mark é considerado um dos dez maiores levantadores de peso de todos os tempos e utilizou sua carreira como atleta profissional para iniciar seus negócios, que incluem os renomados Super Training Gym e Super Training Products. Ele sabe que não importam quais sejam seus objetivos, você precisa cuidar de si mesmo antes de mais nada. Sentado à minha frente na ilha de Vancouver, ele lembrou aos meus ouvintes que comissários de bordo sempre instruem passageiros em caso de emergência a colocarem a própria máscara de oxigênio antes de ajudarem uma criança, porque você não pode ajudar ninguém se estiver debilitado. E se não priorizar o tempo ocioso e o cuidado consigo mesmo, você inevitavelmente ficará debilitado.

Mark está em uma missão para ajudar outras pessoas, o que o leva a dedicar grande parte de seu tempo ao próprio desenvolvimento pessoal. Ele passa uma quantidade enorme de horas lendo livros, ouvindo música e podcasts, fazendo caminhadas e até, muitas vezes, apenas sentado em silêncio sem fazer absolutamente nada. Pode parecer absurdo, mas quando você para de se forçar demais e respeita os limites de seu corpo, pode realizar mais do que realizaria se continuasse se esforçando além do seu limite.

Não são apenas pessoas impacientes e competitivas que caem vítimas da estafa. Como aprendi em minhas discussões com alguns dos maiores curadores e líderes espirituais do mundo, eles também sofreram as consequências de dedicar toda a sua energia a seu ofício e colocar as necessidades de outras pessoas acima das suas.

Na verdade, isso é um problema tão grande que, anos atrás, Jack Canfield criou um grupo seleto de líderes de desenvolvimento pessoal que se encontram duas vezes por ano em resorts apenas para se concentrarem em cuidar de si mesmos e uns dos outros. Eu tive a honra de me juntar a eles e fiquei realmente surpreso ao ver tantas lendas do desenvolvimento pessoal falando que suas paixões por ajudar o próximo quase os havia esgotado. Durante os retiros, eles se concentram no cuidado consigo mesmos como se suas vidas dependessem disso, e considerando que esses curadores ajudam a servir milhões – ou dezenas de milhões – de pessoas, isso não é exagero.

Um desses curadores é Genpo Roshi, que entrevistei no evento Be Unlimited [Seja ilimitado], patrocinado pelo Instituto de Treinamento Bulletproof. Gen é um sacerdote zen nas escolas de zen budismo Soto e Rinzai. Ele destilou o que aprendeu ao longo de décadas de estudos em uma série de ensinamentos que chama de Mente Grande, e virou o jogo para milhares de pessoas.

Em 2011, Genpo estava ensinando zen budismo havia quase trinta anos quando estava a caminho da Europa para ser o anfitrião de um evento de dez dias com quatrocentos alunos. Após aterrissar, sua esposa lhe telefonou. Ela tinha encontrado mensagens em seu Blackberry, que ele havia esquecido em casa, sobre um caso que ele estava tendo com outra mulher. Foi difícil ouvir a história na entrevista, mas Genpo a relatou sem medo.

Inicialmente ele não conseguiu admitir seu erro, por isso descarregou na esposa, mas depois se abriu com seus alunos sobre ter sido desonesto e enganado a mulher. Sua vida e sua reputação desmoronaram. Sessenta e seis outros professores de zen assinaram uma petição declarando que ele não poderia dar aulas durante pelo menos um ano.

Genpo precisava assumir a responsabilidade. Depois de trabalhar com um terapeuta e seus mentores, ele percebeu que, como estava se sentindo esgotado por fazer tanto a serviço dos outros durante tantos anos, tinha se sentido no direito de se divertir um pouco e agir de forma impulsiva e irresponsável. Enquanto conversávamos, ele deixou claro que a explicação não servia para justificar seus atos, mas o havia ajudado a entender porque tinha feito algo do qual se arrependia tão profundamente. Estava decidido a aprender com seu erro e, conforme começou a investigar a importância de limites, honestidade e integridade, passou por uma grande transformação.

Genpo compara essa fase de sua vida a um câncer, que ele também vivenciou em 2003. Agora ele vê que foi uma das melhores coisas que aconteceram a ele, mas ele não desejaria isso para ninguém nem gostaria de passar por isso de novo. Seu trabalho hoje é um esforço para ajudar que as pessoas evitem cometer esse tipo de erro.

Para entender onde errou, Genpo estudou os cinco estágios do desenvolvimento de acordo com a filosofia zen chinesa (que é mais um estudo do comportamento humano e da mente do que uma religião). O primeiro estágio é quando alguém tem o primeiro vislumbre de algo maior, mais elevado e superior. Isso é chamado de despertar de Buda. Quando a pessoa tem esse despertar, pode dar início a uma prática devocional em que começa a atualizar a sabedoria do Buda. Isso acaba por levar ao que os budistas se referem como a Grande Dúvida. A Grande Dúvida quando alguém está fazendo tudo o que deveria, mas ainda assim não se sente completamente feliz.

Durante o primeiro ano do despertar de Genpo, ele esteve incrivelmente feliz. Mas sua Grande Dúvida o levou a questionar tudo, incluindo a própria felicidade e até a realidade. Ele se viu questionando o que tinha realmente experimentado, o que tinha realmente ganhado e o que tinha realmente aprendido. Submeter tudo isso a questionamentos, passar por essas questões e no fim reconhecer sua dúvida o levou a outro grande despertar, que é o terceiro nível de desenvolvimento. Nesse estágio, o indivíduo se torna a realidade absoluta. Não há existência relativa, não há medo, não há sofrimento, não há eu e não há outro.

Genpo diz que muitos professores espirituais ficam presos nesse ponto porque, quando chegam a esse estágio, acreditam que não têm ego. Entretanto, esse é na verdade o lugar mais egoísta em que uma pessoa pode estar. É onde o próprio Genpo ficou preso porque, segundo ele, quando estava nesse lugar, não estava aberto a nenhum retorno pela simples razão de que era grandemente iluminado e sabia disso. Porém, por mais iluminada que a pessoa seja, o ego sempre está presente. (Acredito que isso ocorra porque o ego é o sistema operacional que mantém nosso corpo vivo.) Quando está consciente, seu ego pode se tornar sua autoridade final. Ele diz para você o que é certo e o que é errado. E sem ele, não há regras.

Isso o leva ao quarto estágio, que é a queda. É impossível evitar esse estágio, mas Genpo diz que é melhor passar por ele o mais rápido possível. Aqui, você deixa de lado o ser iluminado e começa o processo de integração dos medos, sombras e raivas – todas as coisas que acreditamos ser venenosas – em seu eu. Então, quando pensa que caiu completamente, o quinto estágio é uma descida completa ainda maior, durante a qual tudo é estilhaçado. Luz e escuridão se integram completamente ao eu, e você consegue flutuar de um lado ao outro entre os dois.

Essa foi uma conversa incrivelmente esclarecedora, embora aparentemente eu ainda tenha que passar por alguns estágios. O que Genpo disse sobre como o tempo todo que ele passou servindo aos outros fez com que se sentisse merecedor me intrigou. Isso diz muito sobre nossas atitudes culturais em relação ao autossacrifício. Nós nos glorificamos nele de uma maneira que leva as pessoas a se tornarem santos autoungidos, sejam elas monges budistas, workaholics ou pais. A cultura do autossacrifício e o valor que atribuímos a ela atrapalham nosso desempenho.

Isso mostra mais uma vez como é importante priorizar o cuidado consigo mesmo até quando se preocupar com os outros é nossa prática espiritual ou profissional – e o que pode acontecer caso você não se cuide.

Para orientação prática sobre como fazer isso, procurei o dr. Pedram Shojai, escritor que esteve na lista de mais vendidos do *New York Times* com os livros *Monge urbano: como parar o tempo e encontrar sucesso, felicidade e paz* e *The Art of Stopping Time: Practical Mindfulness for Busy People* [Tradução livre: A arte de parar o tempo: consciência plena prática para pessoas ocupadas]. O dr. Shojai trabalha com medicina oriental, é fundador da Well.Org, um monge ordenado e um mestre reconhecido de qigong que aplica conhecimento de tradições orientais para ajudar pessoas a superarem os desafios em suas vidas muito ocidentais. Se alguém poderia me ensinar como criar hábitos que priorizam o tempo ocioso, sabia que seria o homem que chama a si mesmo apropriadamente de Monge Urbano. Além disso, eu sei que ele consegue o que diz porque eu o vejo fazer isso. Ele é meu amigo.

Quando estava começando como um jovem acupunturista trabalhando com pacientes de alto nível em um ambiente privado, o dr. Shojai teve a oportunidade de aprender em primeira mão o que fazia pessoas de altíssimo rendimento ficarem acordadas à noite. Ele viu que essas pessoas eram frequentemente infelizes por terem priorizado o dinheiro e o sucesso financeiro em detrimento de suas famílias e de sua saúde emocional. Ele se deu conta de que sua definição de prosperidade, que estava ligada ao sucesso financeiro, precisava ser aperfeiçoada.

Quando você descobre as coisas que são mais importantes para você, o conselho do dr. Shojai é escrever seus objetivos para trinta, sessenta e noventa dias, em seguida avaliar todas as solicitações de seu tempo em relação a esses objetivos. Se surge uma oportunidade que não está a serviço de seus objetivos, você deve dizer não a si mesmo, porque dizer sim para algo novo exige tipicamente dizer não para outra coisa que você já tinha concordado em fazer. Isso cria o excesso de compromissos e de trabalho que leva a mais estresse. A maioria das pessoas é estressada porque vive em um tempo comprimido – elas têm coisas demais a fazer em muito pouco tempo porque se comprometeram demais. Não há quantidade de ioga ou meditação que ajude a determinar limites de tempo. Muitos de nós são descuidados com o tempo, mas pequenas mudanças, que o dr. Shojai chama de micro hábitos, podem ajudar a melhorar isso.

Para começar, veja quais são as cinco coisas que considera mais importantes e pergunte a si mesmo de quanto tempo precisa para se dedicar a elas. Então compare isso ao tempo que você tem disponível. Compromissos que não estejam alinhados com seus objetivos não são importantes. O dr. Shojai os compara a ervas daninhas em um jardim. Quando você corta as ervas e cuida das plantas (sua prioridade), o jardim viceja.

Para ajudar a si mesmo a se concentrar em suas prioridades, o especialista reinicia sua mente e sua atenção várias vezes por dia usando a técnica Pomodoro, uma técnica de gerenciamento do tempo desenvolvida nos anos 1980 por Francesco Cirillo. O dr. Shojai programa um alarme para tocar em 25 minutos e usa esse tempo para encarar uma tarefa específica, então faz um intervalo de cinco minutos. Durante esses cinco minutos, ele movimenta o corpo e bebe um pouco de água. Eu às vezes faço o mesmo tipo de coisa, mas é mais provável que você me encontre fazendo alongamentos em uma prancha vibratória para todo o corpo e bebendo café, pelo menos de manhã. Coisas diferentes para pessoas diferentes.

Quando começou essa prática, ele temia que fazer tantos intervalos seria uma perda de tempo, mas depois de trabalhar com centenas de empresas em seu bem-estar corporativo, viu uma diferença profunda quando os funcionários dão a si mesmos permissão para se regenerar ao longo do dia. O absenteísmo cai, enquanto a produtividade, a felicidade e o desempenho crescem. Em vez de se sentirem como se não pudessem se dar ao luxo de fazerem intervalos, trabalhadores, assim como o próprio dr. Shojai, perceberam que não podem se dar ao luxo de não fazer.

O que funciona para ele pode ou não funcionar para você, mas você deve assim mesmo experimentar estratégias diferentes, incluindo o cuidado radical de si e a criação de hábitos de gerenciamento de tempo para ajudá-lo a evitar o estresse e a estafa, de modo que você possa alcançar sucesso além de seus limites sem ter de se esforçar além da conta.

Itens de ação

- Reflita sobre o que você está fazendo com regularidade que fazem com que seu corpo pense estar sob ameaça.
- Escreva as três principais coisas que mais sugam energia de sua vida: _____
- Escreva as três principais coisas que mais dão energia à sua vida: _____
- Quanto do seu tempo você passa fazendo atividades que sugam sua energia? _____
- Quanto tempo você passa fazendo atividades que geram energia? _____

- Quais são as coisas que sugam sua energia e parecem ameaças para seu sistema nervoso? Quais dessas coisas você pode simplesmente parar de fazer?

  _____

- De que maneira você pode convencer outra pessoa a fazer um dos sugadores de energia que o deixam fraco? A quem você pedirá para fazer isso?

  _____

- Priorize o cuidado diário consigo mesmo (ou especialmente) se passa o dia cuidando dos outros. (Sim, isso significa vocês, mães.) Marque um horário para fazer isso do mesmo jeito que faria com uma consulta ao dentista ou uma entrevista de emprego.
  - Quanto tempo você reservará para o cuidado consigo mesmo todos os dias?

    _____

  - A que horas do dia você fará isso?

    _____

- Anote uma tarefa de recuperação semanal ou mensal que leve mais tempo e marque-a para os seis meses seguintes. Abra sua agenda. Faça isso agora.
  - Tarefa de recuperação semanal:

    _____

  - Tarefa de recuperação mensal:

    _____

- Escreva seus objetivos para trinta, sessenta e noventa dias, então avalie todas as novas solicitações de seu tempo em relação a esses objetivos. Diga não para qualquer coisa que não esteja alinhada aos seus objetivos, ou arranje outra pessoa para fazê-la. Você precisará de um diário para executar essa tarefa.

- Quando você vai escrevê-las?

- Onde você vai escrevê-las?

- Você separou tempo em sua agenda para escrevê-las?

Áudios recomendados
- Dra. Izabella Wentz, "Hashimoto's Thyroiditis & the Root Cause", *Bulletproof Radio*, episódio 256.
- Mark Bell e Chris Bell, "Bigger, Stronger, Faster", *Bulletproof Radio*, episódio 432.
- Genpo Roshi, "Learn How to Meditate from a Zen Buddhist Priest", *Bulletproof Radio*, episódio, 425.
- Pedram Shojai, "The Urban Monk", *Bulletproof Radio*, episódio 283.

Leituras recomendadas
- Izabella Wentz, *Hashimoto's Protocol: A 90-Day Plan for Reversing Thyroid Symptons and Getting Your Life Back*.
- Dennis Genpo Merzel, *Spitting Out the Bones: A Zen Master's 45 Year Journey*.
- Pedram Shojai, *The Art of Stopping Time: Practical Mindfulness for Busy People*.

Lei nº 14: Milagres só são possíveis de manhã

A maneira como você começa o dia determina como vai passar o resto dele. Não importa quando você acorda, não comece seu dia reagindo ao mundo à sua volta. Esse é o caminho do estresse, da estafa e de objetivos fracassados. Ponha-se em primeiro lugar pela manhã, prepare sua mente e seu corpo para o dia, e estabeleça as coisas que vai priorizar, então encare o dia.

Se vai ouvir o que alguém tem a dizer sobre milagres, esse alguém deveria ser Hal Elrod, um palestrante motivacional, coach de sucesso e autor do best-seller que chegou ao topo das listas com seu livro *O milagre da manhã: o segredo para transformar sua vida (antes das 8 horas)*. (Você vai se beneficiar de seus conselhos mesmo que sua manhã comece naturalmente mais tarde, como a minha!) Hal enganou a morte não apenas uma vez, mas duas.

Quando tinha vinte anos, Hal foi atropelado por um motorista bêbado a 110 quilômetros por hora, e foi declarado clinicamente morto durante seis minutos antes de recuperar os sinais vitais. Ele superou a opinião médica ao voltar não apenas a andar de novo, mas ao completar uma ultramaratona de 84 quilômetros, impulsionado por paixão e força de vontade. Depois, ele se tornou um representante de vendas de sucesso recorde e gerente de vendas nacional da famosa empresa de facas Cutco e, mais tarde, um palestrante cobiçado, antes de colocar vários livros nas listas de mais vendidos.

Na Cutco, diz Hal, seu mentor lhe ensinou uma técnica chamada regra dos cinco minutos, que mudou sua vida. De acordo com essa regra, não há problema em ser negativo quando as coisas dão errado, mas não por mais de cinco minutos de cada vez. Para praticar essa regra, programe um alarme e permita-se reclamar, gemer, protestar sobre algo que esteja aborrecendo você. Quando os cinco minutos terminarem, é hora de parar de gastar sua energia com algo que não pode mudar e começar a se concentrar aonde quer ir e no que pode fazer para chegar lá.

Hal botou essa regra em prática depois de seu acidente. Uma semana depois de sair do coma, os médicos chamaram seus pais e disseram:

– Estamos preocupados com Hal. Fisicamente, ele está indo bem, mas acreditamos que seu filho está em negação.

Eles não entendiam por que Hal estava sempre rindo e brincando com os enfermeiros e terapeutas. Esse não era o comportamento normal de um jovem que tinha sido informado de que nunca mais voltaria a andar. Os médicos acreditavam que a realidade era tão assustadora e dolorosa que ele tinha abandonado-a e estava vivendo em um estado de ilusão.

Mas Hal não estava em um estado de ilusão; estava vivendo de acordo com a regra dos cinco minutos. Ele não podia voltar no tempo, então não via sentido em ficar sentado desejando que o acidente não tivesse acontecido. Em vez disso, sentia que tinha duas opções: se os médicos estivessem certos e ele nunca mais voltasse a andar, ele aceitaria isso, mas havia também uma chance de eles estarem errados, e nesse caso ele não aceitaria.

De fato, estavam errados. Três semanas depois de ser encontrado em coma com o fêmur partido ao meio e a pelve quebrada em três pontos, Hal deu seus primeiros passos. Ele deixou o hospital um mês depois, voltou a trabalhar, contrariando ordens médicas, e acabou quebrando recordes de vendas. Mas não foi só o fato de pensar que iria andar novamente que permitiu que ele fizesse isso. Pensamento positivo não resolve todos os seus problemas magicamente. Hal acredita que a chave para criar milagres é colocar a si mesmo no melhor estado mental, físico e emocional possível para criar ótimos resultados em sua vida.

Ele afirma que você pode acessar esse estado com mais facilidade pela manhã. A maioria das pessoas acorda porque precisa. Elas ajustam o despertador com base na hora em que devem estar em algum lugar, fazer alguma coisa ou responder outra pessoa. Mas isso determina o tom para passar o dia servindo às necessidades de outros antes de suas próprias, e reagindo ao que estiver à frente delas no momento em vez de escolher ações deliberadas e intencionais que estejam alinhadas a seus valores e objetivos. Hal usa suas manhãs para se concentrar em si mesmo e se tornar uma pessoa melhor do que era na noite anterior. Ele passa uma hora todos os dias fazendo uma rotina de desenvolvimento pessoal extraordinária que acredita ter salvado sua vida. Ele a resume na sigla em inglês S-A-V-E-R-S [salvadores]: silence [silêncio], affirmations [afirmações], visualizations [visualizações], exercise [exercício], reading [leitura] e scribing [escrita]). Essa é o seu milagre da manhã, a máscara de oxigênio que lhe permitiu prosperar apesar de todas as probabilidades. O processo de Hal é um pouco longo, mas ele o condensou em um programa de cinco minutos que qualquer um pode arranjar tempo para realizar.

Ele afirma que se fizer essas práticas em outros momentos do dia, você deixará de experimentar todos os seus benefícios. Em particular, meditar e praticar afirmações e visualizações têm impacto em seu subconsciente e mudam sua forma de pensar, agir e reagir durante o dia todo, o que por sua vez afeta sua qualidade de vida. Ele recomenda práticas diferentes à noite, em especial perguntar a si mesmo o que poderia ter feito melhor durante o dia. Essa é uma maneira simples de lutar para melhorar enquanto amortece aos poucos a ideia de ser imperfeito, de modo que isso não fira seu ego.

Hal afirma que seu milagre da manhã e o estado mental, físico e emocional que ele evoca salvaram sua vida mais uma vez em 2016, depois de ter sido diagnosticado com leucemia linfoblástica aguda apenas duas semanas depois de irmos juntos a um aeroporto. Embora desenvolver câncer não tenha sido sua escolha consciente, ele acreditava que era responsável por escolher como reagir a isso. Ao aceitar o que não podia mudar, permanecer grato por tudo o que tinha e descobrir e criar significado e propósito para aquilo que poderia do contrário ser uma experiência negativa, ele descobriu mais uma vez que toda a adversidade carrega uma vantagem profunda capaz de transformar a vida. Na verdade, acredito que Hal seguiu instintivamente quase todas as leis deste livro enquanto se recuperava do câncer. Pessoas como Hal já descobriram a importância desses hábitos!

Todos enfrentamos problemas, e cabe a nós decidir o sentido que damos a eles e o propósito que eles servem a nós mesmos, às pessoas que amamos e ao bem maior. Enquanto escrevo isso, o câncer de Hal está em remissão, e não tenho dúvida de que continuará a usar suas manhãs para criar muitos outros milagres.

Itens de ação

- Comece uma prática diária de fazer algo significativo assim que acordar. Tente um diário, meditação, fazer visualizações ou escrever objetivos. Descubra o que funciona melhor para você.
- Ponha seu celular no modo avião antes de ir para a cama e mantenha-o no modo avião até ter terminado sua prática matinal.
- Quando sentir a necessidade de descarregar, reclamar ou ter pensamentos negativos, busque o perdão imediatamente. Se não o encontrar, programe um alarme para cinco minutos e liberte-se disso. Quando o tempo acabar, volte a ser produtivo.

Áudio recomendado
- Hal Elrod, "Be Happier, Healthier & More Productive", *Bulletproof Radio*, episódio 176.

Leitura recomendada
- Hal Elrod, *O milagre da manhã: o segredo para transformar sua vida (antes das 8 horas)*.

PARTE II

MAIS RÁPIDO

6

O SEXO É UM ESTADO ALTERADO

Esta parte do livro começa com uma surpresa. A verdade é que o sexo não foi uma das principais recomendações das pessoas que viram o jogo para se ter um melhor desempenho. Embora muitos convidados tenham levantado o assunto do sexo ao longo de nossas entrevistas, poucos falaram francamente sobre o quanto ele é importante. Talvez estivessem com medo de que as pessoas os julgassem hedonistas ou rasos. Sem dúvida é verdade que muitas pessoas carregam vergonha e embaraço em torno do sexo. Alguns aprendem ainda jovens que sexo é sujo ou "mau", e sem dúvida não é algo sobre o qual se deve falar em público.

Então o sexo está ausente dos dados, mas há ecos suficientes dele nas minhas centenas de entrevistas que eu seria negligente em ignorar. Sem dúvida é uma das três coisas mais importantes que você faz, e seja você homem ou mulher, ele tem impacto direto em seu desempenho de maneiras que você pode não perceber. O sexo afeta seus níveis de hormônio, seus neurotransmissores, suas ondas cerebrais e seus níveis gerais de felicidade, e cada um dos quais, por sua vez, tem impacto direto em sua capacidade de agir como pai, companheiro, amigo, funcionário e qualquer outro papel que possa ter ou aspire cumprir.

Como leu anteriormente, nós somos programados para fazer três coisas em ordem de importância: fugir, comer e... transar, sobre o que trata este capítulo. Esses são os comportamentos que o mantêm vivo e garantem que você vai ajudar a propagar a espécie, por isso seu corpo os prioriza acima de todo o resto. Isso significa que seu corpo produz mais energia para sustentar esses instintos. Todo o objetivo de ser à prova de balas é dominar essas motivações de modo que possa redirecionar a energia por trás delas para onde achar apropriado. O sexo é uma das três razões pelas quais seu corpo pensa que está vivo, por isso é uma poderosa força motivadora que pode sugar uma tonelada de energia ou, se você seguir os conselhos neste capítulo, superenergizar seu desempenho.

Lei n°15: Pare de pensar com aquilo que está dentro de sua calça

Se você é homem, precisa aprender a redirecionar sua energia sexual para se tornar um ser humano melhor. Seu corpo usa quantidades enormes de energia para se assegurar que você ajude a espécie a se reproduzir. Em vez disso, dê um melhor uso para essa energia. Fazer isso vai ajudá-lo a ser mais feliz, a viver mais e a arrasar. Seu estresse diminuirá, e sua energia aumentará quando você ensinar a seu corpo que o mundo não vai acabar se você não tiver um orgasmo, assim como não vai acabar se você perder uma refeição. Um desejo irrefreável é um desejo irrefreável, e qualquer desejo irrefreável vai tirá-lo de seu melhor até você dominá-lo.

Em 2011, pesquisadores na Universidade de Nova York aprenderam coisas interessantes sobre sexo e violência. Eles injetaram proteínas sensíveis à luz no cérebro de camundongos, e depois usaram tecnologia de fibra ótica para estimular essas proteínas. Especificamente, as proteínas foram injetadas no hipotálamo, uma região do cérebro envolvida em certos processos metabólicos, incluindo fome, temperatura corporal e regulação hormonal. Quando puseram camundongos machos juntos em uma gaiola e acionaram essa parte do hipotálamo com um clarão de luz, os animais de repente ficaram violentos. Do nada, o camundongo que anteriormente estava completamente dócil atacou o outro e qualquer objeto que houvesse por perto.

Havia apenas uma única atividade que prevenia essas compulsões violentas: sexo. Quando os pesquisadores iluminaram a mesma parte do cérebro enquanto os camundongos estavam fazendo sexo, nada acontecia. Mas, o interessante é que, assim que os machos ejaculavam, eles voltavam a ser facilmente provocados. Os pesquisadores olharam para os neurônios individuais dos camundongos e descobriram uma sobreposição entre os neurônios ativos durante as brigas e durante o sexo.[1]

Essa pode ter sido a primeira vez que os cientistas conseguiram ver, neurônio por neurônio, que a mesma parte do cérebro está envolvida em violência e sexo. Quando você pensa nisso, faz sentido que a mesma parte do cérebro controle dois comportamentos que mantêm a espécie viva. Ser capaz de enfrentar predadores obviamente o mantém vivo. Mas isso não é desculpa para nenhuma sobreposição comportamental entre sexo e violência, e é por isso que é tão poderoso canalizar sua energia sexual para fins positivos. Psicólogos e mestres espirituais chamam isso de "sublimação" – o ato de transformar conscientemente necessidades sexuais (ou qualquer outra necessidade) em criatividade ou ação física. Sabe-se há muito tempo que boxeadores e outros atletas profissionais se abstêm de sexo antes de uma competição. Dizem que Muhammad Ali não fazia sexo por seis semanas antes de uma luta de boxe, e algumas equipes na Copa do Mundo instituem o celibato para seus jogadores antes da competição.[2]

Eu me deparei pela primeira vez com essa ideia no livro seminal *Pense e enriqueça*, publicado por Napoleon Hill em 1938. Esse clássico, que talvez tenha sido um dos primeiros livros de negócios e desenvolvimento pessoal a serem publicados e alcançarem elogios e sucesso, inclui um capítulo inteiro sobre transformar a energia sexual masculina em produtividade. O livro de Hill foi baseado em observações, porque ele não tinha acesso a neurociência, mas suas ideias e técnicas foram realmente úteis para mim. Ele afirma que o desejo sexual masculino é a força mais poderosa que nós possuímos, e várias pessoas de alto desempenho que entrevistei também concordam.

John Gray, por exemplo, é o autor do que talvez seja o livro sobre relacionamentos mais conhecido de todos os tempos: *Homens são de Marte, mulheres são de Vênus*. Ao longo das últimas décadas, ele pesquisou o impacto de hormônios no sexo e nos relacionamentos. Na verdade, quando o conheci, fiquei chocado ao descobrir que ele é tanto um biohacker quanto um hacker de relacionamentos.

Segundo John, um relacionamento é um sistema entre duas pessoas, e muitos problemas na relação são causados por desequilíbrios hormonais entre os homens e as mulheres. Ele insiste que podemos melhorar drasticamente nossa vida sexual e nosso relacionamento se começarmos a prestar mais atenção e respeitar essas diferenças.

Os hormônios sexuais femininos variam ao longo de um mês muito mais que os masculinos. A maioria das mulheres pré-menopausa ovula em torno do 12º dia de seu ciclo. Há um aumento de estrogênio nesse período, devido ao imperativo evolucionário da procriação. Então, do 6º ao 12º dia, uma mulher está mais hormonalmente inclinada a querer fazer sexo. John chama essa frase em torno da ovulação de "janela do amor".

Como o estrogênio pode ser estimulado, se não através do ciclo hormonal natural de uma mulher? Gray sugere que uma maneira é através da ligação do casal. Quando uma mulher sente que seu parceiro está atendendo às suas necessidades (fora do sexo), seu corpo é programado para liberar estrogênio. A ideia não é que as mulheres são carentes e incapazes; é que elas podem ter um desempenho excepcional *e* ainda se beneficiar de proteção extra durante variações hormonais. Segundo John, o sistema operacional biológico de uma mulher precisa saber que há um parceiro confiável para querer fazer sexo e potencialmente produzir um bebê; esse é um imperativo evolucionário. O mesmo é verdade com todos os mamíferos: eles não vão se reproduzir se as circunstâncias não forem seguras.

John explica que, no começo dessa "janela do amor", uma mulher sentirá com frequência que seu marido a está ignorando. Talvez ele seja apenas um idiota, ou talvez a variação hormonal dela esteja influenciando sua percepção do comportamento dele. (Ou talvez ela esteja mesmo sendo ignorada!) John diz que, à medida que seus hormônios se elevam e seu corpo libera um óvulo para fertilização, ela está programada para desejar uma sensação de conexão e apoio. John sugere que o parceiro planeje um encontro especial no início da "janela do amor". Se uma mulher se sente cuidada, seu corpo libera estrogênio; se um parceiro se sente bem em atender às suas necessidades, seu corpo libera testosterona. É importante observar que a idade e a saúde hormonal têm um papel importante aqui: mulheres pós-menopausa e homens com baixo nível de testosterona (como eu tive nos meus vinte anos) não experimentam flutuações hormonais da mesma maneira.

Se tudo corre bem durante a janela do amor, há uma probabilidade maior de o casal fazer sexo. Isso é quando, biologicamente, uma mulher fica mais propensa a achar seu parceiro desejável e quando ela tem o potencial de ter o melhor orgasmo possível. Se ela tiver um orgasmo incrível, os níveis de testosterona do homem podem dobrar, porque ele vai se sentir um herói. (Nós, homens, somos bem previsíveis.) Mas depois da ejaculação, seus níveis de testosterona caem. Então voltam a subir ao longo de uma semana, quando novamente chegará a seu ponto mais alto.

John recomenda fazer sexo uma vez a cada sete dias, para otimizar tanto os níveis hormonais das mulheres quanto os dos homens. O que significa nenhuma masturbação, nenhuma pornografia, nada disso – apenas abstinência por uma semana inteira, então sexo no sétimo dia. Isso é especialmente importante para homens que têm baixo nível de testosterona, o que, infelizmente, inclui cada vez mais homens atualmente. Nós, agora, sabemos que um quarto de todos os homens acima dos trinta anos têm baixo nível de testosterona.[3] Da mesma forma que você pode ter obedecido à voz em sua cabeça que manda que coma muito o tempo todo, é possível que haja outra voz em sua cabeça lhe dizendo para fazer sexo com muita frequência? Talvez.

John diz que muitos casais experimentam problemas imediatamente após compartilhar uma conexão íntima. Eles têm um momento incrível juntos e se sentem muito próximos e unidos, mas toda essa conexão faz com que o nível de estrogênio do homem aumente, e seu nível de testosterona despenque. Lembra como se sentir independente estimula a produção de testosterona? Bom, infelizmente isso significa que o homem se afasta para reerguer seu nível de testosterona. Ele se isola e é consumido por uma atividade que nada tem a ver com sua parceira. Segundo John, esse comportamento é bastante previsível de um ponto de vista biológico. Quando um homem se afasta, ele está elevando seus níveis de testosterona. (Embora, às vezes, ele possa ser apenas um idiota.)

É importante saber como seus hormônios sexuais influenciam sua biologia, mesmo que você não tenha nenhum desejo de seguir este conselho. Eles são uma fonte importante de seus desejos. Christopher Ryan, coautor do livro de sucesso *Sex at Dawn: How We Mate, Why We Stray, and What It Means for Modern Relationships* [Tradução livre: Sexo ao amanhecer:

como acasalamos, por que traímos e o que isso significa para os relacionamentos modernos], mudou a forma como milhares de pessoas veem os relacionamentos. Ele afirma que a ideia de monogamia é mais cultural que genética, e que a sexualidade humana se parece mais com a sexualidade de nossos parentes primatas, os chimpanzés, do que gostaríamos de admitir. Entretanto, Chris não sugere que devemos necessariamente evitar a monogamia. Em vez disso, diz ele, a monogamia é uma decisão, não um instinto. Ele faz um corolário com um de nossos imperativos básicos: comer. Ser vegetariano não é um instinto, é uma escolha. Para a maioria das pessoas, isso não acontece necessariamente de forma natural, e não significa que o bacon não vai mais cheirar bem. (Como um ex-crudivegano, posso dizer que ele tem razão em relação a isso. Também posso dizer que os leitões de linhagem antiga em minha fazenda adoram comer a couve-galega que eu diligentemente comia quando era vegano.)

Se você é monogâmico, não importa o quanto ame seu parceiro, você ainda vai se sentir atraído por outras pessoas. Isso faz parte do ser humano. E só porque você se sente atraído por outras pessoas ou fantasia sobre outras pessoas, isso não significa que haja um problema com seu relacionamento ou com você, isso significa apenas que você é um *Homo sapiens* com hormônios.

Você pode se surpreender ao saber que as crenças de Chris cruzam com as de John Gray. Chris diz que, quando homens monogâmicos fazem sexo com uma nova parceira, seus níveis de testosterona sobem. Então trair, na verdade, faz com que os homens se sintam bem em relação a si mesmos no nível hormonal. Se você escolhe estar em um relacionamento monogâmico, usar as técnicas de John para manter o nível de testosterona intencionalmente alto pode impedir que você se afaste e permitir que preserve seu relacionamento. Quantos executivos importantes são derrubados por relacionamentos inapropriados ou comportamentos destrutivos? Não é a melhor maneira de virar o jogo.

Como biohacker, tive que testar algumas dessas teorias em mim mesmo. Minha adorável esposa, a dra. Lana, não foi muito fã de testar as crenças de Chris, mas experimentamos algumas práticas sexuais taoístas. Conforme minha jornada pelo biohacking me levou a explorar filosofias orientais, descobri que os antigos taoístas chineses – alguns dos biohackers originais deste mundo – recomendavam transformar energia sexual em imortalidade.

Eles tinham até uma fórmula para o número de vezes que um homem deve ejacular para manter a juventude:

$$(\text{Sua idade} - 7)/4$$

Isso resulta em seu número ideal de dias entre ejaculações. Quem disse que a matemática não era sexy? Um homem que queira viver para sempre, segundo eles, deve ejacular apenas uma vez a cada trinta dias e manter seus orgasmos com menos de uma hora cada (?!). Mas, para dizer a verdade, ainda não conheci nenhum taoísta imortal de que se tenha notícia.

Eu testei essa técnica alguns anos atrás, quando tinha 39 anos. Segundo a equação taoísta, meu número de dias ideal entre ejaculações era oito, incrivelmente perto da recomendação de John Gray. Segui essa equação durante quase um ano, e registrei a frequência com que fazia sexo (ou me masturbava), a frequência com que ejaculava e minha qualidade de vida percebida, usando uma escala de um a dez (um = tudo está horrível, cinco = tudo está normal, dez = tudo está ótimo). Eu incorporei tudo no registro – o quanto estava satisfeito com minha carreira, minha energia, meus relacionamentos e minha saúde.

Sim, isso é um pouco embaraçoso, mas eu vou até o fim e vou compartilhar os resultados com vocês para mostrar a importância de dominar seu desejo sexual para energizar seu desempenho. Se a ideia de saber os dados sobre minha vida sexual (sem detalhes picantes) lhe deixa desconfortável, sinta-se livre para pular para a próxima seção. Prometo não ficar ofendido, mas você vai perder resultados interessantes e até mesmo surpreendentes, que provavelmente se aplicam a você. Todo o sentido disso é que seu corpo está canalizando quantidades enormes de energia para o sexo, e você poderia usar essa energia em outros lugares.

Para a primeira fase do experimento, segui a equação mágica taoísta e passei oito dias entre ejaculações, o que é muito parecido com a filosofia de sete dias de John Gray. Isso não significa que virei um monge: eu ainda tinha uma vida sexual ativa; só não ejaculava. Depois de alguns dias iniciais de frustração, essa energia tinha que ir para algum lugar, e, com um pouco de esforço, ela transbordou em outras partes de minha vida. Logo percebi meus níveis de satisfação com a vida subirem conforme eu os avaliava a cada dia.

Com o passar do tempo, a frequência com a qual eu fazia sexo aumentou, embora ejaculasse menos. Quanto menos eu ejaculava, mais queria fazer sexo. Dã. Minha qualidade de vida percebida aumentou ainda mais quando eu fazia mais sexo, também. Aqueles taoístas sem dúvida sabiam das coisas.

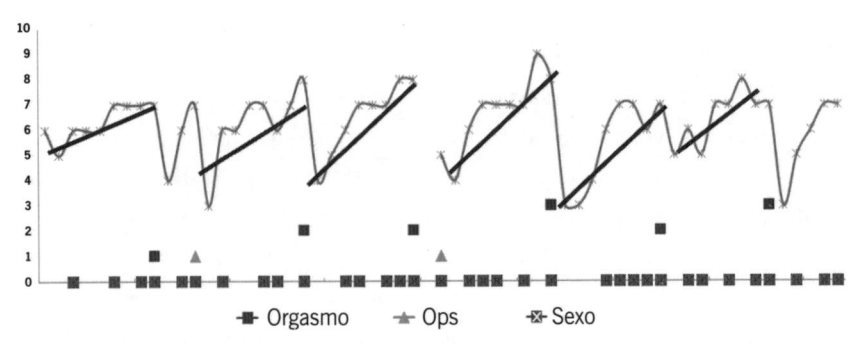

Gráfico da minha satisfação diária com a vida, mostrando quedas após orgasmos em ciclos de oito dias

Para a fase seguinte do experimento, decidi ir fundo no lance da imortalidade e tentar trinta dias entre as ejaculações. Foi difícil, e exigiu recomeçar algumas vezes depois de alguns... acidentes. (Ei, sou humano.) Mas os resultados foram incríveis. Vi um aumento enorme em meus níveis de satisfação com a vida, meu desejo sexual foi nas alturas (de novo, dã) e fiquei excepcionalmente produtivo e cheio de energia. A maior surpresa para mim foi receber mais atenção das mulheres, tanto da minha esposa quanto de outras, embora, é claro, eu tenha reagido a isso apenas com minha bela e brilhante (e incrivelmente paciente) esposa, a dra. Lana. Surpreendentemente, minha satisfação com a vida ficou mais elevada com esse regime.

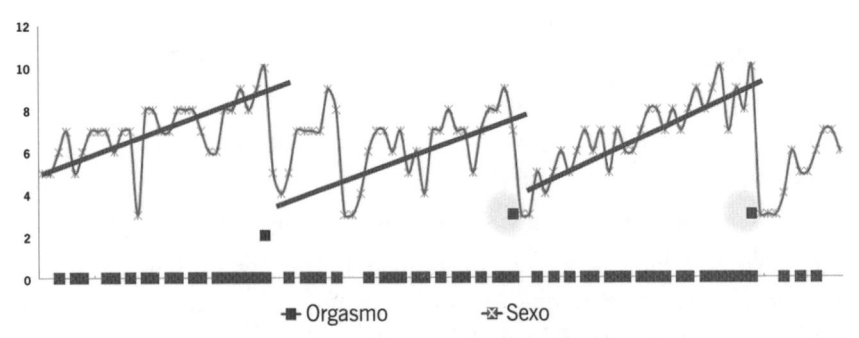

Gráfico da minha satisfação diária com a vida, mostrando que ela continua a crescer quando ejaculo apenas a cada trinta dias, mas cai após o orgasmo

A fase final do experimento era passar trinta dias sem sexo. Eu chamo isso de "modo monge". Foi mais desafiador, e não recomendo, a menos que você esteja em busca de um teste impressionante de força de vontade. Depois de alguns falsos começos, fiquei mais feliz e mais produtivo com o passar do mês, mas os resultados foram menos significativos que durante o desafio anterior de trinta dias. Também vi um encolhimento aterrorizante depois de trinta dias – cerca de 20%. É usar ou perder, acho. Felizmente, tudo voltou ao normal depois de algumas semanas de exercícios taoístas criados para neutralizar o encolhimento (e muito mais sexo). Ufa!

Esse experimento com certeza não me fez ter vontade de entrar no modo monge o tempo todo, mas me deixou bem mais consciente de como eu me sentia depois de ejacular. Descobri que tinha uma "ressaca de ejaculação" de dois ou três dias, durante os quais ficava menos enérgico e envolvido no que quer que estivesse fazendo, e minha satisfação com a vida era mais baixa. Quando tinha menos ejaculações, fazia muito mais sexo, e gostava mais de tudo em minha vida, o que não era o que eu esperaria. Ao longo do experimento, alcancei os níveis mais altos de satisfação quando estava fazendo muito sexo mas ejaculando apenas uma vez a cada trinta dias.

Isso realmente me surpreendeu, mas a ciência explica essas descobertas. Depois de ejacular, os homens experimentam um aumento pronunciado do hormônio prolactina, que extingue seu desejo sexual e faz com que queiram tirar uma soneca.[4] As mulheres também produzem prolactina depois do orgasmo, mas não nos mesmos níveis que os homens. A prolactina neutraliza a dopamina, o hormônio da sensação de bem-estar, o que explica porque muitos de nós, homens, se sentem um pouco deprimidos depois do ato.

Níveis elevados de prolactina reduzem os níveis de testosterona nos homens, uma das razões para que os estudos mostrem que a abstinência por três semanas aumenta os níveis de testosterona em homens saudáveis.[5] Enquanto isso, fazer sexo sem ejacular também aumenta os níveis de testosterona, nesse caso em até 72%.[6] Isso pode explicar porque as mulheres pareciam tão interessadas em mim durante o experimento – elas podiam sentir meus níveis elevados de testosterona e desejo sexual fora do normal, embora eu não estivesse fazendo nada conscientemente para atraí-las, ou talvez fosse por causa da mudança nos feromônios. Ah, se eu soubesse na escola que minha falta de vida sexual pudesse na verdade ser fonte de poder e até algo excitante para as mulheres!

É importante observar que o ensinamento taoísta é que uma mulher termina o orgasmo "em toda plenitude", então esse é um experimento apenas para os homens, e as mulheres que tentaram a técnica relataram universalmente uma experiência ruim, pois seus níveis de oxitocina despencaram (ver a próxima lei para se aprofundar sobre o tema.) Para homens, é muito mais fácil seguir o programa com o apoio de uma parceira amorosa que vai recuar na hora certa para ajudá-lo a respeitar as regras. Não tenho informação se as regras são diferentes para casais gays, mas desconfio que isso se aplique a qualquer um que tenha um pênis.

Quando mencionei essa pesquisa pela primeira vez, muitos ouvintes do *Bulletproof Radio* me disseram em particular que tinham tentado a técnica com resultados incríveis. Vários casais disseram que ela tinha melhorado radicalmente seu relacionamento. Um homem beirando os trinta anos contou ter obtido um aumento de 30 mil dólares seis dias depois de começar a prática. Outro cara finalmente conseguiu energia suficiente para abrir a empresa que sempre tivera vontade de abrir e cresceu rapidamente. E, não muito estranhamente, no ano em que fiz esses experimentos, eu era um pai recente trabalhando em tempo integral como executivo da área de tecnologia enquanto fazia hora extra para começar a Bulletproof. Toda essa energia tinha que vir de algum lugar, e controlar meu desejo de propagar a espécie ajudou muito.

Mais tarde, você vai ler sobre como a pornografia e a masturbação são as maneiras certas de estragar esses resultados. Claro, são divertidas, mas não são hábitos frequentes de pessoas que mudam o mundo. Se não consegue ficar pelo menos trinta dias sem elas, você não está no comando e está desperdiçando energia.

Itens de ação

- Se você é mulher, identifique sua "janela do amor" e veja se as descobertas de John são visíveis em sua vida. Compartilhe os dados com seu parceiro e peça a ele para marcar um encontro.
- Se você é homem, veja se os comentários de John sobre testosterona fazem sentido para você. Se está com uma mulher, pergunte a ela quando começa sua janela do amor e marque um encontro!

- Registre em um gráfico sua atividade sexual e sua satisfação geral com a vida para ver como seus orgasmos afetam sua energia, sua felicidade e sua produtividade.
- Se você é homem, aumente seus níveis de testosterona tendo orgasmos menos frequentes, fazendo exercícios de alta intensidade, reduzindo seu consumo de açúcar, aumentando o consumo de gorduras saudáveis e mesmo (com simpatia) se afastando de sua parceira quando necessário.

Áudios recomendados
- John Gray, "Addiction, Sexuality, & ADD", *Bulletproof Radio*, episódio 222.
- John Gray, "Beyond Mars & Venus: Tips That Truthfully Bring Men and Women Together", *Bulletproof Radio*, episódio 414.
- Christopher Ryan, "Sex, Sex Culture & Sex at Dawn", *Bulletproof Radio*, episódio 52.
- Neil Strauss, "Relationship Hacks for Dealing with Conflicts, Monogamy, Sex & Communication with the Opposite sex", *Bulletproof Radio*, episódio 406.

Leituras recomendadas
- John Gray, *Beyond Mars and Venus: Relationship Skills for Today's Complex World*.
- Christopher Ryan e Cacilda Jetha, *Sex at Dawn: How We Mate, Why We Stray, and What It Means for Modern Relationships*.

Lei nº 16: Nunca subestime o poder do orgasmo feminino

Se você é mulher, orgasmos regulares são uma das chaves para se mostrar plena em seu mundo. Ao ter um orgasmo, todos os hormônios ligados à felicidade e ao desempenho sobem, seu sistema imunológico melhora e você fica mais jovem. Ter orgasmos é uma habilidade que pode liberar novos níveis de felicidade e mesmo estados alterados. Virar o jogo é mais fácil quando você aprende a dominar seus orgasmos.

Depois de passar todo aquele tempo pensando em meus próprios orgasmos, me pareceu justo entrevistar algumas das maiores especialistas em orgasmos femininos, por isso fiz minha pesquisa. A primeira foi Emily Morse, doutora em sexualidade humana e apresentadora do podcast extremamente popular *Sex with Emily* (Sexo com Emily). O programa da dra. Morse tem uma missão: ela o inaugurou para transmitir informação sobre o poder dos orgasmos femininos e para ajudar todo mundo a ter o melhor sexo de suas vidas.

Como a dra. Morse conta em sua entrevista, ela vem de uma família muito liberal, então pode-se esperar que não tenha nenhum pudor relacionado ao sexo. Sua mãe até dizia: "Fale comigo sobre sexo se tiver qualquer pergunta." Mas a dra. Morse não tinha nenhuma pergunta, porque ninguém em sua família falava sobre o assunto! Quando entrou na faculdade e começou a fazer sexo, ela não achou muito excitante. Então ouviu algumas de suas amigas falarem sobre uma coisa chamada "orgasmo" e perguntou:

– O que é isso?

Histórias assim são muito comuns, e essa é uma das razões para a existência deste capítulo.

Agora a dra. Morse viaja o mundo para participar de conferências sobre sexo e aprender sobre os últimos e maiores desenvolvimentos no mundo do sexo. Ela ajuda mulheres a incorporarem esses desenvolvimentos em suas próprias vidas sexuais. A questão que ela vê mais do que qualquer outra é o baixo desejo sexual em mulheres. Muitas das mulheres que ela conhece se sentem frustradas e desesperançadas, mas a dra. Morse descobriu que a maneira mais eficaz de aumentar a libido feminina é através de algo tão simples quanto aumentar o fluxo sanguíneo.

Para sentir desejo e chegar ao orgasmo, as mulheres (e homens) precisam que seu sangue corra para suas genitálias. Drogas para disfunção erétil como o Viagra podem solucionar esse problema tanto em homens quanto em mulheres, mas também há soluções seguras e naturais para as mulheres, sem o uso de medicamentos. A dra. Morse recomenda masturbação atenta para estimular a excitação, óleos de massagem clitoriana com canabidiol que relaxam e estimulam a excitação, ou qualquer outro produto erótico para a estimulação clitoriana.

Exercícios Kegel são outra solução simples. Eles exercitam os músculos do assoalho pélvico – os que você usaria para deter o fluxo de urina. Tanto os homens quanto as mulheres experimentam benefícios ao tencionar e segurar esses músculos por dez segundos de cada vez durante alguns minutos por dia. Homens experimentam melhor controle ejaculatório e orgasmos mais fortes. Quem não deseja isso? Mulheres também experimentam orgasmos mais fortes, continência urinária (nunca mais fazer xixi ao espirrar) e maior desejo sexual.

Em seguida, procurei a dra. Jolene Brighten, uma médica naturopata especializada em medicina funcional e saúde da mulher. Ela me contou que, quando mulheres têm ao menos um ou dois orgasmos por semana, elas se sentem melhor e vivem mais. Segundo sua pesquisa, mulheres que têm orgasmos regulares têm melhor modulação geral do sistema imunológico e marcadores inflamatórios mais baixos. Isso faz sentido, já que o hormônio do estresse cortisol, que é reduzido no organismo das mulheres depois que elas têm um orgasmo, causa inflamação. Isso significa que mais orgasmos levam a menos estresse, menos doenças e menos envelhecimento – mas apenas para as mulheres. Quase todos os conselhos neste livro se aplicam igualmente para ambos os sexos, mas sem dúvida isso não é verdadeiro quando se trata da frequência de orgasmos. (Sim, é tecnicamente possível para homens chegarem ao orgasmo sem ejacular... É só muito raro sem uma prática avançada.)

Os orgasmos femininos sustentam níveis saudáveis de hormônios, aliviam o estresse e podem levar a estados alterados de consciência.[7] Enquanto orgasmos frequentes tendem a baixar os níveis de testosterona nos homens, eles enchem o corpo feminino de estrogênio[8] e oxitocina.[9] A oxitocina ganhou o apelido de "hormônio do amor", pois promove ligações sociais, confiança, relaxamento e generosidade. Essa reação de viagem cálida que uma mulher sente com o parceiro depois de fazer sexo se deve à oxitocina. O estrogênio também aumenta os efeitos da oxitocina.[10] Os dois trabalham em sinergia quando uma mulher chega ao orgasmo, criando um coquetel de boas sensações de ligação e relaxamento.

Além disso, depois do orgasmo, as mulheres obtêm um aumento de serotonina que melhora ainda mais o humor.[11] Basicamente, orgasmos *mais frequentes* geram os mesmos efeitos nas mulheres que ejaculações *menos frequentes* geram nos homens. Se esse não é um argumento a favor da ideia de que há uma *Mãe* Natureza aí fora controlando as coisas, não sei o que é.

> **Itens de ação**
> - Se você é mulher, seus orgasmos são a chave para uma vida mais saudável e mais longa, e uma maneira não totalmente desprazerosa de alcançar esses objetivos.
> - Se está sofrendo de baixa libido, faça exercícios Kegel com regularidade para aumentar o desejo sexual.
> - Se é parceiro de uma mulher, preste atenção ao prazer dela para que possam envelhecer juntos.

Áudios recomendados
- Emily Morse (Sex with Emily), "Orgasms, Kegels & Sexology", *Bulletproof Radio*, episódio 233.
- Emily Morse, "Hack Your Way to a Better Sex Life", *Bulletproof Radio*, episódio 373.
- Jolene Brighten, "On Woman's Health, Post-Birth Control Syndrome and Brain Injuries", *Bulletproof Radio*, episódio 415.
- "Hugs from Dr. Love" com Paul Zak, *Bulletproof Radio*, episódio 334.

Lei n° 17: Saia do roteiro durante sexo de conto de fadas

O sexo é um portal para estados de fluxo e estados alterados de alto desempenho. Para acessar esses estados, você precisa ter a coragem de buscar experiências que ampliem suas fronteiras. Ao tirar o sexo de sua cabeça para permitir que seu corpo procure o que deseja, você pode acessar níveis profundos de liberdade, cura e criatividade.

Está bem, então orgasmos fazem coisas diferentes para homens e mulheres. Mas há um lado espiritual do sexo que vai além dos orgasmos, então resolvi buscar convidados que estudaram uma forma de usar o potencial sexual para chegar a estados alterados de fluxo nos quais o corpo e a mente podem fazer mais do que você poderia imaginar. A primeira parada foi ligar para "Mestra Natalie", uma dominatrix de Nova York que trabalha com executivos de alto desempenho. Felizmente, seu personal trainer é meu amigo, então foi fácil encontrá-la. (Aparentemente, espancamentos podem provocar lesões por esforços repetitivos e desequilíbrio muscular, a menos que você pratique exercícios funcionais!)

Sem dúvida essa foi uma entrevista que eu não poderia prever. Natalie usa muitas práticas variadas de bondage, disciplina, submissão e masoquismo (BDSM) para ajudar participantes voluntários a acessar um estado de fluxo. Embora seja fácil reduzir o BDSM a um fetiche estranho, Natalie diz que seus clientes acham seu trabalho terapêutico e, às vezes, transformador. Na verdade, ela se inspirou tanto no valor terapêutico do BDSM que voltou a estudar para se tornar coach. Seu "Kinky Coaching" ("coaching pervertido") único usa BDSM junto a vários princípios de biohacking para elevar o estado físico e mental de alguém.

A chave é que o trabalho de Natalie leva o sexo ao desconhecido. Todos nós sabemos como a maioria dos contos de fadas começa ("Era uma vez") e termina ("E viveram felizes para sempre"), e isso também é verdade para a maior parte do sexo. A expectativa padrão é que o sexo comece com preliminares, prossiga com penetração (na maioria dos casos) e então (de forma ideal) termine no clímax. Essa fórmula geralmente funciona, mas ela tem alguns problemas.

Segundo Natalie e seus clientes, isso torna o sexo repetitivo. Você faz a mesma coisa todas as vezes, o que pode ser cada vez menos recompensador. A segunda questão é tornar o clímax o objetivo. Quando se concentra em chegar ao fim de algo, você tende a perder a evolução e deixa de se soltar inteiramente e permitir que as coisas se desenrolem com naturalidade. Isso também cria a expectativa de que os dois parceiros chegarão ao clímax, o que significa que você pode "falhar" no sexo se você ou seu parceiro(a) não tiver um orgasmo. Isso é um caminho fácil para a vergonha, a ansiedade pelo desempenho e muitos outros problemas. Ninguém quer se sentir como se falhasse no sexo.

Ao remover o objetivo e fugir do roteiro, porém, você se torna livre para sair de sua cabeça e se concentrar na conexão entre você e seu parceiro. Isso também permite que pergunte o que realmente quer, mesmo se nunca tiver feito essa pergunta antes. Isso é importante porque, do ponto de vista de seu sistema nervoso, o sexo é uma questão de vida ou morte. Se você não obtém aquilo que realmente o realiza sexualmente, uma parte de seu subconsciente pode se sentir faminta. Sair do roteiro e ter a coragem de perguntar pelo que realmente deseja permite que cada vez seja única, então você começa a saborear a ideia do sexo tanto quanto o clímax, assim como saboreia a experiência de uma boa refeição, não apenas a saciedade que sente quando termina de comer. No caso dos clientes de Natalie, essa experiência acontece na mente tanto quanto no corpo. Natalie nunca faz sexo com seus clientes. Muitos deles usam cinto de castidade (sim, isso existe) o tempo inteiro enquanto estão com ela. A dinâmica de poder de sua interação os força a se enxergarem sob uma luz diferente que é basicamente terapêutica. Como disse, não havia como prever que rumo essa entrevista tomaria.

É o trabalho psicológico necessário para forçar os limites que mais frequentemente coloca os clientes de Natalie em estado de fluxo. Ela explica que, em sua linha de trabalho, o estado de fluxo é conhecido como o "subespaço". Depois de uma sessão, os clientes sentem os efeitos durante dias. Ficam relaxados e têm mais concentração e clareza. Para ela, o BDSM e todas as partes incomuns de seu trabalho são apenas outro meio para uma pessoa forçar seus limites e acessar um estado de fluxo.

Ainda há muito julgamento em relação a práticas consensuais como o BDSM, mas Natalie as compara a atividades como paraquedismo e ultramaratonas – qualquer coisa que o force fisicamente a sair de sua zona de conforto e testa seus limites pode ligar uma chave em sua cabeça, liberando uma poderosa cascata neuroquímica. O que ajuda alguém a entrar nesse estado é completamente individualizado. Quem pode dizer que é uma aberração maior escolher a humilhação ou ser amarrado em vez de saltar de uma ponte com um cabo preso às costas? Coisas diferentes para pessoas diferentes.

Só pensar em sexo é um jeito poderoso de entrar em estado de fluxo. Durante sessões de treinamento intensivo de uma semana de neurofeedback para executivos na 40 Years of Zen, ensinamos aos clientes um método certeiro para usarem se ficarem "presos" tentando criar um estado de fluxo autoinduzido durante sessões. O jeito mais fácil e confiável para se soltar e voltar para um estado de fluxo é imaginar uma breve fantasia sexual. Assim que os clientes começam a pensar no que realmente os excita, suas ondas cerebrais sobem às nuvens, e eles se soltam.

A questão é que essa técnica só funciona se você pensar naquilo que realmente gosta, não importa o que seja. Sexo de contos de fadas não faz isso com a maioria das pessoas, mas visualizar o que realmente o excita, sim, especialmente se você não se julgar por isso. Eu tive alguns de meus níveis de atividade encefálica mais altos na 40 Years of Zen enquanto usava essa técnica para me tirar de um platô. Mas não pense que vou contar os detalhes do que fantasiei!

Reconhecer as coisas que funcionam melhor para você (e seu parceiro) na cama pode ajudá-lo a alcançar alguns estados alterados que liberam seu melhor desempenho, mesmo dias depois. Se está concentrado em um objetivo, entretanto, você permanece em estado analítico, e estudos mostram que eles bloqueiam a emoção e a empatia.[12] Essa não é uma receita de sexo bom. Quando você desliga sua mente analítica e acessa sua intuição, sente mais empatia, alegria, criatividade, calma e um senso de unidade com aqueles ao seu redor, e *isso* é sexy.

O fato de o sexo poder liberar estados de fluxo, de criatividade e até estados espirituais me levou a procurar especialistas em como destrancá-los. Então encontrei um líder em meditação orgástica, uma "prática de consciência" durante a qual um parceiro (que normalmente é homem, mas nem sempre) acaricia o clitóris da parceira durante quinze minutos sem expectativa, além de experimentar uma sensação e um sentido de conexão entre os dois. Isso pode não parecer convencional, mas eu acabei de compartilhar um gráfico de todas as minhas ejaculações durante um ano. Se ainda está lendo este livro a essa altura, pode aguentar isso.

Eli Block, um importante instrutor de meditação na OneTaste, uma empresa um tanto controversa que ensina meditação orgástica, diz que uma das razões para as pessoas irem à sua prática é buscar uma experiência sexual que seja completamente fora do comum. Em sua entrevista, ele compartilhou as técnicas (livres para menores de 18 anos) que ensina. Conforme as pessoas usam o corpo como mecanismo para acessar estados de fluxo entre si mesmas e seus parceiros, elas sintonizam as sensações umas das outras e ficam completamente absorvidas no momento. Isso as libera de uma storyline de sexo típica, e elas relatam que estar completamente presente com um parceiro é uma experiência poderosa e transcendente.

Itens de ação

- Se (e apenas se) lhe interessar, experimente meditação orgástica, BDSM ou qualquer outra coisa segura e consensual que seu corpo realmente deseje, para ver se isso pode ajudá-lo a acessar um estado de fluxo.
- Pergunte a si mesmo o que realmente deseja na cama, e peça a seu parceiro que faça isso, mesmo que seja assustador.
- Pense em como pode parar de fazer sexo rotineiro e introduza um elemento de desconhecido em seu ato sexual. O resultado provavelmente será uma conexão mais poderosa com seu parceiro e, talvez, uma experiência de outro mundo.

Áudios recomendados

- "50 Shades of Dave" com Mestra Natalie, *Bulletproof Radio*, episódio 341.
- Eli Block, "One Taste, Orgasmic Meditation & Flow State", *Bulletproof Radio*, episódio 254.
- Geoffrey Miller, "Sex, Power, and Domination", *Bulletproof Radio*, episódio 138.

Lei nº 18: Use o sexo para obter as melhores drogas

Fazer sexo conscientemente com as pessoas certas cria neuroquímicos que o libertam e geram um estado de fluxo. Ver pornografia cria neuroquímicos que o deixam viciado e bloqueiam o estado de fluxo. A pornografia é o veneno do sexo. Escolha com sabedoria.

Se o orgasmo pode liberar hormônios e neurotransmissores que dão sensação de prazer, e o sexo pode levar a estados alterados de criatividade e alto desempenho, qual é o problema? Responder a essa pergunta me levou a entrevistar um dos primeiros especialistas em hackear o cérebro, Bill Harris, que infelizmente morreu durante as etapas finais de edição deste livro. Como fundador do Instituto de Pesquisa Centerpointe, Bill era muito conhecido por criar programas de aperfeiçoamento do cérebro para centenas de milhares de pessoas e por doar dezenas de milhões de dólares para a caridade. Graças a meu trabalho com neurofeedback, tive a chance de ver as ondas cerebrais de Bill, e elas eram realmente avançadas.

Durante uma entrevista poderosa, ele explicou que, pouco antes da crise dos Estados Unidos em 2008, passou por um divórcio horrível. Estava sob muito estresse, e sem nem perceber, ele se viu em um estado crônico de lutar ou fugir, tomando decisões ruins. Em um curto espaço de tempo, recebeu seis multas por excesso de velocidade e teve a carteira suspensa temporariamente. Depois de fazer uma tomografia cerebral com o dr. Daniel Amen, o psiquiatra que vira o jogo e especialista em cérebro sobre o qual você leu no Capítulo 4, Bill descobriu que o estresse crônico tinha tornado seu sistema límbico, a casa emocional do cérebro, hiperativo.

Bill explicou que, quando seu sistema límbico está hiperativo, você tem mais chances de tomar decisões motivadas pela dopamina. Isso significa que você tende a fazer coisas que fazem seu cérebro liberar dopamina, um neurotransmissor que dispara o centro de recompensa do cérebro. A dopamina é o neurotransmissor da gratificação imediata. Quando é levado a buscar uma dose de dopamina, é mais provável que procure coisas que provocam uma sensação boa naquele momento, mas que são ruins para você a longo prazo, como açúcar, alimentos processados ou até mesmo drogas.

O que isso tem a ver com sexo? Bem, fazer sexo é algo que leva seu cérebro a liberar hormônios que causam uma sensação de bem-estar; assistir à pornografia libera quantidades diferentes de cada químico liberado ao fazer sexo com um parceiro. Especificamente, assistir à pornografia libera mais dopamina, enquanto fazer sexo com um parceiro libera mais oxitocina.

Também é possível experimentar dopamina em excesso. Nosso cérebro não é equipado para lidar com o tipo de estímulo ao qual as pessoas que assistem à pornografia on-line têm acesso constante e ilimitado hoje em dia. Seu cérebro responde à pornografia de forma muito semelhante à cocaína, ao álcool ou ao açúcar, com uma onda grande de prazer e recompensas que ficam menores com o passar do tempo.[13] E assim como as drogas que viciam, a pornografia parece causar tolerância à dopamina, o que significa que você precisará de cada vez mais dopamina para sentir os mesmos efeitos.[14]

Como consequência, parece que quanto mais você assiste à pornografia, mais estímulo será necessário para se excitar. Um estudo de 2014 feito na Alemanha mostrou que pessoas que assistem à pornografia com regularidade tem caminhos de recompensa menores e menos reativos em seus cérebros.[15] Um estudo francês do mesmo ano mostrou que 60% dos homens que assistiam à pornografia com regularidade não conseguiam ereção com uma parceira em carne e osso, embora ainda conseguissem uma ereção ao verem pornografia.[16]

Ainda acha que pornografia não é viciante? Um neurocientista da Universidade de Cambridge examinou tomografias de homens que acreditavam ser viciados em pornografia e observou mudanças significativas na massa cinzenta, que tinham um paralelo com as mudanças no cérebro de viciados em drogas.[17] Isso é muito assustador, e eu recomendo que você evite a pornografia durante um mês para ver se nota alguma mudança em seus desejos e desempenho sexuais. Pode ser mais difícil do que você imagina. Se for, é hora de fazê-lo mesmo assim.

O antídoto para esse problema veio na forma de uma entrevista profunda com a dra. Pooja Lakshmin, pesquisadora de orgasmos na Universidade Rutgers (um emprego muito legal). Ela atribui aos efeitos farmacológicos que identificou ao estudar meditação orgástica uma mudança completa em sua vida. Depois de crescer em uma família indiana tradicional e sentir uma pressão constante para ser bem-sucedida, ela se tornou médica e se casou com um homem que teve a aprovação de seus pais, mas sentia-se infeliz. Durante toda a vida, havia se mantido dentro dos limites impostos a ela, incapaz de realmente sentir ou experimentar sensações negativas ou positivas.

Foi só quando conheceu a meditação orgástica que começou a entrar realmente em seu corpo e sentir dor e prazer, o que para ela foi aterrorizante no começo. Com o tempo, ficou mais confortável consigo mesma e se sentiu capaz de receber prazer plenamente e de se conectar mais profundamente com os outros. Isso a levou ao trabalho de sua vida, estudando o orgasmo e ajudando outras pessoas a experimentarem uma conexão com base na oxitocina.

Segundo a dra. Lakshmin, mais um problema referente à pornografia é que, diferente das outras formas de sexo, ela não permite que você acesse um estado de fluxo. Da mesma maneira que o cérebro responde a diferentes tipos de sexo liberando quantidades variáveis de químicos, ele responde de forma diferente a orgasmos com parceiro ou orgasmos solo. Em outras palavras, quando você se masturba, você não entra em um estado involuntário. É mais ou menos como não conseguir fazer cócegas em si mesmo, por mais que tente. Você precisa de um parceiro para se entregar totalmente.

A dra. Lakshmin afirma que, ao acessar um estado de fluxo através do sexo consciente com um parceiro ou da prática da meditação orgástica que ela pesquisa, você sentirá mais profundamente as sensações, e acabará obtendo os mesmos efeitos de uma pressão cada vez mais leve quando estiver na extremidade receptora de uma sessão de meditação orgástica. Essa sensibilidade aumentada pode até agir como antídoto para a resistência à dopamina causada por assistir à pornografia em excesso, e a pessoa que fornece o estímulo também pode se beneficiar. Os sistemas nervosos das duas pessoas se sintonizam um com o outro durante a prática.

Essa conexão tem impacto direto no cérebro. A médica diz que na verdade ela acalma o sistema límbico. Enquanto Bill Harris optou pela meditação para acalmar seu sistema límbico e sair de um estado crônico de lutar ou fugir para que pudesse tomar decisões melhores, a dra. Lakshmin chama a meditação orgástica de "meditação com anfetaminas", porque, ela diz, funciona mais rápido para treinar o sistema límbico a ajudá-la a acessar sua intuição e ter sensações mais profundas e poderosas.

Itens de ação
- Tente evitar pornografia durante um mês; se for difícil fazer isso, evite durante mais um mês.
- Priorize acalmar seu sistema límbico através de meditação normal, meditação orgástica ou orgasmos regulares com um parceiro.

Áudios recomendados
- Bill Harris, "Make Bad Decisions? Blame Dopamine", *Bulletproof Radio*, episódio 362.
- Pooja Lakshmin, "Orgasmic Meditation & Self Life Hacking", *Bulletproof Radio*, episódio 60.
- "Sleep, Sex & Tech at the Bulletproof Conference", *Bulletproof Radio*, episódio 327.

7

ENCONTRE SEU ESPÍRITO ANIMAL NOTURNO

Pessoas que viram o jogo podem ser conhecidas por destroçarem barreiras e se forçarem ao limite, mas a verdadeira inovação não nasce de uma mente cansada ou de um corpo exausto. É por isso que mais de um terço dos convidados de meu podcast citou o fato de dormir bem como um ponto fundamental para seu desempenho. Na verdade, conseguir um sono de alta qualidade foi o quinto conselho mais comumente citado para melhorar o desempenho.

Este capítulo é bem pessoal para mim porque conforme fui me tornando um indivíduo de alto desempenho, precisei reexaminar minha atitude em relação ao sono. Eu ainda não gosto de passar uma quantidade significativa do meu dia inconsciente, mas decidi que enquanto tiver que fazê-lo, vou encontrar um meio de dar meu melhor e obter o sono mais incrível que puder no menor tempo possível.

Quando resolvi hackear o sono, fiz o que sempre faço: entrevistei alguns dos principais especialistas do mundo e comecei minha própria investigação. Encontrei um estudo inovador que analisou os hábitos de sono de 1,2 milhão de pessoas ao longo de vários anos – o primeiro e único estudo a reunir dados suficientes para ligar a longevidade a pequenas alterações na duração do sono. Esse estudo foi tão abrangente que estatísticos não conseguiram desvendar seus números – foi necessária a computação moderna para analisar todos os dados. Mas, no fim, pesquisadores descobriram que os participantes que dormiam apenas seis horas e meia por noite viviam mais que aqueles que dormiam oito horas por noite.[1]

É tentador chegar à conclusão de que você vai viver mais se dormir seis horas e meia por noite, mas a verdade é um pouco mais complexa que isso.

É provável que as pessoas mais saudáveis simplesmente necessitem de menos sono. Da mesma forma, quando você tem sono de boa qualidade, você provavelmente precisa de menos dele. Tenho acompanhado meu sono durante anos. Os dados das últimas 1.726 noites mostram que tive uma média de seis horas e cinco minutos de sono por noite, e acordo me sentindo mais renovado do que me sentia quando dormia oito ou nove horas. Não farei o desserviço de repetir aqui minhas dicas para hackear o sono de *The Bulletproof Diet* ou de *Head Strong* nem do blog Bulletproof. Em vez disso, vamos nos concentrar na nova ciência do sono com alguns dos principais médicos e especialistas em sono e bem-estar, porque a qualidade do sono leva à felicidade, e como vimos, a felicidade leva ao sucesso. Depois do que aprendi com essas entrevistas, tornei-me um grande militante de se obter o melhor sono possível – e espero que você também faça isso.

Lei nº 19: Acordar cedo não faz de você uma boa pessoa

Não há nenhuma moralidade em acordar cedo ou ficar acordado até tarde. Há um enorme poder em descobrir quando você dorme melhor e então construir sua vida para que você possa dormir.

Para aprender o máximo possível sobre todas as nuances do sono, comecei entrevistando o dr. Michael Breus, um psicólogo clínico, autor de sucesso e famoso especialista da área, que passou toda a sua carreira tratando de transtornos do sono. Quando estava começando, o dr. Breus queria ficar longe de produtos farmacêuticos o máximo possível, por isso experimentou muitas técnicas diferentes para tratar seus pacientes insones, incluindo suplementos naturais e terapia comportamental cognitiva. Esses tratamentos funcionaram com alguns pacientes, mas muitos tiveram pouca ou nenhuma melhora. Então ele começou a hackear.

Sentindo-se determinado a descobrir o que estava impedindo que essas pessoas dormissem, e depois de estudar seus padrões de sono e níveis de hormônio, percebeu que elas frequentemente dormiam bem, mas iam se deitar e acordavam nas horas erradas. Na verdade, elas não eram insones. Seus corpos conseguiam dormir naturalmente por um ciclo inteiro de seis horas e meia a sete horas e meia de sono, mas elas iam para a cama ou cedo ou tarde demais, e seus corpos não conseguiam entrar em sincronia com seus horários.

Não é que essas pessoas estivessem atrapalhando seu sono deliberada ou descuidadamente. Elas criavam seus horários de sono com base em logística – precisavam acordar cedo para trabalhar, cuidar dos filhos ou ir para a escola, como quase todo mundo. Mas o dr. Breus estava certo de que elas ficariam mais alertas e produtivas se conseguissem se deitar e acordar de acordo com o ritmo circadiano natural de seus corpos, que é o ciclo de dormir/acordar do cérebro. Dentro de nossos cérebros há um relógio interno chamado núcleo supraquiasmático (ou NSQ), que determina quando estamos sonolentos e quando estamos despertos. Ele faz isso estimulando a liberação de certos hormônios como a melatonina (o "hormônio do sono") em horários específicos do dia.[2] Essa é uma área da ciência (cronobiologia) que está se desenvolvendo rapidamente, e temos novas descobertas praticamente todos os dias sobre como nosso ritmo circadiano afeta nossa saúde. Na verdade, em 2017, o Prêmio Nobel de Medicina foi dado a pesquisadores que descobriram uma nova proteína que ajusta nosso relógio biológico. Estamos apenas descobrindo *como* todas essas coisas funcionam, mas médicos como o dr. Breus podem ver *o que* funciona.

Ele tinha tanta certeza de que uma simples mudança nos horários de seus pacientes iria ajudá-los a dormir melhor que telefonou para seus chefes e perguntou se permitiriam que seus funcionários começassem a jornada de trabalho mais tarde, se isso significasse que eles seriam mais produtivos. Os chefes concordaram e ficaram animados quando os níveis de produtividade efetivamente aumentaram com os novos horários que lhes permitiam obter mais sono.

Esse foi o início do fascínio do dr. Breus com *O poder do quando*, que é o título de seu livro de sucesso sobre como organizar seu dia em torno de seus padrões naturais para maximizar sua produtividade. Ele olhou para a distribuição hormonal de seus pacientes ao longo do dia, e os ajudou a criar horários personalizados que lhes permitiam tirar proveito de sua biologia fazendo coisas quando seus corpos estavam preparados para essas ações específicas.

O especialista descobriu que alguns de seus pacientes estavam céticos. O valor que atribuímos a ser um "madrugador" está tão arraigado em nossa cultura que muitas vezes tememos mudar nossos padrões de sono. Deus ajuda quem cedo madruga, certo? Aprendemos isso desde muito novos – que se você acordar cedo, terá um bom dia, enquanto os vagabundos preguiçosos que dormem até tarde, não. Isso parece muito desolador, e é. Essa ideia surgiu quando deixamos de caçar para produzir alimentos, pois quem não acordasse cedo para trabalhar na fazenda, poderia morrer de fome. É insano que nunca tenhamos repensado o horário, considerando o fato de que, hoje em dia, nem de perto tantas pessoas trabalham nos campos.

Mas o dr. Breus explica a seus pacientes que eles não vão vencer lutando contra a Mãe Natureza. Seu ritmo circadiano não é apenas uma preferência; ele é geneticamente predeterminado. Cientistas sabem disso desde 1998, quando isolaram o gene mPer3 e descobriram que o primeiro passo da expressão desse gene mostrava um ritmo circadiano nítido no núcleo supraquiasmático.[3] Sinais do NSQ sincronizam relógios circadianos em miniatura através do corpo. Em outras palavras, o gene mPer3 determina sua necessidade de sono, e o NSQ determina seu ritmo circadiano. Quando você trabalha a favor desses fatores genéticos em vez de contra eles, a luta fica menor. Esse é um dos princípios essenciais do biohacking – trabalhar com sua biologia para tornar o desempenho mais fácil.

Através de sua pesquisa, o dr. Breus identificou quatro cronotipos, ou manifestações comportamentais de ritmos circadianos naturais. Em vez de rotulá-los como "pássaro madrugador" ou "coruja noturna", ele comparou esses cronotipos ao ritmo circadiano de outros mamíferos. Na verdade, apenas mamíferos têm o gene mPer3, e quando se trata de nossos impulsos biológicos, temos muito mais em comum com outros mamíferos do que com as aves. Esses quatro cronotipos são:

URSO

Esse é de longe o cronotipo mais popular. Cinquenta por cento das pessoas são ursos. Seus padrões de dormir e acordar seguem o nascer e o pôr do sol, e em geral elas não têm dificuldade para dormir. Ursos estão mais aptos para tarefas intensas no meio da manhã, e sentem uma leve queda de energia à tarde. Em geral, ursos têm energia constante e são bons em realizar tarefas. Trabalham bem em sociedade, ajudam as coisas a fluírem e podem manter a produtividade durante o dia todo desde que usem uma queda de energia no meio da tarde para recarregar e não ultrapassarem seus limites naturais de energia.

LEÃO

Leões são os "madrugadores" clássicos. São as pessoas dinâmicas que pulam da cama antes do nascer do sol. Podem só beber uma xícara de café pouco antes do almoço, depois que suas horas mais produtivas já passaram. Devido às manhãs repletas de ação, costumam perder as forças no fim da tarde e preferem dormir cedo. Compõem cerca de 15% da população.

LOBO

Lobos estão na extremidade noturna do espectro. São as "corujas noturnas" que começam o dia mais tarde e surfam a onda da produtividade enquanto o resto das pessoas está desacelerando. Uma característica interessante: os lobos têm dois picos de produtividade; de meio-dia às 14 horas e depois novamente mais tarde, quando a maioria do mundo trabalhador está encerrando. Lobos tendem a ser criadores – escritores, artistas e codificadores. As áreas criativas do cérebro do lobo se acendem quando o sol se põe. Frequentemente, os tipos lobo tendem à introversão e anseiam por seu tempo sozinho. Às vezes não se sentem a alegria da festa. Em vez disso, preferem se sentar e observar o que está acontecendo ao redor.

Lobos também compõem 15% da população, os 15% mais adequados a contratarem madrugadores para preparar um café da manhã tardio. (Está bem, eu sou um lobo. Estou escrevendo isto às três da manhã, e isso me faz feliz. Mas vou dormir bem esta noite e conseguir minhas seis horas de sono.)

GOLFINHO

Golfinhos são os pacientes com insônia. Podem ou não ter uma rotina regular de sono, mas são do tipo agressivo e competitivo, e frequentemente não conseguem fazer tudo o que gostariam durante o dia. Então ficam acordados e irrequietos enquanto ruminam sobre os fracassos percebidos do dia. Também têm sono leve, acordam muitas vezes ao longo da noite e lutam para pegar no sono outra vez. A grande inteligência dos golfinhos e sua tendência ao perfeccionismo provavelmente explicam por que passam tanto tempo pensando no seu dia. Trabalham melhor do meio da manhã até o início da tarde. O dr. Breus descobriu que, se o paciente golfinho estabelecer parâmetros em torno de seus horários de dormir, isso o ajudará a voltar ao normal e a obter o sono de que precisa para ser mais produtivo.

Você pode fazer um teste em www.thepowerofwhenquiz.com para descobrir o seu cronotipo, mas há outras maneiras de descobri-lo por conta própria. Outro convidado do *Bulletproof Radio*, o dr. Jonathan Wisor, é um dos mais conhecidos pesquisadores do sono e das funções do sistema nervoso do mundo. O Departamento de Defesa dos Estados Unidos e o Instituto Nacional de Transtornos Neurológicos e AVC financiou seu laboratório para aplicar técnicas genéticas e bioquímicas moleculares ao estudo do sono. Entretanto, algo um tanto irônico, ele recomenda um método de tecnologia muito baixa para determinar seu cronotipo – simplesmente tire uma semana de folga do trabalho e durma e acorde quando tiver vontade. O dr. Wisor acredita que seu ritmo circadiano é um impulso biológico tão forte que ele ficará óbvio mesmo nesse curto espaço de tempo.

Eu acreditei no mito do madrugador durante muito tempo. Antes de me tornar um biohacker, passei a vida trabalhando contra meu ritmo circadiano natural e me esforçando para acordar cedo. Durante dois anos, me obriguei a acordar às cinco da manhã e meditar uma hora. Eu realmente acreditava que isso era necessário para que eu fosse bem-sucedido, mas adivinhe: isso não me deixou mais produtivo. Não me deixou mais feliz. E não fez de mim uma pessoa melhor. Só fez com que eu me sentisse mais cansado, confuso e menos criativo.

Foram necessários anos de acompanhamento e hackeamento do meu sono para eu perceber que estava desperdiçando uma tonelada de energia tentando ser uma pessoa matutina. Em vez de lutar contra meu corpo e forçá-lo a dormir quando ele estava naturalmente alerta e acordar quando estava naturalmente cansado, acabei aprendendo a trabalhar com meus ritmos naturais, e adivinhe só? Fiquei mais produtivo, mais feliz e com mais chances de superar o desempenho de uma pessoa que ainda esteja lutando contra seus ritmos para ser um madrugador.

Foi muito válido conversar com o dr. Wisor, pois isso explicou por que sou mais forte à noite do que de manhã. Com toda a certeza sou um lobo. Sou mais criativo e produtivo tarde da noite e tenho um desempenho melhor quando durmo até cerca de 8h45 da manhã. Na verdade, escrevi a maior parte deste livro (e os anteriores) entre a meia-noite e as cinco da manhã, quando todas as outras pessoas estavam dormindo, *e amei isso*.

Tenho esperanças que com os cientistas na vanguarda da atual pesquisa sobre o sono, nossa sociedade finalmente começará a se afastar da mentalidade antiquada do "madrugador" e começará a permitir que as pessoas sigam o ritmo natural de seu corpo. Eu sei que, como CEO, prefiro ver meus funcionários começando a trabalhar algumas horas mais tarde e sendo mais produtivos ao longo do dia do que começando cedo, mas sem a energia para realmente ter seu melhor desempenho. Acredito que outros sentiriam o mesmo, bastava que tivessem esta informação, por isso sou grato ao dr. Breus e ao dr. Wisor, por ajudarem a espalhar a informação sobre a importância dos cronotipos.

Sim, há uma variável sobre a qual os dois médicos alertam e que pode atrapalhar seus ritmos naturais e dificultar a permanência dentro de seus cronotipos: luz. Seu cronotipo tem base genética, mas é sensível à exposição à luz. Para aprender mais sobre isso, visitei o laboratório do dr. Satchin Panda no Instituto Salk de Estudos Biológicos em San Diego. Antes de entrevistá-lo para o podcast, seus estudantes de pós-graduação usaram um microscópio eletrônico para mostrar células especiais sensoras de luz no olho (chamadas de sensores de melatopsina), que ajudam a estabelecer o ritmo circadiano. Esses sensores captam frequências de luz e enviam mensagens para o corpo emitir hormônios de acordo com a hora do dia. De forma interessante, a luz dispara essas reações até em pessoas cegas.[4] O dr. Panda identificou um único gene que controla a central de cronometragem do corpo e descobriu um par de genes que mantêm comer e dormir em sincronia. Essa pesquisa explica por que as recomendações de jejum intermitente na dieta Bulletproof realmente funcionam. Seu livro *The Circadian Code: Lose Weight, Supercharge Your Energy, and Transform Your Health from Morning to Midnight* [Tradução livre: O código circadiano: perca peso, supercarregue sua energia e transforme sua saúde da manhã à meia-noite] é um tesouro de informação sobre o que comer e em que momento.

Segundo o dr. Panda, quando os sensores em seus olhos são expostos a uma luz com o espectro completo (como o sol quando nasce de manhã), eles enviam sinais que preparam seu corpo para acordar, e quando está escuro, eles sinalizam para seu corpo que é hora de dormir. Por essa razão é tão importante se assegurar que seu quarto esteja *completamente* escuro à noite. Se os sensores de seus olhos captarem mesmo pequenas quantidades de luz artificial à noite, isso pode atrapalhar seus padrões de sono, desacelerando a produção de melatonina. Em outras palavras: seu corpo não vai receber o sinal de que é hora de dormir. Um sinal que seu corpo espera antes de deitar é luz vermelha, porque esse espectro surge no pôr do sol. Quando estou em casa, uso com frequência antes de dormir uma luz Joovy, um dispositivo terapêutico de alta energia de luz vermelha e infravermelha, o que amplifica o "sinal do pôr do sol" que meu corpo espera. Os efeitos colaterais da exposição a esses espectros incluem uma pele melhor, curas mais rápidas e sono mais profundo.

É ainda mais importante garantir que você evite luz azul – a frequência que seu celular, laptop e tablet emitem – à noite. Os sensores de luz em seus olhos são especialmente sensíveis a essa frequência de luz, e a exposição a ela antes de deitar pode arruinar sua qualidade de sono mesmo se você usar um dispositivo terapêutico de LED. Um truque simples é usar fita isolante (ou bolinhas especiais projetadas para ter um aspecto melhor) para cobrir todas as luzes em seu quarto de modo que ele fique completamente escuro. Também recomendo usar óculos TrueDark antes da hora de dormir; eles usam filtros óticos em camadas para bloquear todo espectro de luz conhecido que interfere com o sono, muito além dos óculos que bloqueiam o azul. (Revelação completa: acredito tanto nessa ciência que apoiei a criação da empresa. Experimentei dobrar meu sono profundo ao usá-los e os estou usando enquanto digito esta frase.)

Também é crucial garantir a exposição à luz do sol adequada durante o dia. Quando é exposto à luz do dia, seu corpo produz serotonina, o neurotransmissor do prazer. Seu corpo transforma a serotonina em melatonina, o hormônio que induz ao sono. Se não for exposto à luz natural o suficiente durante o dia, não produzirá melatonina o suficiente para dormir bem à noite. Isso pode bagunçar seu ritmo circadiano mesmo se seguir o horário ideal para seu cronotipo. Janelas de escritório, vidros de automóvel, lentes de contato e óculos escuros bloqueiam espectros vitais de luz dos quais seu corpo precisa para regular seu relógio interno, então é vital sair de casa pelo menos cinco minutos de cada vez, várias vezes, todos os dias!

Itens de ação

- Descubra seu cronotipos indo se deitar e levantando quando sentir vontade durante uma semana ou fazendo o teste do dr. Breus em www.thepowerofwhenquiz.com.
- Pense na possibilidade e usar terapias de LED como o Joovy antes de se deitar e de manhã – funciona de verdade!
- Pense na possibilidade de usar óculos TrueDark ou dispositivos de terapia de luz que vão além do vermelho.
- Faça tudo o que puder para mudar seu horário diário de modo a virar a balança a seu favor e fazer coisas quando estiver biologicamente no melhor momento para isso.
- Assegure-se de obter luz do sol adequada durante o dia e bloqueie toda luz artificial à noite para experimentar um sono com muito mais qualidade e mais eficiente.
- Não coma depois que escurecer!

Áudios recomendados
- "Lions, Dolphins and Bears, Oh My!" com o dr. Michael Breus, *Bulletproof Radio*, episódio 344.
- Jonathan Wisor, "Hack Your Sleep", *Bulletproof Radio*, episódio 31.
- "Owning Your Testosterone" com John Romaniello, *Bulletproof Radio*, episódio 340.
- Satchin Panda, "Light, Dark, and Your Belly", partes 1 e 2, *Bulletproof Radio*, episódios 466 e 477.

Leituras recomendadas
- Michael Breus, *O poder do quando: Descubra o ritmo do seu corpo e o momento certo para almoçar, pedir um aumento, tomar remédio e muito mais.*
- Satchin Panda, *The Circadian Code: Lose Weight, Supercharge Your Energy, and Transform Your Health from Morning to Midnight.*

Lei nº 20: Sono de boa qualidade é melhor que mais sono

Deitar a cabeça no travesseiro não significa nada se você dormir mal. Você está desperdiçando sua vida se precisa de mais sono, porque trata seu desempenho ao dormir da mesma maneira que trata seu desempenho atlético ou no trabalho. Mude a maneira e o horário que dorme e acompanhe seu sono até virar um dorminhoco de nível mundial, ou encare as consequências no trabalho amanhã e no hospital dentro de alguns anos.

Foi fascinante entrevistar o dr. Phillip Westbrook, um importante especialista em sono e professor de medicina na UCLA, que se interessou pela ciência do sono ao ler um trabalho sobre pessoas que paravam de respirar repetidamente enquanto dormiam. O dr. Westbrook, que é pneumologista, queria entender como e quando isso podia acontecer.

Naquilo foi um experimento primitivo na época, ele encontrou um paciente que parava de respirar ao dormir e fez um estudo rudimentar do sono: o paciente se deitou em uma maca ao lado do consultório do dr. Westbrook na Clínica Mayo e foi preso a todo tipo de monitores até adormecer. Como era esperado, assim que dormiu, ele parou de respirar. Esse foi um dos primeiros casos documentados do que na época era uma condição muito rara: apneia do sono, um transtorno no qual a respiração para e recomeça repetidas vezes durante a noite. Esse estudo simples mudou a trajetória da carreira do dr. Westbrook.

Ele começou a olhar para o que acontece com as vias aéreas quando dormimos e descobriu que, quando o cérebro está dormindo, ele não sinaliza para que o músculo que controla a abertura das vias aéreas superiores as mantenha abertas para que possamos respirar. Esses músculos relaxam durante o sono, todos os músculos relaxam, e sob certas circunstâncias, essas vias podem se fechar completa ou parcialmente e interferir na nossa capacidade de respirar. Se não respiramos, obviamente morremos, então o corpo acorda a si mesmo sempre que paramos momentaneamente de respirar.

Mesmo com um pequeno transtorno do sono, você pode ter muitos despertares dos quais não se lembra todas as noites. Isso interfere na continuidade e na qualidade do sono, e muitas vezes o torna incapaz de ter um bom desempenho durante o dia. Também é um fator de risco significativo para pressão sanguínea alta, doença cardiovascular, diabetes tipo 2 e capacidades cognitivas reduzidas, incluindo a função executiva (habilidades de tomada de decisão).[5]

Despertares não lembrados são reais. Quando experimentei uma dieta de quase zero carboidrato e cetose profunda, como parte da pesquisa para *The Bulletproof Diet*, meu monitor de sono notificou que eu estava acordando pelo menos uma dúzia de vezes durante a noite sem nenhum conhecimento ou memória disso. Eu só sabia que me sentia um lixo ao acordar de manhã. Meu monitor de sono me ajudou a descobrir o poder da cetose cíclica em oposição a uma cetose sem fim. Ao acrescentar carboidratos algumas vezes na semana, consertei meu sono e, em última análise, melhorei as recomendações da dieta. Achei chocante não saber que estava acordando com tanta frequência, embora não tivesse apneia, mas isso ilustra como é fácil ter apneia do sono sem nem se dar conta. O dr. Westbrook estima que cerca de 10% das pessoas que lerem este livro terão algum nível de apneia do sono que afeta sua saúde e seu desempenho diário. Você tem?

Quando o empreendedor e inventor em série Dan Levendowski, que liderou o desenvolvimento de várias tecnologias médicas inovadoras, conheceu o dr. Westbrook, ele sabia que tinha um problema de sono. Dan roncava alto desde muito jovem. Quando tinha pouco mais de quarenta anos, seu ronco evoluíra para uma apneia do sono. Por volta do ano 2000, ele e o dr. Westbrook começaram a conversar sobre qual tipo de tecnologia poderiam usar para ajudar a aumentar a consciência do público sobre esse problema e permitir que pacientes fossem diagnosticados em suas próprias casas. Juntos, eles desenvolveram um dispositivo chamado sistema de avaliação de risco de apneia (ARES, do inglês *apnea risk evaluation system*) que pode diagnosticar a apneia do sono se os pacientes o usarem na testa ao dormirem. (Infelizmente, a Victoria's Secret nunca aprovaria nenhum dos equipamentos de monitoramento do sono que experimentei, e esse não é exceção.)

Quando Dan usou o dispositivo Ares, ele mostrou que Dan parava de respirar impressionantes sete vezes por hora ao dormir de costas, fazendo com que os níveis de oxigênio em seu sangue caíssem a níveis perigosamente baixos. Entretanto, ele dormia de forma quase completamente normal quando estava de lado. O número de vezes que acordava a cada hora era chocante, mas a importância de sua posição ao dormir não era. Especialistas no sono sabem há muito tempo da importância de evitar a posição "supino" para dormir – deitado de costas.

Nessa posição, a gravidade contribui para o colapso das vias aéreas. Quase todo mundo, tenha ou não um transtorno do sono, é mais susceptível ao colapso das vias aéreas e à dessaturação mais profunda de oxigênio ao dormir de costas. Pessoas que não têm apneia do sono simplesmente roncarão mais quando estiverem de costas, enquanto aquelas com apneia do sono têm mais chances de parar de respirar nessa posição.

Médicos sabem disso há anos, mas não tinham nenhuma solução real. Especialistas em medicina do sono muitas vezes recomendam aos pacientes que costurem bolas de tênis nas costas da parte de cima de seus pijamas, de modo a ficarem naturalmente desconfortáveis dormindo de costas e evitarem naturalmente a posição supino. A aceitação dos pacientes foi compreensivelmente baixa, embora hoje em dia seja possível comprar camisas na Amazon com bolas de tênis costuradas. O dr. Westbrook e Dan queriam encontrar alternativas eficazes que os pacientes estivessem mais dispostos a usar.

Eles desenvolveram um produto chamado Night Shift [turno da noite], que os pacientes usam em volta do pescoço. O Night Shift sente quando você está dormindo de costas e vibra delicadamente, para que você mude de posição. A chave é que ele não o acorda nem perturba seus padrões de sono. A vibração delicada aumenta de intensidade aos poucos se você não reagir. Outra vantagem do Night Shift é que ele grava informações durante a noite sobre o quão bem você está dormindo, incluindo quantas vezes deitou de costas e a rapidez com que reagiu à resposta do dispositivo.

Em minha própria busca por um sono melhor, também descobri a importância do alinhamento adequado dos maxilares para impedir o fechamento das vias aéreas. Mais de dez anos atrás, fiz um aparelho sob medida para posicionar meu maxilar inferior à frente, e ele me ajudou muito a melhorar minha qualidade de sono e eliminar o ronco. Ele foi criado pelo dr. Dwight Jennings, que mudou a vida de milhares de pessoas – inclusive a minha – consertando alinhamentos maxilares com aparelhos orais. Em sua entrevista, ele explicou que os benefícios do alinhamento maxilar vão muito além de apenas resolver a apneia, e inclui melhorias impressionantes na função neurológica, no gerenciamento do estresse, no acufeno e até mesmo em doenças crônicas. Meu cérebro funciona melhor porque ele consertou minha mordida.

O Instituto Nacional de Saúde deu a Dan e ao dr. Westbrook um financiamento para pesquisar como poderiam melhorar o resultado de apneia do sono com terapia de aparelhos orais. Eles desenvolveram um produto que serve como aparelho oral temporário e permite que os pacientes o experimentem para testarem se têm um bom resultado antes de gastarem dinheiro em um aparelho sob medida. Os pesquisadores disponibilizaram esse produto para dentistas e em hospitais, para pacientes que estão se recuperando de anestesia geral e têm o maior risco de complicações de apneia do sono não diagnosticada.

Como você sabe se tem apneia do sono? Um dos sintomas mais comuns é o ronco. Roncar é um sinal de que suas vias aéreas estão se fechando um pouco durante o sono e seu fluxo de ar é limitado quando tenta inspirar. Se você ronca muito alto, corre um risco maior de ter apneia do sono. Se seu cônjuge ou outros parceiros de cama percebem que você parece parar de respirar enquanto dorme, esse é um fator de risco ainda maior. Porém o mais importante: se fica sonolento durante o dia, sentindo-se não apenas cansado, mas de fato pegando no sono mesmo sem ter a intenção, como quando está vendo TV ou lendo um livro chato, o risco é ainda maior. Caso tenha esses sintomas, acho que você deve a si mesmo uma consulta para verificar e poder voltar a dormir bem à noite e a arrasar durante o dia.

Se você ronca ou não, também vale a pena investir em um mordedor, porque cerrar os dentes à noite provoca dores de cabeça crônicas e problemas de saúde bucal, além de sono ruim. Eu não sonharia (há!) em dormir sem um. Seja um aparelho comprado em loja ou feito sob medida para alinhar precisamente seu maxilar e manter suas vias aéreas abertas, é um bom truque para um sono de qualidade.

O dr. Günther W. Amann-Jennson, criador do colchão SAMINA, acredita que descobriu outra solução para a apneia do sono e outros problemas de saúde em um lugar surpreendente: a natureza. Todas as duzentas espécies de primatas, incluindo humanos, experimentam problemas musculoesqueletais.[6] Mas de todas as espécies, nós sofremos com mais dessas questões do que os habitantes das florestas e as pessoas que dormem no chão. Na verdade, ao dormir no chão em vez de sobre um colchão, você intuitivamente encontra posições que podem corrigir os equilíbrios musculoesqueletais que causam dor na lombar, nos joelhos, joanetes e mais.

O chão da floresta é o "quiroprático da natureza". Ele mantém o peito imóvel, alinha as vértebras e lubrifica as juntas. Isso significa que você deve jogar sua cama fora e começar a dormir no chão? Não, mas significa que você deve prestar atenção à posição de seu corpo ao dormir. Isso afeta não apenas a qualidade do sono à noite, mas o estado mental e a produtividade ao longo do dia também.

Quando aprendi isso, passei a dormir no chão, em um colchonete de espuma muito duro de quatro centímetros de espessura, e descobri que, depois de algumas semanas rígidas de ajustes, eu dormia fantasticamente bem e acordava sem nenhuma dor. Durmo nesse colchonete pelo menos quatro noites por semana, o que mantém meu corpo funcionando melhor. (Nas outras noites, durmo em um colchão SAMINA.) Em longas viagens de negócios, durmo no chão em hotéis que tem colchões muito macios, simplesmente porque isso faz com que eu obtenha melhor qualidade de sono em menos tempo. O único colchão de hotel tão duro quanto meu colchonete que já encontrei foi um colchão tradicional japonês de trigo-sarraceno, em Tóquio, no Japão.

Mas há outros truques para dormir bem, além de um colchão incrível ou um chão duro. O dr. Amann-Jennson percebeu que animais selvagens e gado doméstico têm uma preferência natural por dormir no chão com a cabeça levemente elevada. Isso o motivou a estudar o papel da gravidade em nosso processo de dormir. Quando estamos acordados e parados de pé, nossas cabeças estão acima do coração e nosso sangue corre contra a gravidade, do coração até o cérebro. Mas quando dormimos, deitamos horizontalmente; nossos corações e cabeças ficam no mesmo nível, o que elimina os efeitos da gravidade na circulação do cérebro e aumenta a pressão no interior do crânio, ou pressão intracraniana. O dr. Amann-Jennson acredita que essa pressão aumenta durante a noite, fazendo com que um fluido extra se acumule nas câmaras, ventrículos e neurônios do cérebro. Segundo ele, isso causa edema cerebral, que é um inchaço do cérebro devido ao excesso de fluido. Além de fazer o cérebro inchar, dormir na horizontal provoca pressão prolongada nos olhos, ouvidos, face, seios da face e até gengivas. Toda a cabeça fica sobrecarregada devido à maior pressão em nosso crânio.

Na verdade, há uma área da medicina que fez uma quantidade tremenda de estudos sobre o efeito da gravidade na psicologia humana: a medicina espacial. De fato, astronautas frequentemente estão na vanguarda do biohacking. Quando estão no espaço, experimentam excesso de fluidos na cabeça e, portanto, no cérebro, causando aumento da pressão intracraniana acompanhada de sintomas como enxaquecas, glaucoma, doença de Ménière e muitos outros. Isso sugere que precisamos dos benefícios da gravidade para obtermos um sono saudável, e que, como animais na natureza, devíamos dormir com a cabeça acima de nossos corações.

O antropólogo médico dr. Sydney Ross Singer estudou os efeitos de dormir inclinado em pacientes que sofrem de enxaquecas. Ele fez com que cem pacientes de enxaqueca dormissem com a cabeça elevada de dez a trinta graus. A maioria deles sentiu uma melhoria em seus sintomas em apenas algumas noites, e muitos experimentaram benefícios adicionais: relataram que se sentiam mais descansados e experimentavam menos congestão nasais.[7]

O dr. Amann-Jennson observou que, além de ajudar a aliviar enxaquecas e congestão, dormir inclinado baixa a pressão sanguínea, reduz a retenção de água e, portanto, das veias varicosas e tem até o potencial de prevenir o mal de Alzheimer. Alguns pesquisadores acreditam que essa doença é parcialmente causada por congestão cerebral e pressão excessiva na cabeça. Os ventrículos de cérebros afetados pelo Alzheimer muitas vezes são expandidos, sugerindo que há uma correlação entre pressão ventricular crônica e lesões ao longo dos ventrículos no tecido encefálico de pacientes com esse problema.

Essa sem dúvida é uma área que merece mais estudos e deve ser levada em conta se estiver sofrendo de dores de cabeça, congestão crônica ou apneia do sono. É barato e fácil botar blocos de madeira embaixo da parte de cima de sua cama! Eu durmo com uma inclinação há anos, além de usar meu protetor bucal sob medida, uma variedade de sistemas de acompanhamento do sono, escuridão absoluta e outros truques para melhorar o sono. Você deve a si mesmo e às pessoas que serve encontrar melhorias no sono que funcionem para sua vida. Eu com certeza vi uma diferença enorme na qualidade do meu sono em geral, o que, espero, significa que vou viver mais e ter um desempenho melhor pelo caminho. A melhor parte é que a maioria dessas mudanças não exige esforço contínuo – você faz apenas uma vez.

Itens de ação

- Acompanhe seu sono para descobrir se você está acordando à noite sem perceber.
- Ajuste a inclinação da cama para que sua cabeça fique elevada de dez a trinta graus.
- Arranje um colchão incrível (sem substâncias para retardar chamas ou formol).
- Tente dormir em um colchonete de espuma fino e duro durante um mês (recomendo neoprene de quatro centímetros de espessura de

alta qualidade em placas de 2x1,20 metros, que custam em torno de 150 dólares).
- Experimente usar um mordedor que ajude a posicionar seus maxilares da maneira adequada.
- Experimente o Night Shift, se você acredita que está sofrendo de apneia do sono.
- No mínimo, pare de dormir deitado de costas!

Áudios recomendados
- Phillip Westbrook e Dan Levendowski, "Sleep for Performance", *Bulletproof Radio*, episódio 129.
- Dwight Jennings, "A Live Look at Bite Realignment & How TMJ Impedes Performance", *Bulletproof Radio*, episódio 182.

Lei nº 21: Vá dormir antes de o seu alarme disparar

As pessoas de desempenho mais alto e que estão sob a maior pressão têm mais chances de evitar o sono, e elas pagam o preço mais alto. Você não conseguirá arrasar se estiver cansado. Dormir não é opcional.

Foi muito divertido entrevistar duas vezes Arianna Huffington, autora de sucesso, empreendedora cheia de energia e fundadora do jornal *Huffington Post*. Na primeira vez, ela me recebeu gentilmente em seu escritório na redação do jornal e nos demos bem logo de cara. Arianna é reconhecidamente uma pessoa forte e influente. Em 2011, a revista *Time* a elegeu uma das "Cem pessoas mais influentes do mundo". Chegar lá exigiu trabalho duro, e ela acabou pagando o preço, depois de sacrificar o sono para fazer sua carreira decolar.

Em 2007, Arianna estava trabalhando em seu escritório em casa quando desmaiou. Ao cair, ela bateu a cabeça na mesa, quebrou a maçã do rosto e cortou o olho. Acordou em uma poça de sangue. Depois de consultar muitos médicos para descobrir se havia algum problema de saúde oculto que causara seu desmaio, ela descobriu que não havia nada; ela tinha desmaiado de exaustão e falta de sono.

Esse foi um sinal de alerta clássico que levou Arianna a examinar o tipo de vida que estava vivendo e como definia o sucesso. Tinha fundado o *Huffington Post* dois anos antes e, desde então, ele havia crescido em um ritmo incrível. Construir um negócio exigia jornadas de trabalho de dezoito horas, sete dias por semana, e estava dando resultados. Olhando o seu exterior, Arianna parecia extremamente bem-sucedida. Ela estava em capas de revistas, sua empresa crescia muito e ela parecia estar a pleno vapor.

Mas, depois de sua queda, Arianna começou a perguntar a si mesma se era essa a verdadeira aparência do sucesso. Descobriu que a maioria das pessoas definem sucesso como riqueza e poder, mas essas são apenas as duas primeiras métricas, e contar apenas com elas para definir uma vida de sucesso é como tentar se sentar em um banco de duas pernas: você vai cair sempre. A terceira métrica, segundo Arianna, é o bem-estar. E o bem-estar inclui tirar tempo para descansar de forma adequada e se renovar, além de se conectar com seu sentido de propósito e sua sabedoria interior.

Desde então, ela fez muitas mudanças em seu modo de vida, especialmente em relação aos seus hábitos de sono. Os resultados surpreenderam até Arianna. Em vez de desacelerar sua carreira, sentir-se rejuvenescida a levou a novos níveis de sucesso. A AOL comprou o *Huffington Post* em 2011, e em 2016 ela lançou uma nova startup chamada Thrive Global para fornecer conteúdo e treinamento sobre saúde e bem-estar. Em seguida, entrou para a diretoria da Uber para ajudá-la a melhorar sua cultura. Descobriu que, quanto mais priorizava a conexão e o cuidado consigo mesma, mais produtiva e bem-sucedida se tornava. Arianna acredita que está realizando mais agora porque tem de sete a nove horas de sono por noite, e arranja tempo para meditar, fazer caminhadas e praticar ioga todos os dias.

Só quando usou essa terceira métrica do bem-estar que percebeu o quanto estava distante dela. Ela diz que se alguém tivesse lhe perguntado, na manhã de seu desmaio, como se sentia, ela teria dito que estava ótima – e estaria falando sério. Ela acreditava, como muitas pessoas, que os sacrifícios que estava fazendo em nome de seu negócio eram necessários e compensatórios. Agora ela entende que isso era uma ilusão. Nós não temos de sacrificar nosso bem-estar em nome do sucesso. Na verdade, quanto mais priorizamos nosso bem-estar, mais bem-sucedidos nos tornamos.

Arianna compara a concepção de que devemos trabalhar duro e nos esgotar para obter sucesso a outras crenças falsas às quais as pessoas se aferraram ao longo da história, como a de que a Terra é plana ou que o sol gira em torno da Terra. Seu objetivo com a Thrive Global é destruir essa crença, e está funcionando. Em uma parceria recente com o J.P. Morgan, executivos de alto escalão notaram um impacto positivo nos resultados quando os empregados foram desafiados a se concentrar em dormir, recarregar, agradecer e praticar atenção plena.

Muitos de nós experimentamos sinais de alerta como o de Arianna. Nós nos forçamos até o ponto de exaustão como se fôssemos receber algum tipo de prêmio pelo esforço. Mas esse é o oposto do que significa ser à prova de balas. Antes de descobrir isso, viajei uma vez de São Francisco à China para fazer uma palestra. No dia seguinte, embarquei em um avião rumo à Flórida para fazer mais uma palestra em alguma outra conferência de tecnologia que na época parecia importante. Na manhã seguinte, embarquei em um voo às cinco da manhã da Flórida antes de tomar meu café Bulletproof ou mesmo beber água (pois tive que deixá-la na segurança) e literalmente desmaiei no corredor do avião em algum momento após a decolagem. Não me lembro de desmaiar, mas me lembro de ser sacudido e acordado do que me pareceu o melhor sono que já havia experimentado.

Eu estava exausto e provavelmente desidratado, e honestamente, deveria saber que aquilo não estava certo. Quando recobrei a consciência, o comissário no intercomunicador perguntava freneticamente se havia um médico a bordo, e outro comissário tentava me fazer beber um copo de suco de laranja.

– Não – insisti em meu estado parcialmente acordado. – Estou em cetose!

Por sorte, não bati a cabeça quando caí nem tive nenhum outro problema médico como resultado da queda. Ela serviu como um bom lembrete para eu sempre ir dormir antes de ser forçado a receber um alerta.

Embora nossas abordagens sejam um pouco diferentes – eu hackeei meu sono para obter um sono de melhor qualidade em menos tempo, enquanto Arianna se concentra no número de horas que consegue dormir a cada noite –, nossas experiências são incrivelmente semelhantes. Sei que sou um marido, pai e CEO melhor quando estou recarregado e descansado. Bem, Arianna e eu não conseguimos fazer nada enquanto estávamos desmaiados! Ela diz que essas histórias são comuns, e que quer que você aprenda com nossos erros e se concentre em seu bem-estar, para que assim também possa realmente começar a ter sucesso.

Hoje em dia, trabalho com meu assistente para organizar minha agenda de modo que consiga dormir o suficiente, e todo dia tenho pelo menos uma hora de "tempo para aperfeiçoamento" incluída na agenda *durante a jornada de trabalho*. Se você não reservar esse tempo para si mesmo, alguém ou alguma coisa menos importante vai preencher esse espaço, e você vai pagar o preço.

Itens de ação

- Durante uma semana, obrigue-se a ir se deitar uma hora mais cedo que o normal, e veja o quanto você se sente melhor no dia seguinte.
- Estude sua agenda e cancele reuniões e eventos que não são fundamentais para sua missão e nos quais sua presença não é obrigatória.
- Substitua esses compromissos com tempo pessoal para recarregar, se recuperar e reabastecer as energias.

Áudios recomendados
- "Arianna Huffington Is Thriving", *Bulletproof Radio*, episódio 133.
- Arianna Huffington, "Preventing Burnout & Recharging Your Batteries", *Bulletproof Radio*, episódio 384.

Leitura recomendada
- Arianna Huffington, *A terceira medida do sucesso – Nem dinheiro nem poder: o que você precisa buscar para se sentir realizado.*

ATIRE UMA PEDRA NO COELHO, NÃO CORRA ATRÁS DELE

Ao pensar em sermos bem-sucedidos e em termos um desempenho nos níveis mais altos, tendemos a considerar nos esforçarmos além de nossos limites. Como vimos, ir além do ponto de exaustão é uma péssima estratégia. Conseguir descansar adequadamente é um componente fundamental de grandes realizações. Assim, também, são algumas outras estratégias sobre as quais falamos aqui: abrir tempo em sua agenda para meditar, fazer ioga, praticar técnicas de respiração ou apenas sair para uma longa caminhada.

Perceba que na lista do Capítulo 7 não incluí fazer retiros de treinamento, aulas de spinning ou treinar para uma maratona. Não que haja nada de errado com esses objetivos – exercícios são bons para sua saúde, fazem com que algumas pessoas se sintam ótimas e foram a quarta estratégia mais citada pelas pessoas que viram o jogo. O problema é que muitos de nós estão tão concentrados no "exercício" que se esquecem do movimento. Não há dúvida que o corpo humano foi feito para se movimentar e que a maioria de nós não se movimenta o suficiente. Claro, exercício é tecnicamente uma forma de movimento, mas é uma explosão curta e intensa de movimento. Movimento sustentado funcional não é a mesma coisa que exercício.

Então, embora muitos de meus convidados tenham identificado o exercício como uma das coisas mais importantes que eles fazem, vou modificar um pouco esse conselho e me concentrar no movimento. Em minha experiência, quando as pessoas se concentram demais na ideia de exercício, muitas vezes desperdiçam tempo e esforço. Quando pesava 135 quilos, decidi emagrecer fazendo exercício. Eu me exercitei 90 minutos por dia, seis dias por semana, durante 18 meses. Não importava o quanto meu corpo doía ou o quanto eu estava cansado. Todos os dias eu fazia 45 minutos de atividade aeróbica e 45 minutos de musculação. O resultado nada motivador (e desmoralizante) foi que acabei me tornando uma pessoa obesa muito forte. A verdade é que as pessoas de desempenho mais alto que treinei – incluindo CEOs e gerentes de fundos de investimentos – também são do tipo que se exercitam demais ou treinam para triátlons do Ironman enquanto administram empresas. O resultado é previsível: redução da libido, dos hormônios e da qualidade de sono, e lesões e inflamações que muitas vezes resultam em dor crônica que, ironicamente, leva a menos movimento no geral. Alguns conseguem fazer isso, mas não é comum que seja sustentável.

Ao liberar seus músculos e juntas para funcionarem como deveriam, você parecerá mais saudável e se sentirá melhor. Conseguirá pegar seus filhos no colo sem se contorcer de dor. Conseguirá ficar de pé o dia inteiro sem se curvar antes do meio-dia. E, por fim, conseguirá se exercitar com eficiência e fazer isso durante anos sem se lesionar. Ser capaz de se movimentar corretamente é a base de qualquer atividade física ou objetivo atlético. Não há nenhum tipo de exercício na Terra que não exija movimento funcional. Então este capítulo vai se concentrar na importância do movimento e no que os especialistas dizem sobre como se exercitar para obter mais resultados e virar o jogo.

Lei nº 22: Não corra até conseguir andar

Esportes de alto risco – incluindo a corrida – não tornam você uma pessoa melhor, mas as lesões que vêm com eles são o preço a pagar sobre tudo o que fizer enquanto ser humano. Quando você reprograma seu sistema nervoso para se movimentar bem, exercícios de alto risco se tornam de baixo risco. E toda a energia que você desperdiça ao se movimentar de maneira errada se torna disponível para que dê melhores usos a ela. Fazer exercício só por fazer não é apenas perda de tempo, mas também é ruim para você, caso faça da maneira errada.

Lembra daquela cena em *Matrix* na qual Neo olha para o mundo e vê uns e zeros de um jeito que apenas os hackers conseguem ver? Há especialistas que podem dar uma olhada no jeito como você para, como anda e como você se movimenta, e então saber mais sobre você do que você jamais poderia esperar. Kelly Starrett é uma dessas pessoas. Ele é uma figura importante no mundo do CrossFit e deu aulas para alguns dos principais atletas e executivos do mundo sobre como se movimentar melhor. Também é coach, fisioterapeuta e autor de um livro fitness incomum, mas incrível, chamado *Becoming a Supple Leopard: The Ultimate Guide to Resolving Pain, Preventging Injury, and Optimizing Athletic Performance* [Tradução livre: Tornando-se um leopardo flexível: o guia definitivo para solucionar a dor, prevenir lesões e otimizar o desempenho atlético].

Kelly quer mudar seu modo de pensar sobre correr e se movimentar. Entusiastas da corrida acreditam que correr é uma maneira saudável e inteligente de se exercitar, talvez até algo que faça de nós unicamente humanos. Mas isso é verdade? Humanos foram realmente feitos para correr? Em nossa entrevista, Kelly explicou que sempre foi atlético, mas quando jogava futebol americano no ensino médio, desenvolveu uma dor no joelho que acabou por atormentá-lo durante anos. Ele descobriu mais tarde que a dor era decorrente de sua forma incorreta de correr. Seus pés eram fracos, ele não tinha o alcance de movimento necessário para correr de forma adequada, e seus joelhos estavam pagando o preço.

Esse não é um problema isolado. Segundo Kelly, 80% das pessoas que correm pelo menos três vezes por semana se lesionam no período de um ano. Esse número pode ser chocante, mas não é porque correr seja algo inerentemente perigoso. É porque a maioria dos indivíduos não tem o controle motor e o alcance de movimento necessários para correr com segurança. Para um bom desempenho em qualquer tipo de exercício, seja ioga, pilates, CrossFit ou corrida, você precisa se assegurar de pedir a seu corpo que complete apenas movimentos que seja capaz de desempenhar de forma adequada. Isso muitas vezes exige voltar ao básico e aprender a forma correta de realizar movimentos simples que nossos estilos de vida sedentários atuais nos impedem de fazer corretamente. Em outras palavras, você precisa dominar a prática de um *movimento* antes de começar a praticar *exercícios*.

Onde deve começar uma prática de movimento? Em 1995, dois fisioterapeutas, Gray Cook e Lee Burton, começaram a trabalhar em conjunto para reunir dados estatísticos que os ajudariam a prevenir lesões. Sua pesquisa sobre padrões de movimento humano evoluiu para o que agora se chama Sistemas de Movimento Funcional, que avaliam as habilidades de as pessoas se movimentarem de maneira adequada. É difícil saber por onde começar qualquer projeto a menos que você estabeleça um parâmetro. Embora alguns problemas sejam óbvios, outras limitações de seu alcance de movimento podem não ser tão óbvias assim. Os Sistemas de Movimento Funcional criaram um programa padronizado que avalia sua mobilidade e fornece técnicas para lidar com suas limitações. Quando se tem a mecânica para se exercitar corretamente, é possível correr ou fazer qualquer outra forma de exercício sem risco de se lesionar.

Segundo Kelly, a boa notícia é que o corpo é capaz de corrigir a si mesmo quando aprende a se movimentar corretamente. A estrutura para o alinhamento adequado já está presente, e quando você pratica uma posição melhor para seu corpo, ela é acionada novamente. Kelly e outros terapeutas trabalham com pacientes para praticar padrões apropriados, que ele descreve como puxar os fios pelo conduíte que já foi instalado. Você não nasceu com músculos rígidos e inflexibilidade; anos de maus hábitos causaram esses problemas, mas é possível consertá-los.

A causa número um dos problemas que Kelly vê em seus pacientes é ficar sentado tempo demais. Isso, surpreendentemente, vale tanto para atletas quanto para pessoas de estilo de vida mais sedentário. Esse é outro problema com nossa ideia de exercício: as pessoas tendem a riscá-lo de sua lista de tarefas de manhã ou à noite, e então passam o resto do dia sentadas em uma cadeira. Portanto, são pessoas essencialmente sedentárias que se movimentam 45 minutos por dia, mas acham que por isso são saudáveis e virtuosas. Kelly pediu aos membros de um time profissional de futebol americano com quem estava trabalhando para acompanharem seus padrões de movimentos diários e descobriu que eles ficavam sentados de 14 a 16 horas por dia. E eram atletas profissionais! Como era de se esperar, muitos deles sentiam dores crônicas nos joelhos e na lombar que tinham impacto negativo em seu desempenho. Kelly descobriu que seus problemas não se originavam em lesões esportivas; mas sim por falta de movimento.

Outro líder no mundo do movimento é BJ Baker, primeiro treinador de força e condicionamento do time de beisebol Boston Red Sox. BJ está envolvido no treinamento, preparação, aconselhamento nutricional e reabilitação de atletas profissionais em praticamente todos os esportes. Ele concorda com a avaliação de Kelly, e diz que ficar sentado de seis a oito horas por dia pode desfazer os efeitos de uma ou duas horas de exercício.

BJ realiza avaliações de movimento funcional com seus pacientes para quantificar quais movimentos eles podem ou não desempenhar. Quando avalia crianças de oito anos de idade, frequentemente vê que não conseguem fazer um simples agachamento. As próprias crianças às vezes ficam chocadas ao descobrir que não conseguem fazer movimentos básicos que não necessitam de muita força. Mas não é a força o elemento necessário para completar esses movimentos; é a estabilidade e a mobilidade das juntas, que crianças pequenas que passam a maior parte do dia sentadas não têm. Entretanto, ficando menos tempo sentados e praticando os movimentos corretos, essas habilidades podem ser recuperadas.

Muitos dos pacientes de BJ experimentam a cura só de aprender a se movimentar adequadamente. Por exemplo, em sua entrevista, BJ me contou de um cliente chamado Bill que estava tomando estatinas para colesterol alto e medicamento para baixar a pressão sanguínea. Ele estava vinte quilos acima do peso e tinha uma postura horrível. Na verdade, ele tinha perdido cinco centímetros de altura devido à curvatura da espinha. BJ corrigiu seus movimentos, cuidou da postura e fez algumas pequenas mudanças em sua dieta. Depois de oito meses, Bill conseguiu parar de tomar os remédios, tinha perdido vinte quilos e recuperado quatro centímetros de altura. Bastou melhorar a postura e a força essencial e restabelecer a extensão do tecido muscular, e Bill conseguiu desfazer vinte anos de maus hábitos.

Cresci acreditando ser normal sentir dor ao me movimentar. Isso não me impediu de participar de torneios de futebol durante treze anos, em agonia todo o tempo. Muito da dor – e das lesões constantes – desapareceu quando aprendi a fazer pequenos ajustes na maneira como me movimentava depois de praticar ioga com professores experientes várias vezes na semana durante cinco anos. Ioga é incrível para a flexibilidade e para aprender a ativar certos músculos no corpo, mas não é a melhor maneira para aprender a andar, sentar ou se movimentar do jeito mais eficiente.

Mesmo depois de todo esse trabalho, aprender movimento funcional adequado trabalhando com especialistas que avaliaram a forma como eu me movimentava e fizeram pequenos ajustes em meu jeito de sentar, de me movimentar e de andar me deu um novo nível de liberdade na maneira de me movimentar com resultados que se refletiram na maneira como eu agia no resto de minha vida.

Os mesmos resultados são possíveis para você quando aprende a movimentar o corpo da maneira correta. Se escolher ou não correr, nadar, levantar pesos, botar os pés atrás da cabeça ou dançar, fazer isso da forma certa vai aprimorar sua habilidade de mudar seu jogo. Mas escolher uma forma de exercício que vai fornecer mais benefícios em menos tempo também é importante, o que nos leva à próxima lei...

Itens de ação

- Trabalhe com um coach de movimento funcional para desfazer padrões de movimento incorretos. A Functional Movement Systems (www.functionalmovement.com) é um bom lugar para começar.
- Compre uma mesa ajustável para trabalhar de pé de modo que possa revezar a posição durante o dia (eu uso www.standdesk.co).
- Tente o método Egoscue de exercícios (www.egoscue.com) para melhorar sua postura, minimizar a dor e aperfeiçoar seu desempenho.

Áudios recomendados

- Kelly Starrett, "Bulletproof Your Mobility & Performance", *Bulletproof Radio*, episódio 43.
- Kelly Starrett, "Systems Thinking, Movement, and Running", *Bulletproof Radio*, episódio 156.
- BJ Baker, "Primal Movements", *Bulletproof Radio*, episódio 93.
- Doug McGuff, "Body by Science", *Bulletproof Radio*, episódio 364.
- "Mastering Posture, Pain & Performance in 4 Minutes a Day with Egoscue", *Bulletproof Radio*, episódio 429.
- John Amaral, "Listen to the Force: Upgrade Your Live", *Bulletproof Radio*, episódio 462.

Leituras recomendadas

- Kelly Starrett com Glen Cordoza, *Becoming a Supple Leopard: The Ultimate Guide to Resolving Pain, Preventing Injury, and Optimizing Athletic Performance.*
- Doug McGiff e John Little, *Body by Science: A Research-Based Program for Strength Training, Body Building, and Complete Fitness in 12 Minutes a Week.*

Lei nº 23: Músculos fortes o deixam mais inteligente e mais jovem

É tentador acreditar que correr uma maratona o faça um ser humano melhor, e pode ser que de fato o faça na primeira vez que correr, pois aumentará sua força de vontade. A grande verdade é que atividade aeróbica em excesso estressa o corpo e leva tempo demais para apresentar resultados. Pessoas com alto desempenho se exercitam com eficiência, o que significa estimular os hormônios certos usando os protocolos certos nas horas certas.

Charles Poliquin foi um dos primeiros biohackers, muito antes de eu cunhar o termo. Ele é um educador e coach de força e condicionamento mundialmente conhecido que ajudou muitos dos grandes atletas de elite no mundo a arrasar e conquistar centenas de medalhas, vitórias e marcas pessoais em dezessete esportes diferentes. Há décadas, Charles tem investigado como os sinais que envia para seus músculos criam mudança em seu corpo, e ele nem se importa se você, eu ou qualquer pessoa gosta do que ele aprendeu. Ele é um visionário que tende a saber das coisas anos antes de as outras pessoas o alcançarem, e é exatamente por esse motivo que tantos profissionais trabalham com ele. É por isso também que eu gosto de sair com ele, além de convidá-lo para participar do programa.

Charles chegou à conclusão que o treinamento de força é melhor para a saúde de seu cérebro e para o desempenho em geral do que exercícios aeróbicos de longa distância, que, segundo ele, envelhecem o cérebro. Essa visão irritou muita gente (principalmente atletas de resistência), mas ela foi comprovada por alguma das mais recentes pesquisas médicas. Se você é uma dessas pessoas que se irritaram e ama exercícios de resistência, saiba que não estou dizendo que você deve abandonar completamente seu exercício favorito, mas talvez também devesse trabalhar na força de seus músculos (isso vale para mulheres ou homens.)

Em 2013, cientistas observaram os tipos de exercício que eram mais benéficos para pacientes que sofriam do mal de Parkinson.[1] Em um teste clínico, testaram três formas de exercício: exercício de baixa intensidade em esteira (andar), exercícios de alta intensidade em esteira (correr) e uma combinação de treinos de alongamento e resistência (pesos). Eu já estava familiarizado com o estudo quando falei com Charles, mas não sabia que ele tinha sido consultado nos protocolos usados pelos cientistas. Ele disse aos pesquisadores, antes do começo do estudo, que o trabalho aeróbico iria piorar a condição dos pacientes, e ele estava certo. Charles chama isso de um estudo "verdade, Sherlock?". Como esperava, os pacientes que fizeram a combinação de alongamentos e levantamento de pesos tiveram melhores resultados, enquanto alguns pacientes também se beneficiaram de caminhadas de baixa resistência na esteira.

Esses resultados se traduzem para aqueles que não têm mal de Parkinson? Charles acredita que a resposta seja positiva. Embora diga que há benefícios verdadeiros no exercício aeróbico, especialmente para pessoas com alta pressão sanguínea ou obesas, sedentárias e que tenham gordura abdominal visceral (gordura armazenada em torno dos órgãos principais) significativa, o treinamento aeróbico de longo prazo tem efeitos negativos substanciais que muitos não conseguem ver.

Em primeiro lugar, o treinamento aeróbico eleva o nível de cortisol (hormônio do estresse), causando inflamação e acelerando o envelhecimento. Um alto nível de cortisol eleva a quantidade de substâncias oxidantes no corpo. Essas substâncias oxidantes aumentam a inflamação no cérebro, no coração, no trato gastrointestinal e em outros órgãos. Para ser claro, o treinamento de resistência também eleva o nível de cortisol, mas essa elevação é compensada por uma liberação de outros hormônios benéficos que não ocorre depois de exercício aeróbico.

Um estudo de 2010 testou os níveis de cortisol em mais de trezentos atletas de resistência (corredores de longa distância, triatletas e ciclistas) e comparou suas medições a um grupo de controle de não atletas. Os resultados mostraram que os atletas aeróbicos tinham níveis de cortisol significativamente mais altos que o grupo de controle, e havia uma correlação positiva entre níveis mais altos de cortisol e maior volume de treinamento. Os pesquisadores concluíram o seguinte: "Esses dados sugerem que o estresse físico repetido de treinamento intensivo e corridas competitivas entre atletas de resistência está associado à exposição elevada ao cortisol durante períodos prolongados de tempo".[2]

Outro estudo de 2011 observou os efeitos do ciclismo em homens jovens, saudáveis e ativos, e descobriu que ele aumenta significativamente os níveis de cortisol e marcadores de inflamação.[3] Isso é muito importante, uma vez que inflamação crônica está na origem de muitas doenças que ameaçam a vida, incluindo doença cardiovascular, câncer, diabetes e mal de Alzheimer.[4] Ela também tem uma ligação mais facilmente percebida com redução da clareza mental e da energia.

Além disso, o corpo produz radicais livres danosos em resposta ao ambiente rico em oxigênio gerado pelo aumento na respiração durante o treinamento aeróbico. Esses radicais livres criam estresse oxidativo, o que significa que eles superam o número de antioxidantes em seu corpo que podem neutralizar seus danos. O estresse oxidativo é um dos principais contribuintes para o processo de envelhecimento, e foi confirmado que o excesso de exercício aeróbico pode causá-lo.[5]

Charles e eu recomendamos a suplementação com antioxidantes e/ou probióticos para neutralizar os efeitos envelhecedores do exercício aeróbico, mas, segundo ele, é ainda mais eficaz simplesmente acrescentar treinamento de resistência à sua rotina. O treinamento de força dispara a liberação de hormônios anabólicos que neutralizam o estresse oxidativo e formam músculo, osso e tecido conjuntivo, o que também lhe permite fazer mais exercícios cardíacos sem danos. Sabemos, por exemplo, que para prevenir a osteopenia, que é a perda de ossos, o treinamento de força é muito importante, enquanto esportes aeróbicos reduzem a densidade mineral dos ossos, o que pode levar à osteopenia.

Charles me contou de um grupo de estudos conduzido na Universidade Tufts nos anos 1980 que procurava fatores que previssem o envelhecimento. As pesquisas revelaram que o parâmetro mais importante era a massa muscular, e o número dois era a força. Esses marcadores superaram o nível de colesterol, a pressão sanguínea elevada, a frequência cardíaca em repouso, a frequência cardíaca máxima e todos os outros fatores como meios de previsão de envelhecimento saudável. A verdade é que, a partir dos trinta anos, começamos a perder de 3% a 5% de nossa massa muscular a cada década.[7] Essa perda degenerativa de massa muscular se chama *sarcopenia*. Mas, embora a perda seja basicamente inevitável, ela também é totalmente reversível. Ao estimular os músculos e o sistema nervoso juntos através de uma combinação de movimentos e treinamento com pesos, você reconstrói músculos perdidos e experimenta menos inflamação, estresse oxidativo reduzido, maior força e uma saúde melhor dos ossos, enquanto desacelera o processo de envelhecimento. Parece ótimo!

Mark Sisson, especialista em saúde e boa forma e autor do livro de sucesso *The Primal Blueprint: Reprogram Your Genes for Effortless Weight Loss, Vibrant Health and Boundless Energy* [Tradução livre: O projeto primitivo: reprograme seus genes para uma perda de peso sem esforço, saúde vibrante e energia sem limites], cunhou o termo "atividade aeróbica crônica" há mais de uma década para descrever a forma como muitos atletas de resistência treinavam: com cerca de 75 a 80% de sua frequência cardíaca máxima durante longos períodos de tempo. O próprio Mark costumava treinar dessa maneira. Ex-corredor de longa distância, triatleta e competidor do Ironman, Mark consumia muitos carboidratos para sustentar seus esportes de resistência. A combinação do estilo de vida de alimentos inflamatórios e excesso de treinamento lhe causou osteoartrite, síndrome do intestino irritável e uma carreira que tinha basicamente evaporado.

Mark se tornou coach e viu os mesmos problemas se manifestarem nos atletas com os quais trabalhava – eles treinavam muito pesado e por tempo demais, e não estavam obtendo os resultados desejados. Começou a pesquisar uma forma de melhorar a resistência sem excesso de treinos e descobriu uma fórmula que funcionava: movimentar-se muito em um nível baixo de atividade, levantar coisas pesadas de vez em quando e correr um pouco uma vez por semana. A chave para o treinamento de resistência, diz ele, é treinamento de baixo nível combinado a treinamento de força, pegando realmente pesado, de vez em quando. Era assim que nossos ancestrais se movimentavam. Eles não corriam durante uma hora ou mais seguidas. Em vez disso, trabalhavam consistentemente a níveis baixos de esforço, o que queimava gordura corporal acumulada, e então se exercitavam ao máximo de vez em quando, quando corriam do perigo ou caçavam animais para se alimentar.

Não é fácil para a maioria das pessoas repetir esse padrão nos dias de hoje, por isso Mark sugere fazer algo entre trinta minutos e uma hora de movimento aeróbico de baixo a moderado, como caminhar rapidamente, andar, pedalar, etc. Não é preciso fazê-lo todos os dias, mas praticá-los pelo menos algumas vezes na semana é importante. O objetivo dessas sessões é manter a frequência cardíaca que mais queima gordura. Para pessoas muito em forma, isso pode representar de 70 a 80% da frequência cardíaca máxima, mas fica entre de 60 a 70% para a maioria das pessoas. Esse é o nível de atividade ideal para reduzir a gordura corporal, aumentar a rede capilar, baixar a pressão sanguínea e reduzir o risco de desenvolver doenças degenerativas, incluindo cardiopatias. Muitos dos benefícios começam com níveis muito mais baixos de intensidade – tão baixos quanto uma caminhada acelerada de vinte minutos por dia.

Mark também recomenda acrescentar exercícios intervalados anaeróbicos uma ou duas vezes por semana a essa rotina. Ele diz que, com pesos, explosões anaeróbicas são o melhor tipo de treinamento para construir músculos, e massa muscular magra é essencial para reduzir a inflamação e melhorar a saúde. Em geral, esse tipo de treinamento também aumenta sua capacidade aeróbica, a produção de hormônios naturais de crescimento e a sensibilidade à insulina.

Embora tenham formações muito diferentes, é interessante observar que Charles e Mark recomendam protocolos incrivelmente parecidos por razões quase idênticas. Assim como outra pessoa que você poderia se surpreender ao saber que é um especialista na área, o mundialmente famoso dr. Bill Sears, de 78 anos, que escreveu mais de trinta livros sobre desenvolvimento neurológico e paternidade.

O dr. Sears estava em Cingapura para dar uma palestra quando visitou uma bela estufa em que as árvores e plantas estavam morrendo a níveis alarmantes apesar de receberem o melhor cuidado possível. Finalmente, os cuidadores notaram que as árvores não estavam se mexendo e instalaram ventiladores na estufa. Quando as árvores puderam se mexer um pouco, começaram a florescer. O dr. Sears usa essa observação como metáfora para entender a saúde humana no nível mais básico: como as plantas, os humanos precisam de mais do que apenas comida, água e luz do sol para progredir. Nós também precisamos de um ambiente que estimule o movimento.

Toda forma de movimento consciente leva a uma cascata de efeitos que estimulam a neurogênese (o nascimento de novos neurônios), a neuroproteção, a neurorregeneração, a sobrevivência celular, a plasticidade sináptica e a formação e retenção de novas memórias. Movimentar-se também o faz mais feliz, provavelmente porque estimula a liberação de endorfinas. O Índice de Bem-Estar Gallup-Sharecare mostra que pessoas que se exercitam pelo menos duas vezes na semana sentem mais felicidade e menos estresse do que as pessoas que não o fazem.

Embora sejam de gerações diferentes e tenham origens discrepantes, Kelly Starrett e o dr. Sears concordam plenamente. Como diz Kelly, a cognição está ligada ao sistema nervoso. Se quer melhorar a cognição, você deve melhorar o movimento. A única coisa discutível é a frequência com a qual deve fazer isso.

Itens de ação

- Aprenda a lição com as folhas: se ficar muito tempo parado, muito tempo sentado e não se movimentar, vai murchar e morrer; mas caso se movimente naturalmente e livremente, vai florescer.
- Levante peso uma vez por semana.
- Alongue-se duas vezes por semana.
- Corra uma vez por semana.
- Ande ou faça atividade aeróbica de baixa intensidade durante vinte a sessenta minutos de três a seis vezes por semana.

Áudios recomendados

- Charles Poliquin, "Aerobic Exercise May Be Destroying Your Body, Weightlifting Can Save It", *Bulletproof Radio*, episódio 378.
- Mark Sisson, "Get Primal on Your Cardio", *Bulletproof Radio*, episódio 314.

- Bill Sears, "How to Avoid & Fix the Damaging Effects of Diet-Induced Inflammation", *Bulletproof Radio*, episódio 397.

Leitura recomendada
- Mark Sisson, *The Primal Blueprint: Reprogram Your Genes for Effortless Weight Loss, Vibrant Health and Boundless Energy*.

Lei nº 24: Pessoas flexíveis são pessoas melhores

Embora alongamentos nem sempre levem a resultados visíveis, eles podem mudar a maneira como você se movimenta e seu desempenho. Um ingrediente-chave do alto desempenho é a flexibilidade, e o alinhamento da mente e do corpo através de alongamentos, ioga ou outro tipo de movimento é uma maneira poderosa de desenvolvê-lo.

Ao visualizar pessoas com desempenho de elite, é difícil não pensar nos SEALs da marinha americana. Foi por esse motivo que convidei Mark Divine, um SEAL reformado, ao *Bulletproof Radio* para contar como ele se tornou um dos melhores do mundo no que faz. Hoje em dia, em vez de liderar equipes de guerreiros de elite, Mark ensina equipes de executivos a manter a intensidade, o foco, a tenacidade e a calma que foram os marcos de sua carreira militar. Ele é tão calmo e de bom temperamento, que riu em vez de me derrubar no chão quando mencionei que seu nome era mais apropriado para a carreira de stripper.

Mark explicou que uma das coisas que mais o ajudaram a virar o jogo foi praticar ioga Ashtanga, em parte porque ela o lembrava de seu treinamento em artes marciais. Ele memorizou cada série de movimentos e avançou por elas progressivamente, passando de uma à outra como fizera ao conquistar cada uma de suas faixas na época em que praticava artes marciais. Era uma sensação combativa e orientada para realizações, o que é uma descrição precisa dessa escola de ioga. (Há formas mais delicadas de ioga que também funcionam.)

Mas como Mark fazia o mesmo conjunto de sequências várias vezes, ele desenvolveu uma lesão por esforço repetitivo semelhante à experimentada por pessoas que repetem os mesmos exercícios militares ou movimentos de CrossFit todos os dias. A repetição causa padrões disfuncionais de movimento que podem resultar em lesão. Mark amou os benefícios que obteve com a prática de ioga – incluindo clareza mental e flexibilidade – mas estava ficando lesionado e esgotado.

Na época, ele era um oficial da reserva. Então, em 2004, foi sua vez de ir para o Iraque. Pouco tempo antes, um de seus amigos, Stephen "Scott" Helvenston, tinha sido um dos quatro militares contratados pela Blackwater que estavam em um comboio que foi emboscado por insurgentes em Fallujah. Scott e os demais foram assassinados cruelmente. As imagens explícitas dessas mortes abalaram Mark, e ele sabia que logo entraria na mesma área em que seu amigo encontrara um fim tão violento. Então, dias antes de sua viagem, um grupo terrorista publicou um vídeo da decapitação de Nick Berg, um técnico de conserto de torres de rádio da Pensilvânia.

Quando embarcou para Bagdá, Mark nunca tinha se sentido mais nervoso na vida. Sabendo que qualquer coisa poderia acontecer, foi para o fundo do avião e começou a fazer ioga, o que acalmou sua mente e o ajudou a recuperar o controle de suas emoções. Ele se sentiu muito melhor quando o avião embicou na direção do deserto iraquiano. Quando aterrissou em Bagdá, definitivamente não estava em um estado zen perfeito – era uma zona de combate, afinal de contas – mas estava mais calmo, presente, centrado e pronto para o que viesse em seguida.

Isso se revelou uma coisa muito interessante. Mark não estava em solo há mais de quinze minutos quando ouviu alguém gritar:

– Lá vem um deles!

Seguido do assovio inconfundível de um morteiro voando em sua direção, que explodiu a cerca de quatrocentos metros. "Está bem", disse a si mesmo. "Bem-vindo ao combate."

Mais tarde, dois homens das equipes dos SEALs vieram buscar Mark e o levaram para o complexo dos SEALs em um dos antigos palácios de Saddam Hussein. Ali era difícil encontrar lugar para se exercitar. Ainda assim, diz ele, os SEALs sempre improvisam para encontrar um jeito de treinar, mesmo quando estão operando em missões de combate que duram até tarde da noite. A academia mais próxima se localizava em Camp Victory, e chegar lá exigia uma viagem pela zona de combate em um Humvee blindado. Não valia a pena o risco nem o tempo. Então Mark começou a correr em torno do complexo, em um circuito de cinco quilômetros, e a fazer treinamentos de musculação sem pesos. Logo sentiu muita vontade de fazer ioga, mas não sabia de nenhuma aula oferecida em Bagdá ou no Iraque. Então decidiu seguir sua intuição e foi fazer sozinho, com base no que tinha aprendido com *hot yoga*, *power yoga* e ioga Ashtanga.

Quando encontrou uma pequena faixa de solo perto de um lago no complexo, montou seu espaço. Não era tão bonito quanto pode parecer — para começar, a casa estava salpicada de buracos de tiros –, mas havia algumas árvores que faziam sombra no calor do deserto, e o ponto era longe o bastante para não receber olhares estranhos dos outros guerreiros na base. Mark dispensava o café da manhã todas as manhãs e encontrava refúgio em seu novo ponto de treinamento, onde começou a brincar com diferentes combinações de posições de ioga, exercícios de treinamento funcional, movimentos de autodefesa e exercícios de respiração e visualização. Descobriu que, quando terminava a prática, sentia-se incrivelmente claro e calmo.

A essa altura, tinha conhecimento suficiente de práticas de movimento e respiração para ser capaz de combiná-las de maneira sensata. Se precisasse se recuperar, escolhia as posições, técnicas de respiração e visualização que sabia que o ajudariam nessa tarefa e impediriam o estresse do combate. Se quisesse se exercitar mais, escolhia posições mais agressivas para se aquecer, então completava uma série de musculação sem pesos antes de fazer algumas posições sentado e treinamento de concentração. Essa prática se tornou o pilar de sustentação de Mark em meio à tempestade do combate. No auge da Guerra do Iraque, ele conseguia começar o dia se sentindo calmo, presente, energizado, no controle de suas emoções e pronto para a missão que teria pela frente. Uma dose disso faria bem a todos nós.

Com o tempo, Mark trabalhou para desenvolver suas séries em uma prática que era personalizável para qualquer pessoa que desejasse adotá-la, e começou a usá-la para treinar outros SEALs da marinha. O que descobriu no processo foi que a ioga é o complemento perfeito para um programa físico sólido e funcional, e não um substituto. Junto com alguma forma de musculação, a ioga fornece exercícios atraentes que equilibram hormônios, aumentam a força e a flexibilidade e é fenomenal para estimular a liberação de hormônios do crescimento, que são essenciais para a reprodução e a regeneração celular.

A prática de Mark integra um exercício de respiração, treinamento mental (concentração, visualização ou meditação) e movimento funcional. Esses movimentos podem consistir de posições tradicionais de ioga, CrossFit, balançar um kettlebell ou qualquer outra coisa que o torne consciente de seu corpo no espaço e no tempo e que conecte sua respiração com movimento. Através de uma prática consistente, Mark descobriu que estava cultivando seu domínio interior, fazendo a curadoria de seus pensamentos e emoções e realmente se conectando com um espírito guerreiro. Chamou sua prática de ioga Kokoro, conceito japonês para espírito guerreiro.

Trabalhar de fora para dentro dessa maneira ajudou Mark a se recuperar melhor de seus exercícios e lhe permitiu aumentar progressivamente suas habilidades de preparação física sem degradar seu desempenho através de paralisações, estafas ou lesões. Ele considera o primeiro benefício físico dessa prática a saúde espinhal. Ela mantém aberto o espaço entre as vértebras, permitindo o fluxo de sangue e energia. Se sua espinha está saudável, diz ele, seu sistema nervoso também estará, e isso irradiará para o resto de seu corpo.

Outro benefício da ioga Kokoro é a desintoxicação. Posições retorcidas desintoxicam seus órgãos internos, e o treinamento mental desintoxica sua mente e suas emoções, permitindo maior foco e concentração. Um terceiro benefício físico é a flexibilidade, tanto nas juntas e articulações quanto muscular. Isso não significa que você deve ser capaz de botar o pé atrás da cabeça ou se contorcer em forma de laço para fazer ioga Kokoro – na verdade, é o contrário. Mark chama esse tipo de movimento exibicionista de "truques estúpidos" e irrelevantes.

Dito isso, depois de alguns anos aprendendo a me movimentar de maneira correta através de minha própria prática de ioga, estou satisfeito por ser um cara de 45 anos, com 1,93 metro de altura e quase musculoso que pode fazer o truque estúpido de botar o pé atrás da cabeça – algo que não conseguia fazer quando tinha dezesseis anos. (Sim, às vezes as pessoas ficam olhando para mim quando faço isso no saguão do aeroporto antes de embarcar em um voo longo.)

Então, você precisa aprender ioga para virar o jogo? Na verdade, não. Mas é uma das formas mais eficientes para ganhar força física e flexibilidade e, ao mesmo tempo, calma e clareza mentais. Você pode fazer algum progresso com treinamento on-line, mas nada substitui os ajustes sutis nos movimentos que um grande professor pode fazer em uma pessoa.

Itens de ação
- Experimente alguns tipos de ioga (calças justas são opcionais) para ver o que funciona e com que professores você se identifica. Ashtanga, Vinnyasa e Iyengar são boas opções para começar.

Áudios recomendados
- Mark Divine, "Becoming a Bulletproof Warrior", *Bulletproof Radio*, episódio 38.
- Mark Divine, "Downward Dog like a Real Live Warrior One", *Bulletproof Radio*, episódio 319.

Leitura recomendada
- Mark Divine com Catherine Divine, *Kokoro Yoga: Maximize Your Human Potential and Develop the Spirit of a Warrior*.

9
VOCÊ É O QUE VOCÊ COME

A essa altura, você deve estar se perguntando qual seria o principal conselho das pessoas que viram o jogo. E provavelmente está torcendo para que qualquer que seja, não exija mais nenhum treinamento cerebral nem desenvolvimento de poderes ninja secretos. Bom, tenho boas notícias. O aspecto mais fundamental do desempenho para mais de 75% das pessoas de alto desempenho que entrevistei é algo que experimenta todos os dias, esperançosamente, com prazer:

Comida.

Isso mesmo – três quartos das pessoas que viram o jogo disseram que a forma como comiam (ou não comiam) era a coisa mais importante que os ajudara a ter melhores resultados. Mais que meditação. Mais que exercício. Mais que literalmente qualquer outra coisa. Claro, você poderia dizer que isso tem a ver com o fato de eu ter entrevistado alguns dos principais especialistas em medicina e nutrição do mundo. Isso, em parte, porque meu caminho para me tornar um ser humano melhor me levou a perceber que o que eu como tem impacto sobre tudo o que faço, o que, naturalmente me leva a entrevistar pessoas que conhecem e se preocupam muito com comida. O que inclui especialistas abrindo caminho na direção de uma mudança maior em como pensamos a comida.

Mas nada disso se equipara à força dos dados. Dessa forma, muitos de meus convidados que nada tem a ver com o estudo do bem-estar me contaram que a energia, o foco e o poder do cérebro com o qual contavam para serem líderes em suas áreas eram resultado direto de abastecer intencionalmente seus corpos e cérebros com alimentos de alta qualidade.

Claro, há muitos debates sobre o que exatamente pode ser considerado combustível de alta qualidade para seres humanos. Se quiser saber o que penso e por quê, dê uma olhada em *The Bulletproof Diet*. A intenção deste capítulo não é lhe dizer o que comer, mas concentrar-se em por que isso é tão importante para as pessoas que lideram suas áreas e também por que está no topo de suas listas. Prometo: nenhuma dessas leis vai lhe dizer para botar manteiga no café!

Lei nº 25: Tenha certeza de que está realmente faminto

As pessoas comem quando sentem um vazio. Às vezes, é falta de comida. Às vezes, é falta de energia. Às vezes, é falta de sono. Mas com muita frequência, é falta de amor, conexão ou mesmo de uma sensação de segurança. Faça o que for necessário para descobrir se sua fome é por comida ou se é por algo mais profundo, e trabalhe incansavelmente para se livrar do que quer que o faça se sentir vazio.

Cynthia Pasquella-Garcia é uma nutricionista de celebridades, líder espiritual, modelo, personalidade da mídia e autora de sucesso. Ah, e antes disso, foi engenheira de computadores. Ela agora é a fundadora e diretora do Instituto de Nutrição Transformadora, um programa de certificação de nutrição que combina ciência nutricional, psicologia e espiritualidade. Ela também apresenta *What You're REALLY Hungry For* [*Do que você tem fome MESMO*], uma série on-line que vai além da comida para examinar o que impede que as pessoas tenham o corpo, a saúde e a vida que desejam.

Vários anos atrás, Cynthia trabalhava na indústria do entretenimento como modelo e apresentadora de televisão, e levava o estilo de vida típico de Hollywood. Trabalhava muito, negligenciava seu sono, ia a festas demais e bebia mais álcool do que deveria. Isso tudo teve um efeito sobre ela, que acabou a deixando doze quilos acima do peso, com acne cística, queda de cabelo e celulite em lugares que nem sabia que podia ter. Mas não era apenas sua forma física que estava sofrendo: Cynthia falou abertamente sobre sua luta contra a depressão basicamente a vida inteira, e seu estilo de vida disparou o gatilho de outra crise. Ela também foi diagnosticada com síndrome da fadiga crônica. Não importava o quanto dormia; ela se sentia exausta da hora em que acordava à hora que ia para a cama. Então começou a ter perda de memória de curto prazo.

Cynthia sabia que precisava de ajuda. Consultou médicos, nutricionistas e treinadores. Tentou todo tipo de cerimônia espiritual e cura energética, tomou comprimidos, bebeu shakes, e nada mudou. Acordou uma manhã em seu pequeno apartamento tipo estúdio em Los Angeles e descobriu um caroço em um dos seios. Então encontrou um caroço no outro. Ela caiu no chão – sentindo-se entorpecida e como se estivesse pronta para morrer – enquanto perguntava a si mesma como aquilo podia estar acontecendo.

Não era a primeira vez que enfrentava grandes obstáculos. Durante sua infância, sua família lutou para sobreviver, e havia pouco dinheiro para comida e necessidades básicas. Sofreu abuso físico e sexual quando criança, algo que deixa bloqueios emocionais profundos e que muitas vezes persistem na vida adulta. Na manhã em que encontrou os caroços, ela disse, estava cansada de lutar. Sentia-se como se estivesse lutando a vida inteira e não aguentasse mais. Estava com raiva porque muitas coisas terríveis tinham acontecido com ela e continuavam a acontecer. Eu admirei sua franqueza e coragem durante nossa entrevista.

Então, ela ficou quieta e ouviu uma voz interior dizendo para ser grata, e que *Essas coisas aconteceram para você, não com você*. Percebeu que tinha assumido o papel de "vítima", e que muitas pessoas tinham passado por lutas semelhantes e em dado momento se sentiram sem esperança, derrotadas e inúteis, como ela. E percebeu que era sua missão ajudar essas pessoas.

Mas antes, teria que ajudar a si mesma. Cynthia começou a pesquisar seus sintomas e mergulhou em todas as facetas da nutrição. Frequentou escolas e programas de treinamento onde aprendeu sobre saúde e psicologia holísticas. Também estudou sobre meditação e ervas, tomou consciência de intolerâncias alimentares e resistência à perda de peso e descobriu como se desintoxicar e limpar o corpo do jeito certo. Testou práticas espirituais, experimentou como elas davam unidade a todo o resto e começou a implementar o que lia em seu estilo de vida. No início, viu resultados lentos, mas persistiu, e com o tempo seus sintomas desapareceram completamente. Seu coração e seu corpo estavam se curando, e ela queria dividir o que tinha aprendido.

Cynthia começou a trabalhar com pessoas que estavam passando por problemas parecidos usando uma combinação de ciência, psicologia e práticas espirituais. E viu essas pessoas se transformarem. Elas não apenas perderam peso, melhoraram a pele e ganharam muita energia, mas também saíram de relacionamentos que não lhes serviam, largaram empregos que não permitiam que vivessem suas paixões e se lembraram de quem eram e que tinham sido feitas para a grandeza. A comida era apenas parte do processo.

Ela percebeu que, para muitos que lutavam contra o peso, o problema não era a comida. Era uma fome maior que não conseguiam preencher sem combinar mudanças na dieta e trabalho psicológico e espiritual. Ela chamou seu método de Nutrição Transformadora, porque é sobre toda uma transformação de vida em vez de apenas mudança na dieta, e ela fundou o Instituto de Nutrição Transformadora para ensinar coaches a desenvolverem um protocolo pessoal com base nas necessidades individuais de cada pessoa.

Amo a ideia desse tipo de nutrição personalizada, pois isso lhe ajuda a ver quando o problema é a comida e quando não é (e por que você às vezes encontra um biscoito mordido na mão e nem sabe como ele chegou ali). Está claro para mim há muito tempo que as mesmas regras não funcionam de forma igual para todo mundo. É por isso que incluí toda uma categoria de "alimentos suspeitos" na *Bulletproof Diet*. São alimentos que funcionam bem para alguns, mas não para outros. Cynthia leva isso um passo adiante ao criar um protocolo completamente personalizado que também funciona com suas necessidades psicológicas e espirituais. Isso, diz ela, é a magia que ajuda as pessoas com quem trabalha a se transformarem.

A história de Cynthia pode parecer extrema, mas a verdade é que a maioria das pessoas come por razões emocionais pelo menos em parte do tempo – por alegria, raiva, tédio, tristeza, tanto faz. Comer por razões emocionais está tão enraizado em nossa cultura que é difícil as pessoas identificarem quando estão fazendo isso. Mas Cynthia sugere que é fácil descobrir quando se está comendo por razões emocionais – é simplesmente quando se come por qualquer motivo além de sentir-se fisicamente faminto. Isso não significa que você *nunca* deve comemorar algo com uma refeição favorita. Comer por razões emocionais é um problema apenas quando você o faz em excesso. Para identificar esse hábito rapidamente, Cynthia oferece os seguintes sinais reveladores:

- Se você repete uma refeição mesmo sem estar com fome
- Se recebe notícias empolgantes e seu primeiro pensamento é comer algo para comemorar
- Se está se sentindo entediado e comer parece a solução perfeita para essa sensação
- Se comer faz com que se sinta seguro
- Se um amigo ou a pessoa amada o deixa aborrecido e você decide que comer algo que o faça se sentir bem é a maneira ideal para se sentir melhor rapidamente
- Se está se sentindo estressado e atribulado e busca consolo na comida
- Se está se sentindo desapontado por ter saído da dieta e decide comer suas comidas favoritas para se sentir melhor
- Se termina de comer e não consegue se lembrar do sabor da refeição

Os seguintes comportamentos também estão na lista de Cynthia, mas em minha experiência podem ser sinais de comer por razões emocionais *ou* serem decorrentes de comer as comidas erradas para sua biologia, toxinas na comida ou em seu ambiente ou aditivos como glutamato monossódico. Se esses são seus únicos sintomas, o problema provavelmente é biológico, e não emocional. Se eles vierem junto com os citados acima, observe as duas causas.

- Se sua "fome" bate de repente e envolve desejos muito fortes
- Se continua com fome depois de comer
- Se tem fome apenas de um alimento específico

Com base nessas listas, se determinar que não está comendo demais, mas em vez disso comendo os alimentos errados, a próxima lei é para você.

Itens de ação
- Preste atenção ao que come e bebe quando se sente desconfortável.
- Tente registrar o que ingere usando um aplicativo que não conte calorias (aplicativos que contam calorias são fictícios). Rise Up + Recover é um bom aplicativo se você já sabe que come por motivos emocionais, porque permite que você registre as emoções ao comer. YouAte é um aplicativo que permite que você tire fotos da comida para analisar depois e ver se está de fato comendo o que você diz a si mesmo que está.
- Pense na possibilidade de seguir o programa de Cynthia Pasquella--Garcia ou outro programa de desenvolvimento pessoal que o atraia.
- Pense na possibilidade de se consultar com um terapeuta se você não sabe do que tem fome.

Áudios recomendados
- Cynthia Pasquella-Garcia, "Transformational Nutrition: Why Food Isn't the Only Source of Nourishment", *Bulletproof Radio*, episódio 433.
- "Dinner and a Side of Spirituality" com Cynthia Pasquella-Garcia, *Bulletproof Radio*, episódio 328.
- Marc David, "The Psychology of Eating", *Bulletproof Radio*, episódio 114.

Lei nº 26: Não coma como um homem das cavernas, coma como sua avó

A sabedoria ancestral disse a seus antepassados o que comer, como e quando comer. A grande indústria alimentícia substituiu esse conhecimento inato por fast-food barata. Volte a suas raízes e preste muita atenção ao que "seu povo" comia gerações atrás. Sua formação genética pode em parte determinar a melhor comida para você, e há hábitos alimentares que eram quase universais cento e poucos anos atrás. Use-os.

O dr. Barry Sears é uma importante autoridade em nutrição relacionada à resposta hormonal, expressão genética e inflamação. Você provavelmente ouviu falar de *The Zone Diet*, sua série de livros extremamente popular que foi a primeira a chamar atenção para o campo da medicina anti-inflamatória ainda em 1995. O dr. Sears tem realizações incríveis. Ele publicou quarenta artigos científicos e tem catorze patentes nas áreas de sistemas de distribuição de drogas endovenosas para tratamento do câncer e regulação hormonal para o tratamento de doença cardiovascular. Também é o fundador e presidente da Fundação para a Pesquisa da Inflamação, sem fins lucrativos, na qual continua seu trabalho no desenvolvimento de novas abordagens dietéticas para o tratamento da diabetes e de doenças cardiovasculares e neurológicas.

Segundo o dr. Sears, sua avó estava na vanguarda da biotecnologia do século XXI. Através de seus ancestrais, ela havia acumulado milênios de observações sobre o que funcionava e o que não funcionava. Mas depois da Segunda Guerra Mundial, nós começamos a negligenciar a sabedoria dessas observações. A comida se transformou em um grande negócio. Os dias de pequenas compras em pequenos lotes "direto da fonte" de seu lojista ou fazendeiro locais acabaram; depois da guerra, empresas mecanizaram e industrializaram a produção de alimentos, prometendo aos consumidores que a "comida" que faziam era não apenas boa, mas também incrivelmente saborosa e barata. E nas décadas desde então, nós buscamos em grande parte esses objetivos sem considerar o possível aspecto negativo. Hoje esse aspecto inclui não apenas níveis recorde de obesidade e doença, mas também alterações na estrutura de nossos genes. Essas mudanças genéticas são passadas de geração para geração; o que você come agora vai ter impacto sobre os genes de seus filhos daqui a anos. Então coma como sua avó – ou talvez até como a mãe dela. Não é apenas sua saúde que está em jogo; a próxima geração está contando com você.

Em minha busca para aprender com as mentes mais brilhantes da nutrição, procurei a dra. Cate Shanahan, uma pesquisadora poderosa e voz influente no mundo da nutrição que trabalhou de forma intensa com os LA Lakers (Kobe Bryant diz que confia nela de olhos fechados!). A dra. Shanahan também é médica de família certificada com treinamento em bioquímica e genética na Universidade de Cornell. Sua pesquisa a levou a concordar com o dr. Sears nesse ponto e a escrever *Deep Nutrition: Why Your Genes Need Traditional Food* [Tradução livre: Nutrição profunda: por que seus genes precisam de comida tradicional], um livro que vale a pena ler.

Em nossa entrevista, ela explicou que, quando adoecemos, é porque nossos genes têm expectativas que não foram atingidas vezes demais. Para entender nossa saúde de uma perspectiva genética, precisamos voltar não apenas ao que comemos ontem ou mesmo na semana passada, mas a nossas escolhas de alimentos e estilos de vida nos últimos anos e décadas se temos idade suficiente, assim como as escolhas feitas por nossos pais e avós.

A dra. Shanahan trabalhou com astros do esporte que têm corpos perfeitos e experimentam o que consideram desempenhos de pico, ainda assim eles comem dezenas de barras de chocolate por dia. Ela diz que manter esses hábitos tem um custo, mesmo que não seja imediatamente óbvio. Pessoas como esses atletas têm genes que foram bem nutridos geração após geração e isso serve como uma fortaleza de saúde para protegê-los de seus maus hábitos alimentares. Por outro lado, se seus ancestrais foram malnutridos ou sofreram com a fome, essas experiências danificaram um pouco seus genes, tornando-o mais suscetível a doenças. Em outras palavras, talvez todos os seus problemas *sejam* mesmo culpa de seus pais.

A dra. Shanahan diz que, se você seguir a dieta do "Domino's e Doritos", ela vai acabar pegando você – ou mais precisamente, vai pegar seus netos. Meu primeiro livro, *The Better Baby Book* [Tradução livre: O livro do melhor bebê], também investigava esse problema, e gosto de pensar que meus filhos (e netos) vão se beneficiar com o resultado. Os seus também podem.

Nenhuma conversa sobre nutrição está completa sem a contribuição do dr. Mark Hyman, autor que esteve onze vezes na lista de mais vendidos do *New York Times* e diretor de medicina funcional na famosa Clínica Cleveland. Ele diz sabiamente que os alimentos não são apenas calorias; são informação. Na verdade, eles contêm mensagens que comunicam com todas as células de seu corpo e seus genes e afetam a expressão genética em tempo real. Por isso é tão importante se concentrar na qualidade dos alimentos que você come. Em outras palavras, é hora de voltar à sabedoria de nossas avós. Você não precisa comer como um homem das cavernas, mas sim alimentos de verdade.

A partir de minhas conversas com o dr. Sears, a dra. Shanahan e o dr. Hyman, está claro que a vovó disse quatro coisas que eram particularmente avançadas:

1. A vovó disse para comer pequenas refeições com pouca frequência ao longo do dia. Ela fazia isso porque a comida era muito cara. O dr. Sears diz que a melhor maneira de testar se sua dieta está funcionando é prestar atenção e ver quando você sente fome novamente depois de uma refeição. Se não tem fome outra vez por *cinco horas* depois de comer, é sinal que seu metabolismo está funcionando corretamente e que sua última refeição foi hormonalmente correta para sua bioquímica e sua genética. Claro, a vovó não conseguia comer mais do que a cada cinco horas porque estava ocupada trabalhando e não tinha acesso às comidas práticas de hoje. Além disso, comia refeições saudáveis e satisfatórias que não faziam seu índice de açúcar no sangue explodir uma ou duas horas depois.

    É saudável passar períodos longos de tempo sem comer, como os humanos fizeram durante séculos. Isso ensina seu corpo a recorrer à sua reserva de gordura, o que leva à queima de gordura e a produção de cetonas, moléculas solúveis em água que seu fígado cria a partir de ácidos graxos e usa como combustível. Dessa forma, você realmente aprecia a comida quando a consegue, porque não tem todos esses químicos estranhos e desejos artificiais impulsionando sua fome.

    Só depois de me tornar à prova de balas, eu entendi como era não sentir fome o tempo inteiro. Pela primeira vez na vida, podia passar seis horas arrasando antes de pensar: "Eu poderia comer", em vez de "Eu preciso comer agora mesmo ou vou morrer!". Segundo o dr. Sears, esse era um sinal de que meu metabolismo estava curado e que eu estava comendo os alimentos certas para meus genes e meu corpo. Aprendi do que era capaz quando tirava a fome do caminho.

2. A vovó disse para comer proteínas adequadas, em especial proteína rica no aminoácido leucina. (Claro, ela provavelmente não disse isso dessa forma!) Dos vinte aminoácidos diferentes, apenas a leucina pode ativar um fator de transcrição genética chamado alvo da rapamicina

em mamíferos (mTOR, do inglês *mammalian target of rapamycin*), que aumenta a síntese de proteína em nossos músculos, portanto ajuda a formar músculos e a prevenir a perda muscular ao envelhecer. Fontes alimentares de leucina incluem laticínios, carne, frango, porco, peixe, frutos do mar, nozes e sementes. Como você leu no capítulo anterior, é importante prevenir a perda muscular ao envelhecer, por isso a vovó estava certa. Mas ela nunca entrou em uma dieta de alta proteína, porque a proteína era cara. O excesso de proteína (de plantas ou animais) é prejudicial, assim como sua escassez.

3. A vovó dizia que você não podia sair da mesa antes de comer todas as verduras. Por que não? Elas contêm polifenóis, compostos encontrados em ervas, especiarias, café, chocolate, chá e hortaliças, que são necessários para suas células funcionarem bem. Agora sabemos que, quando tomados mesmo em níveis baixos, polifenóis ativam genes antioxidantes, que criam enzimas antioxidantes. Isso é importante porque a maioria dos antioxidantes funciona apenas uma vez. Eles neutralizam um radical livre e então encerram o expediente. Mas enzimas antioxidantes podem destruir milhares de radicais livres várias e várias vezes. Elas são máquinas de devorar radicais livres.

Em níveis mais altos, polifenóis ativam genes anti-inflamatórios que inibem a ativação do fator nuclear kappa B, gene importante que aciona a inflamação. Em níveis ainda mais altos, polifenóis ativam o gene antienvelhecimento SIRT1, que torna suas células mais poderosas e jovens. Polifenóis também contêm fibra fermentável, que alimenta as bactérias boas em seus intestinos, tanto que o dr. Sears os chama de "mestres escultores do intestino".

Segundo ele, você precisa de cerca de um grama de polifenol por dia para acionar seus genes anti-inflamatórios. Muita gente adora acreditar que está obtendo os benefícios dos polifenóis ao beber vinho, mas para conseguir o suficiente para fazer diferença, você precisaria beber onze copos de vinho tinto por dia ou mais de cem copos de vinho branco. Isso, sem dúvida, faria mais mal do que bem!

O dr. Sears recomenda tomar suplementos concentrados de polifenol; boas fontes de alimentos com essas substâncias incluem mirtilos, uvas e outros alimentos azuis, vermelhos e laranjas, assim como chocolate amargo e minha fonte favorita: café.

Desde que entrevistei o dr. Sears e fiz a pesquisa para o *Head Strong*, ficou claro para mim que comer apenas hortaliças não vai fornecer polifenóis suficientes para uma saúde ótima, mesmo que você goste muito desse tipo de alimento. Decidi ingerir pelo menos quatro gramas de polifenóis por dia, por isso acrescentei muito mais ervas e temperos à minha comida (curry em pó, gengibre, cominho, canela, orégano, sálvia, alecrim, tomilho e salsa são todos grandes fontes de polifenóis) e passei a beber café descafeinado à tarde. Cheguei até a formular um suplemento com grandes quantidades de polifenol chamado Polyphenomenal.

Quando recentemente fiz um teste para analisar minha flora intestinal usando a Viome, uma empresa fundada por Naveen Jain (você deve se lembrar dele do Capítulo 4), recebi uma notícia boa e uma ruim. A notícia ruim foi que quase duas décadas tomando antibióticos na juventude tinham afetado o equilíbrio e a diversidade de minha flora intestinal. A boa notícia foi que os níveis altos de polifenóis em minha dieta tinham funcionado. Eles mantêm os vilões sob controle e a inflamação reduzida, e eu estou mais magro e saudável do que já fui na vida. Não é humanamente possível obter esse nível de polifenóis apenas dos alimentos; você teria de comer mais quilos de hortaliças todos os dias do que seu estômago é capaz de aguentar! Então faça o que sua avó dizia: coma as malditas verduras. E pense na possibilidade de tomar suplementos de polifenóis para dar ainda mais apoio a seus intestinos.

4. A vovó dizia que você não podia sair de casa até tomar sua colher de sopa de óleo de fígado de bacalhau. Claro, ela dizia isso porque não conseguia obter óleo de peixe purificado com DHA (ácido docosaexaenoico) e EPA (ácido eicosapentaenoico) ou seu primo ainda mais forte, óleo de krill. O trabalho do dr. Sears está focado em ácidos graxos ômega 3, um dos dois tipos de gorduras insaturadas que nossos corpos necessitam, mas não produzem. Os outros são ácidos graxos ômega 6, que estão disponíveis em nosso suprimento de comida

em quantidades muito maiores que os ômega 3. Os ômega 6 são os tijolos que constroem os hormônios inflamatórios, e os ômega 3 são os tijolos que constroem os hormônios anti-inflamatórios, e ambos são saudáveis e necessários nos níveis certos.

Idealmente, sua proporção de ômega 6 para ômega 3 deveria estar entre 1x1 ½ e 3 x 1. Ou seja, para cada três gramas do amplamente disponível ômega 6 que você come, você precisa de um a dois gramas dos óleos ômega 3 difíceis de obter. O dr. Sears diz que esse é o ponto central para controlar a inflamação, mas a maioria das pessoas que segue a dieta americana padrão tem uma ingestão mais próxima de 18 x 1. Já se perguntou por que seu desempenho é pior quando você come junk food? A resposta está na sua ingestão de ômega 6.

Nossos níveis de inflamação como sociedade aumentaram dramaticamente desde a época da vovó. O dr. Sears diz que quase toda doença que enfrentamos atualmente – obesidade, diabetes, doença cardíaca, câncer e o mal de Alzheimer – são reconhecidamente problemas inflamatórios. Apesar disso, continuamos abastecendo esse fogo ao acrescentar cada vez mais ômega 6 a nossas dietas.

Óleos vegetais são uma fonte importante de ômega 6 que a maioria das pessoas come demais, pois são a fonte mais baratas de gorduras calóricas no mundo. Isso pode soar radical, mas a dra. Shanahan afirma que devíamos chamar os óleos vegetais de "morte líquida", uma vez que eles são tão quimicamente instáveis e promovem a formação de radicais livres que podem danificar diretamente nosso DNA, com efeitos semelhantes aos da radiação. Em sua entrevista, a dra. Shanahan diz que, se você fizer uma biópsia do tecido adiposo humano, ele é diferente do que era cinquenta anos atrás. Hoje, ele é composto de mais gordura líquida, que é propensa à degradação e à inflamação.

Se você ainda não tem medo de óleos vegetais, pense no fato de que seu cérebro é composto de 50% de gordura. Caso o seu corpo não tenha acesso a gorduras saudáveis, ele vai usar qualquer gordura que você tenha ingerido para construir seu cérebro. A dra. Shanahan compara esse fato ao de se estar em um canteiro de obras e o empreiteiro dizer:

– Sei que você queria que sua casa fosse feita de tijolos, mas os tijolos estão em falta. Nós conseguimos essas bolas de isopor e precisamos tocar o trabalho, então vamos usá-las e ver o que acontece.

Como um empreiteiro, o corpo faz o melhor possível com o material que tem em mãos, mas se seu cérebro é feito de óleos inflamatórios, você tem chances de não desempenhar no melhor nível. Você vai ter excesso de gordura no cérebro!

A dra. Shanahan diz a seus pacientes que eles nem sabem quem são até reconstruírem seus cérebros com gorduras saudáveis. Ela diz que as pessoas levam normalmente de dois a seis meses para sentir como se seus cérebros estivessem ligados de novo. Essa também foi minha experiência. Quando eu retirei a gordura da minha dieta e acrescentei mais dos tipos certos de gorduras estáveis de manteiga, abacates, óleo de coco, óleo octano cerebral e ghee de vacas criadas em pasto, acessei quantidades enormes de energia e resistência que não sabia que estavam ali.

Nina Teicholz é outra de minhas convidadas que atacou o uso generalizado de óleos vegetais. Ela é uma repórter investigativa cujo trabalho apareceu em publicações como *New York Times*, *The New Yorker* e *The Economist*, e é autora do livro que entrou na lista de mais vendidos do *New York Times*: *Gordura sem medo: por que a manteiga, a carne e o queijo devem fazer parte de uma dieta saudável*. (Você não ama esse título?)

Nina me contou a história da Associação Americana do Coração, que era uma sociedade pequena e sonolenta de cardiologistas nos anos 1940, quando produtores de alimentos como a Heinz, a Best Food e a Standard Foods estavam começando a crescer em tamanho e influência. Em 1948, a Procter & Gamble disse que queria fazer da Associação Americana do Coração a beneficiária de uma discussão.

Da noite para o dia, quase 2 milhões de dólares fluíram para os cofres da associação. Ela abriu, de repente, filiais por todo o país com orçamentos de pesquisa e começou a desenvolver o tipo de influência e autoridade pela qual é conhecida hoje. Quando liberou seu primeiro conjunto de orientações nutricionais, em 1961, sugeriu que os americanos substituíssem as gorduras saturadas por gorduras não saturadas, incluindo óleo vegetal. Coincidentemente (ou não), a Crisco (gordura vegetal solidificada) era um dos principais produtos da Procter & Gamble.

Mas nossos corpos e cérebros precisam de gorduras saturadas. Elas são o único tipo de gordura que eleva as lipoproteínas de alta densidade (HDL), ou "boas", do colesterol, são os tijolos de nossos hormônios e são o tipo mais estável de gordura. Elas não têm ligações duplas extras que podem reagir com o oxigênio, e por isso são sólidas em temperatura ambiente. Isso significa que, ao serem aquecidas, não criam como subproduto a oxidação tóxica. Enquanto isso, óleos vegetais são poli-insaturados, o que significa que têm muitas ligações duplas que podem reagir com o oxigênio. São muito mais reativos a altas temperaturas, especialmente quando expostos a elas por longos períodos de tempo. Você consegue dizer "fritadeira de restaurante"?

A indústria alimentícia tentou solucionar esse problema desenvolvendo gorduras trans, que são um subproduto do endurecimento de óleos vegetais, para torná-las mais estáveis e imitar a gordura saturada. Empresas como o McDonald's costumavam fritar batatas fritas em gordura animal saturada, mas quando cortaram custos se livrando das gorduras saturadas, passaram a usar óleos vegetais endurecidos (gorduras trans). Então, a partir de 2007, à medida que tomamos consciência de o quanto as gorduras trans são tóxicas, os restaurantes as trocaram por óleo vegetal comum.

Isso é perigoso não apenas porque óleos vegetais aquecidos são excepcionalmente inflamatórios. Eles são tão instáveis que podem causar incêndios. Isso mesmo. Nina me falou sobre uma entrevista que fez com o vice-presidente de uma grande empresa petrolífera que contou a ela sobre os problemas horríveis que as principais redes de lanchonetes estavam enfrentando desde que mudaram para os óleos vegetais. Todo tipo de lixo estava se acumulando nas paredes e entupindo ralos. E quando colocavam os uniformes dos funcionários, saturados de óleo vegetal, na traseira do caminhão para serem lavados, eles entravam em combustão espontânea.

Você conhece uma gordura de cozinha que é sólida e estável em temperatura ambiente e não oxida? Gordura saturada, e adivinhe com o que a vovó costumava cozinhar? Mais provavelmente banha de porco ou manteiga, ambas saudáveis e deliciosas, não enchem a cozinha de fumaça e são usadas na civilização ocidental desde a antiguidade. O dr. Barry estava certo: a vovó era mais inteligente do que jamais acreditamos que ela fosse.

Itens de ação

- Não coma óleos vegetais como soja, milho ou canola, especialmente em restaurantes. Em vez disso, use gordura saturada (manteiga, banha, ghee, óleo de coco, óleo octano cerebral ou óleos triglicerídeos de cadeia média). Use azeite em pratos prontos, não para cozinhar.
- Ajuste sua dieta se você sente fome menos de cinco horas depois de comer.
- Solicite um teste da Viome, a melhor maneira de ver o que os alimentos estão fazendo com sua flora intestinal: www.viome.com.
- Consuma mais ômega 3 e óleos de peixe, mas não fique louco pensando nisso.
- Obtenha proteína adequada, mas não excessiva, de animais saudáveis ou hortaliças de alta leucina, cerca de um grama por quilo de peso corporal, ou até 1,6 gramas, se estiver interessado em ganhar músculos.
- Ingira muito mais ervas, temperos, café, chá, chocolate e vegetais coloridos para obter mais polifenóis. Pense em tomar um suplemento de alta qualidade para obter ainda mais. (Eu uso o Polyphenomenal porque eu o criei!)

Áudios recomendados

- Barry Sears, "Fertility & Food, Flavonoids & Inflammation", *Bulletproof Radio*, episódio 300.
- "Vegetable Oil, the Silent Killer" com a dra. Cate Shanahan, *Bulletproof Radio*, episódio 376.
- Mark Hyman, "Meat Is the New Ketchup", *Bulletproof Radio*, episódio 288.
- Nina Teicholz, "Saturated Fats & the Soft Science on Fat", *Bulletproof Radio*, episódio 149.

Leituras recomendadas

- Barry Sears, *Mastering the Zone: The Next Step in Achieving Super-Health and Permanent Fat Loss*.
- Catherine Shanahan, *Deep Nutrition: Why Your Genes Need Traditional Food*.

- Mark Hyman, *Eat Fat, Get Thin: Why the Fat We Eat Is the Key to Sustained Weight Loss and Vibrant Health.*
- Nina Teicholz, *Gordura sem medo – Por que a manteiga, a carne e o queijo devem fazer parte de uma dieta saudável.*

Lei nº 27: Alimente as pequenas criaturas que moram nos seus intestinos

As bactérias de seus intestinos controlam muito mais do que você pode imaginar. Elas têm o poder de deixá-lo gordo, cansado e lento, de lhe dar energia extra para recorrer a uma nova força, e até de deixá-lo deprimido. Elas estão no controle, e se você as tratar mal, seu desempenho vai sofrer. Quando as trata bem, elas vão servi-lo. Aprenda a fazer com que obedeçam à sua vontade.

O dr. David Perlmutter é muito conhecido por seu livro de sucesso *A dieta da mente: A surpreendente verdade sobre o glúten e os carboidratos – os assassinos silenciosos de seu cérebro*, mas também é médico no topo de uma área que mudou a maneira como pensamos a relação entre nossos cérebros e o alimento que comemos. Ele é um dos poucos neurologistas profissionais que também é membro do Conselho Americano de Nutrição. Essa dupla especialização permite que ele publique frequentemente em revistas científicas avaliadas por profissionais como *Archives of Neurology, Neurosurgery* e *The Journal of Applied Nutrition*. Ele costuma fazer palestras em simpósios organizados por instituições médicas como a Universidade de Columbia, o Instituto de Pesquisa Scripps, a Universidade de Nova York e a Universidade de Harvard, quando não está na Escola Miller de Medicina da Universidade de Miami, onde é professor adjunto. Poucos profissionais da área médica são tão amplamente qualificados em múltiplas disciplinas, e, além disso, ele é um ser humano fantástico.

O dr. Perlmutter descreve seu relacionamento com seu microbioma intestinal, a comunidade complexa de bactérias, vírus, fungos e outras criaturas microscópicas que vivem em nossos intestinos há milhões de anos, como belo, autossustentável e mutualista. Essas bactérias podem estar dentro de nós há muito tempo, mas eram um mistério até bem recentemente. Segundo o dr. Perlmutter, 90% da literatura publicada em revistas com revisão por pares sobre o microbioma humano saíram nos últimos cinco anos.

Então por que de repente estamos levando o microbioma tão a sério? Primeiro, porque a ciência é nova: pesquisadores dos Institutos Nacionais de Saúde completaram o mapeamento do microbioma apenas cerca de cinco anos atrás. Em segundo lugar, estamos aprendendo como ameaçamos esse relacionamento simbiótico, levando a muitas crises de saúde dos nossos dias. O dr. Perlmutter acredita que o uso excessivo de antibióticos, que reduz a população microbiana no intestino, causou um enorme dano ao microbioma humano. Esse dano pode ser permanente, e pesquisas ligaram a diminuição de nossos micróbios à atual epidemia de obesidade, particularmente em crianças.

A ideia de que os antibióticos estão ligados ao ganho de peso não é nova. Nos anos 1950, a indústria de produtos animais descobriu esse fato ao alimentar com antibióticos animais que em seguida ficaram gordos. Hoje em dia, 75% dos antibióticos produzidos nos Estados Unidos são usados para alimentar o gado exatamente por essa razão: eles o engordam para o abate e permitem que os criadores economizem dinheiro com alimentos.

Antibióticos fazem animais ganhar gorduras mesmo quando consomem a mesma quantidade de calorias de outros animais. Se cortar calorias fosse o segredo para perder peso, ou se fosse verdade que "uma caloria é uma caloria", seria impossível que os antibióticos deixassem vacas – ou pessoas – mais gordas com o mesmo número de calorias. Um rápido desvio: açúcares artificiais também reduzem dramaticamente a diversidade da flora intestinal, o que explica por que pessoas que bebem refrigerante dietético têm taxas mais altas de obesidade mesmo que não comam calorias extras. Em suma: *não se trata de calorias; trata-se do microbioma.*

Também há uma conexão entre nossa saúde intestinal e nossa saúde cardiovascular. Em vários estudos com camundongos, aqueles que se exercitavam tinham uma diversidade de bactérias intestinais muito maior do que os sedentários.[1] A mesma conexão existe em humanos. Em 2016, cientistas analisaram a microbiota fecal (cocô) de 39 participantes saudáveis com idades, índice de massa corporal e dieta semelhantes, mas com níveis variados de atividade cardiovascular. Eles tinham especificamente uma abundância de três tipos de bactéria que criam butirato, um ácido graxo de cadeia curta encontrado na manteiga de vacas criadas em pasto, que é essencial para um cérebro saudável, e consequentemente aumentam os níveis de butirato.[2] (Meu teste Viome mostrou que minhas bactérias intestinais produzem 1,5 vez mais butirato que a média, o que significa que eu como muita manteiga de vacas criadas em pasto.) Outro estudo recente desconcertante mostrou que os micróbios em nossos intestinos produzem quase *toda* a placa de gordura em pessoas com cardiopatias.[3] Ela não se forma a partir da gordura ingerida.

Por essa razão, é tão importante comer apenas carne de animais criados em pasto de um fazendeiro que você sabe que não usa antibióticos nem alimenta os animais com grãos, em especial grãos tratados com glifosato (o ingrediente ativo no herbicida Roundup), que é – adivinhe o quê? – um antibiótico! O glifosato muda o microbioma humano, afeta nossa capacidade de absorver vitamina D e altera nossa digestão. Quase 10 milhões de quilos de glifosato foram liberados no ambiente. Compare isso ao fato de que, segundo o dr. Perlmutter, eliminar o consumo de antibióticos vai mudar seu microbioma para o resto de sua vida.

Além de fazer você engordar, o especialista afirma que o uso excessivo agressivo de antibióticos está abrindo o caminho para "supermicróbios" resistentes a antibióticos, que a Organização Mundial da Saúde categorizou como um dos três principais riscos à saúde do planeta ao longo da próxima década. Com todas as outras ameaças atuais ao nosso planeta (não, não vou entrar em política), isso é bem assustador.

Em minha pesquisa para a *The Bulletproof Diet* e o *Head Strong*, passei a acreditar que estamos aqui para servir a nossa flora intestinal. Seu equilíbrio particular de micróbios determina grande parte de nossa biologia, incluindo metabolismo, pele, digestão e peso. Nos últimos anos, pesquisadores descobriram que as bactérias intestinais também estão envolvidas com o controle da mente. Os intestinos e o cérebro estão em contato constante graças a um caminho chamado eixo intestino-cérebro, e algumas bactérias de fato produzem neurotransmissores que influenciam diretamente a atividade cerebral.

O que podemos fazer em relação a todas essas questões? Bom, embora ela não soubesse disso na época, todos os conselhos da sua avó (ver Lei nº 26) são benéficos para o microbioma intestinal. Além de evitar alimentos processados, animais de criação intensiva, carne alimentada por grãos e alimentos geneticamente modificados (que muito provavelmente foram tratados com glifosato), tome antibióticos apenas quando precisar realmente deles e concentre-se em comer alimentos que produzem bactérias intestinais saudáveis. Isso inclui polifenóis e um tipo especial de fibra chamado *fibra prebiótica*, que é o alimento das bactérias intestinais.

O dr. Perlmutter diz que a fibra prebiótica é a chave da saúde. Ela pode ser encontrada em altos níveis em alimentos como alcachofra-girassol, nabo-mexicano, folhas de dente-de-leão, cebolas, alho, alho-poró e radicchio. Até arroz branco cozido e frio contém algum amido resistente para alimentar suas bactérias. (Hora do sushi!) Alimentos fermentados também são extremamente importantes para alimentar a flora intestinal. Mas uma vez, isso remete à sabedoria de nossos ancestrais. Alimentos fermentados são parte tradicional da dieta humana desde que pegávamos comida do chão, e eles abastecem o microbioma, porque quando o alimento fermenta, as bactérias se multiplicam. O kimchi coreano, iogurte com cultura láctea ativa, chucrute e kombucha são todos bons exemplos de alimentos fermentados ricos em bactérias saudáveis. Você não precisa ser um gourmet ou maluco por saúde para escolher esses alimentos. São aqueles que as pessoas de alto desempenho consomem.

O dr. Mark Hyman diz que você basicamente muda seu microbioma intestinal a cada mordida e que, no fim do dia, você é tão saudável quanto seus intestinos. Ao comer, você está literalmente fazendo jardinagem. Seu microbioma intestinal é seu jardim interior, e ao fertilizá-lo com alimentos corretos, você cultivará as "plantas" certas.

Consertar os intestinos de seus pacientes é a coisa mais importante que o dr. Hyman faz para mudar suas vidas e sua saúde. Quando a nutrição está em ordem e os intestinos estão curados, afirma, 90% dos sintomas desaparecem. Isso é bem impressionante. Os princípios dietéticos do dr. Hyman são simples: coma alimentos que não tenham código de barras nem rótulo nutricional. Isso significa comer alimentos de verdade, como abacate, amêndoa, carne de gado criado em pasto e toneladas de hortaliças.

Em outras palavras, coma de acordo com a sabedoria de nossos ancestrais. Se alimente como a sua avó costumava fazer.

Itens de ação
- Coma alguma fibra ou amido resistente e muitas hortaliças em todas as refeições.
- Concentre-se em alimentos integrais, não processados e orgânicos, e evite carne se ela não for orgânica ou criada em pasto.
- Evite antibióticos sempre que possível, assim como carne e outros produtos de animais que se alimentaram de antibióticos.
- Coma alimentos fermentados que lhe caiam bem.
- Pense na possibilidade de fazer um teste Viome em www.viome.com/bulletproof para ver o que está crescendo nos seus intestinos e os ajustes que pode fazer em sua dieta.

Áudios recomendados
- David Perlmutter, "Autism, Alzheimer's & the Gut Microbiome", *Bulletproof Radio*, episódio 250.
- "Connecting Your Gut and Your Brain" com David Perlmutter, *Bulletproof Radio*, episódio 359.

Leituras recomendadas
- David Perlmutter com Kristin Loberg, *Brain Maker: The Power of Gut Microbes to Heal and Protect Your Brain – for Life*.

Lei nº 28: Se você só obtém toxinas da natureza, só pode obter nutrientes da comida

Você evoluiu em um ambiente limpo para se sentir ótimo e viver o bastante para se reproduzir, desde que tivesse alimento suficiente de alta qualidade. Esses dias acabaram. O alto desempenho exige agora que você supere o declínio de ar, alimentos e água limpos indo além do que pode obter até dos alimentos mais nutritivos. As pessoas com alto desempenho usam suplementos para melhorar seu desempenho e também viver mais. Tome suas vitaminas.

Observando os dados e vendo quantas pessoas que viraram o jogo mencionaram a importância do uso de suplementos, está claro que aqueles que estão em posição de destaque não apenas tomam vitaminas, mas também dão crédito a elas por serem parte vital do que os levou ao topo de suas áreas. Eu também.

Veja o exemplo de Bill Andrews. Ele está disposto a curar o envelhecimento ou morrer tentando. Como o CEO da Sierra Sciences, Bill é um dos principais especialistas em antienvelhecimento no mundo. Como muitos outros, foi motivado a entrar nessa área pelo interesse pessoal. Sua motivação começou mais de cinquenta anos atrás, quando era menino e seu pai lhe disse:

– Não entendo por que ninguém curou o envelhecimento ainda. Bill, como você é tão interessado em ciência, quando crescer deve ser médico e descobrir uma cura para esse problema.

Ele é obcecado por isso desde então.

Depois de estudar centenas de milhares de compostos, Bill concentrou sua pesquisa nos telômeros, as tampas protetoras nas extremidades do DNA que protegem os cromossomos de danos quando eles se duplicam. À medida que envelhece, seus telômeros encurtam e se tornam menos capazes de proteger seu DNA. Com o tempo, as extremidades do código genético se tornam desgastadas, deixando-o em risco maior de doença e morte prematura. Desde 1993, quando Bill aprendeu que os telômeros encurtam com o tempo e que isso pode ser a causa do envelhecimento, ele tem uma missão: prevenir esse encurtamento e voltar a estendê-los. Sua empresa, a Sierra Sciences, está comprometida com isso.

O gene da telomerase é encarregado de manter os telômeros. Bill explica que qualquer gene no corpo pode ser ligado e desligado como uma chave de luz, e essa chave é tipicamente uma proteína localizada adjacente ao gene e ao cromossomo. Ele começou a procurar a chave da telomerase, mas depois de sete anos ainda não a havia descoberto, nem nenhum outro laboratório do mundo. Decidiu interromper essa abordagem e partir para o plano B, que era procurar produtos químicos sintéticos (drogas) que, ao serem acrescentados às células, poderiam ligar ou desligar a chave. Ele supôs que essas drogas se uniriam à proteína que ele queria identificar. As drogas, essencialmente, seriam como anzóis para fisgar a proteína certa, e ao mesmo tempo agiriam como tratamento em potencial para alongar os telômeros e estender a longevidade.

Bill e sua equipe foram muito bem-sucedidos nessa abordagem. Entretanto, quando a começou, cientistas em todo o mundo lhe disseram que seria impossível, e que ele nunca descobriria uma molécula para acionar o gene da telomerase. Hoje em dia, ele já encontrou quase novecentos químicos diferentes que acionam esse gene. Isso é que é virar o jogo!

A dra. Elissa Epel, sobre quem você vai ler mais no Capítulo 15, é coautora de *O segredo está nos telômeros – receita revolucionária para manter a juventude, viver mais e melhor* com a vencedora do Prêmio Nobel, dra. Elizabeth Blackburn, que descobriu o papel dos telômeros e da telomerase. A dra. Epel foi ao *Bulletproof Radio* para discutir telômeros e estresse, e nós discutimos se há um papel para os suplementos no antienvelhecimento. Sua resposta curta é "Provavelmente", mas ela também sente que fatores de estilo de vida e estresse são pelo menos tão importantes quanto.

De todo modo, tanto Bill quanto a dra. Epel acreditam que manter os telômeros longos e/ou reduzir sua taxa de encurtamento terá um impacto não apenas no envelhecimento, mas em toda doença relacionada à saúde e que envolva especialmente divisão celular. Isso inclui câncer, cardiopatias, mal de Alzheimer, osteoporose, distrofia muscular, transtornos imunológicos entre muitas outras. Mesmo as pessoas que têm HIV ou outras doenças degenerativas têm o potencial de se beneficiar ao tomar algo que estenda seus telômeros. Uma causa importante de todos os problemas derivados da AIDS é o encurtamento acelerado de telômeros nas células imunológicas. Por isso, células T desaparecem em pessoas infectadas com o vírus da AIDS.

Esses suplementos altamente especializados são caros hoje em dia, mas não será sempre assim. Quanto mais pessoas abraçarem a ideia de ter sistemas imunológicos melhores e reverter o envelhecimento, o custo dos suplementos desse tipo cairá, do mesmo jeito que o custo de um telefone celular foi de 25.000 dólares em 1985 para bem mais barato atualmente. É muito difícil esperar por esse dia!

Como a impaciência é uma virtude quando se trata de não morrer, procurei especialistas em deficiências nutricionais para me ajudarem a aprender como fazer com que meu hardware feito de carne e osso funcione melhor e dure mais. A dra. Kate Rhéaume-Bleue passou a última década usando sua formação médica e biológica para examinar o papel da vitamina K2, e faz palestras pelo mundo sobre esse suplemento pouco conhecido, mas poderoso.

Ela se interessou inicialmente por esse tipo de vitamina em 2007, depois de ler o livro do dentista Weston Price *Nutrition and Physical Degeneration: A Comparison of Primitive and Modern Diets and Their Effects* [Tradução livre: Nutrição e degeneração física: uma comparação entre dietas primitivas e modernas e seus efeitos], uma obra revolucionária de 1939 que documentava um declínio na saúde de comunidades nativas, como os nativos americanos, pigmeus e aborígines, quando começaram a consumir alimentos industrializados. Alguns meses depois, ela iniciou suas pesquisas sobre a vitamina K2 e percebeu paralelos incríveis entre seus efeitos e o que tinha lido no livro de Price.

Quando Weston Price viajou da Suíça para a África nos anos 1930, encontrou comunidades que tinham dentes bonitos, perfeitos, certos e brancos, e que não tinham cáries, embora, algo chocante, não escovassem os dentes nem passassem fio dental, e nem mesmo tivessem dentistas. Eles conseguiam manter a saúde dos dentes com uma boa alimentação. Consumiam uma grande variedade de alimentos, e suas dietas forneciam altos níveis de vitaminas e minerais, especialmente vitaminas solúveis em gordura. Ele notou níveis muito altos de vitaminas A e D, assim como níveis altos de outra vitamina solúvel em gordura que nunca tinha visto antes. Ele não sabia o que era, então chamou-a apenas de Ativador X, porque observou que ela ativava o DNA que permitia às pessoas utilizarem e se beneficiarem das outras vitaminas e minerais em sua dieta.

Price estudou o Ativador X e descobriu que ele era muito útil em conjunção com vitaminas A e D na cura de cáries dentárias. Ele, na verdade, parou de perfurar e obturar dentes e começou a dar a seus pacientes, em vez disso, um protocolo nutricional. Posteriormente, publicou imagens de antes e depois de bocas cheias de cáries abertas que tinham se fechado completamente. Descobriu que, de fato, é possível que os dentes se curem. Eles são feitos para isso, se tiverem os ingredientes certos. Price descobriu que certos alimentos eram altos em Ativador X, em especial minha fonte favorita: manteiga de vacas criadas no pasto.

Por muito tempo, o Ativador X permaneceu um mistério e tema de debate no mundo médico e nutricional. Só em 2008 os cientistas descobriram que ele era a vitamina K2. Também por volta dessa época, muita pesquisa estava sendo feita sobre os problemas com suplementos de cálcio aumentando o risco de ataque cardíaco e AVC. A dra. Rhéaume-Bleue diz que a suplementação de cálcio não é inerentemente segura ou insegura; nós simplesmente precisamos descobrir como o corpo pode usar o cálcio com segurança, levá-lo aos lugares certos e mantê-lo fora de suas artérias. Isso é exatamente o que a vitamina K2 o ajuda a fazer.

Precisamos de cálcio no corpo para os ossos e dentes, e é bem aí que ele costuma faltar. Quando isso acontece, o mineral sai das áreas onde deveria estar e deixa para trás pequenos buracos nos ossos ou nos dentes. É isso que são a osteoporose e as cáries. O outro lado da moeda é que as mesmas pessoas que sofrem de osteoporose e cáries, frequentemente têm um acúmulo de cálcio em lugares onde não deveria ter, como nas artérias, rins, esporão de calcâneo e tecido mamário. É uma situação paradoxal precisarmos de cálcio, mas ele ser perigoso nos lugares errados.

Na verdade, esse é o papel da vitamina K2: manter o cálcio em seu devido lugar o tempo todo. É incrível que seja possível melhorar a saúde dos ossos e dos dentes, e até manter um coração saudável, tomando uma vitamina. Eu tomo vitamina K2, porque as recompensas superam os riscos.

Estou convencido dos poderes maravilhosos da vitamina K2 há anos, e também tenho usado suplementos para desintoxicar meu corpo com grandes resultados. Parte dessa jornada envolveu entrevistar um dos luminares nessa área, o dr. William J. Walsh, que descobriu a conexão entre deficiências nutricionais e doença mental. Nos últimos trinta anos, desenvolveu tratamentos bioquímicos para pacientes diagnosticados com transtornos comportamentais, transtorno de déficit de atenção, autismo, depressão clínica, ansiedade, transtornos bipolares, esquizofrenia e mal de Alzheimer.

Tudo começou mais de 35 anos atrás, quando o dr. Walsh era voluntário em prisões na área de Chicago e passou a observar a bioquímica de alguns criminosos violentos. Descobriu que muitos criminosos violentos e ex-presidiários tinham níveis muito altos de metais-traço no sangue. Um estudo posterior mostrou que metais como o cobre têm impacto direto nos níveis de neurotransmissores. O dr. Walsh conseguiu tratar muitas dessas pessoas por meio de terapias nutricionais, e desde então usa protocolos semelhantes para tratar a grande variedade de problemas listados acima.

Esse é o extremo distante do espectro da terapia com suplementos, mas não é binário. Mesmo que não sofra de uma questão de saúde mental, é bem possível que os suplementos certos possam impulsionar seu desempenho o bastante para fazer uma diferença real. Por sorte, meu trabalho voluntário gerindo um grupo sem fins lucrativos de antienvelhecimento durante mais de uma década me apresentou a esse conhecimento desde cedo, pois ele mudou profundamente meu cérebro e minha capacidade de comparecer como marido, pai e empreendedor. Nos últimos dez anos, houve um grande avanço na popularidade do uso de suplementos por pessoas com desempenho de elite para ajustar a ingestão nutricional. Não estamos falando apenas de atletas profissionais – pessoas em níveis de elite em quase todas as áreas os estão usando.

Há pouco tempo, tive a sorte de conhecer Dan Pena, um homem que surgiu do nada e levantou cinquenta milhões de dólares em capital. Quando ele aceitou meu convite para falar em uma conferência da Bulletproof, percebi como era vibrante e jovial, com mais energia que a maioria das pessoas com metade de sua idade, que é consideravelmente maior que a minha. Descobri o motivo durante o jantar em seu castelo na Escócia, ao pegar minha bolsa de suplementos. A maioria das pessoas ri quando vê quantos comprimidos eu tomo a cada refeição, mas Dan apenas olhou para mim e disse, ao pegar a própria bolsa:

– A minha coleção é maior que a sua.

Então me mostrou a planilha que usa para controlá-los. Fiquei surpreso, mas na verdade não devia ter ficado; as pessoas que desenvolvem o alto desempenho em todas as áreas investem em suplementos porque o retorno é muito alto. Se você não está tomando suplementos, está deixando de lado parte de sua capacidade.

Caso esteja preocupado que seu corpo não use parte desses suplementos e eles acabem saindo no xixi, relaxe. Meu xixi provavelmente é mais caro do que o seu.

> **Itens de ação**
> - Garanta-se tomando esses suplementos: vitamina D3, vitamina K2, vitamina A, magnésio, óleo de krill/ômega 3, cobre, zinco, iodo, tirosina e metil B12 com metilfolato.
> - Suplemente com polifenóis extraídos de plantas.
> - Pense na possibilidade de consultar um especialista em medicina funcional para checar seu nível de nutrientes.
> - Procure fórmulas de suplementos criadas para entregar os resultados que está buscando, e experimente-as para ver se funcionam para você.

Áudios recomendados
- Bill Andrews, "The Man Who Would Stop Time", *Bulletproof Radio*, episódio 10.
- Kate Rhéaume-Bleue, "The Power of Vitamin K2", *Bulletproof Radio*, episódio 106.
- William J. Walsh, "Gain Control of Your Biochemistry", *Bulletproof Radio*, episódio 132.
- Elissa Epel, "Age Backwards by Hacking Your Telomeres with Stress", *Bulletproof Radio*, episódio 436.

Leituras recomendadas
- William J. Walsh, *O poder dos nutrientes: como a bioquímica natural está substituindo os remédios psiquiátricos no tratamento de distúrbios mentais*.
- Elizabeth Blackburn e Elissa Epel, *O segredo está nos telômeros: receita revolucionária para manter a juventude, viver mais e melhor*.

O FUTURO DE HACKEAR A SI MESMO É AGORA

Durante anos, eu me senti um estranho ao usar a mim mesmo como cobaia em meu esforço para entender os segredos biológicos do desempenho humano. Mas na verdade não estou sozinho. A ideia de autoexperimentação foi uma das vinte principais prioridades identificadas por mais de 450 pessoas altamente bem-sucedidas. Você pode argumentar que é porque o *Bulletproof Radio* tem a propensão inerente a convidar outros biohackers, o que é verdade. Também é verdade que pessoas de todos os tipos que estão no topo chegam lá porque estão interessadas em descobrir novos meios de impulsionar o próprio desempenho. Para essas pessoas, digo: experimente solucionar um problema difícil na manhã seguinte a uma noite especialmente festiva que durou até tarde. Agora você vê a conexão? Seu desempenho – a forma como se apresenta ao mundo emocional e cognitivamente – é reflexo direto do quanto seu corpo vai bem. É por isso que avaliar a biologia é importante. Mas quantificar em si é como colecionar saquinhos de botões diferentes – ótimo como hobby (se você gosta desse tipo de coisa), mas não muito produtivo. Dados são importantes apenas quando são úteis. O biohacking exige conhecimento *e* ação: em primeiro lugar, você precisa quantificar o que acontece em seu corpo; em segundo, determinar as mudanças que precisam ser feitas; e em terceiro, implementar essas mudanças.

Na verdade, nossos corpos vêm com alguns sensores embutidos que são mecanismos de biohacking bastante úteis. Esses sensores se chamam "sentimentos", e oferecem dados em tempo real quando a tecnologia não está disponível. Você pode experimentar tudo que escrevi sobre nutrição, mas se mesmo assim se sente um lixo, o que está fazendo não está funcionando, nem há necessidade de exames laboratoriais. No fim do dia, os testes "eu me sinto um lixo" e "eu me sinto um grande deus ou deusa incrível" são os mais confiáveis que você pode usar para avaliar seu progresso. Eles valem mais do que todos os dados do universo, porque você não terá o desempenho desejado quando se sentir um lixo, mas pode mudar o mundo se estiver determinado a se sentir ótimo. Claro, se conseguir dados biológicos mais detalhados, poderá identificar a razão de se sentir um lixo e encontrar uma solução que o ajude a alcançar estados muito melhores do que possa imaginar.

Minha história como biohacker começou com meu amor por tecnologia e ciência da computação. Obtive um diploma universitário na área de inteligência artificial chamado de sistemas de suporte de decisões. Na época, a IA era um campo controverso; nenhum acadêmico queria apostar sua carreira nela, e minha turma se formou com o alerta de que se chamássemos aquilo de IA, não conseguiríamos emprego. Isso não importou. Desde então construímos a nuvem, e o mundo agora tem tanta capacidade de computação que podemos desperdiçá-la registrando os detalhes mais triviais, organizando-os e comparando-os a outros detalhes aparentemente triviais. Essa era minha paixão, a coisa mais importante que eu poderia imaginar fazer. Era a maneira como eu viraria o jogo, e funcionou. Ganhei muito dinheiro fazendo o que amava (e perdi!) e sonhava com computadores à noite. Até que, uma manhã, acordei e descobri que construir tecnologia em si não era mais minha paixão. Eu queria *usar* a tecnologia para descobrir algumas coisas importantes. Foi quando me voltei para o biohacking.

Uma razão por ter perdido a paixão por construir tecnologia foi porque, na época, computadores eram péssimos em encontrar padrões significativos em quantidades de dados não relacionados. Mas, nos últimos anos, uma nova geração de codificadores fez algo bem mais importante que construir a nuvem: descobriram como fazer computadores operarem de forma muito parecida aos nosso cérebro, usando uma tecnologia chamada redes neurais, ou aprendizado de máquina. Nós finalmente podemos pedir a um computador que descubra o que importa e nos conte o resultado quando terminar. Bom, pelo menos bem perto disso.

Estamos apenas começando a aplicar algoritmos de aprendizado de máquina a dados biológicos de centenas de milhares de pessoas para descobrir novas correlações que revelem os tipos de intervenção que funcionam.

Por exemplo, o dr. Paul Zak (sobre quem vocês lerão mais à frente no livro) usou essas técnicas para determinar de forma confiável o que aumenta os níveis de oxitocina de uma pessoa (e quanto) mesmo sem fazer um exame de sangue. Pesquisadores podem usar esses dados para investigar o *porquê* e descobrir os mecanismos específicos em funcionamento – mas esse tipo de pesquisa frequentemente leva anos. Enquanto isso, o resto das pessoas pode se beneficiar do *quê*. Se o aprendizado de máquina revela que uma intervenção específica – seja nutrição, suplementos, sono ou meditação – oferece benefícios significativos para 90% das pessoas, podemos escolher fazer isso sem ter ideia de por que isso funciona.

Levava gerações para que esse tipo de conhecimento tivesse efeito. Monges ficavam sentados em mosteiros e meditavam usando sensores embutidos chamados sentimentos, tomando notas para a geração seguinte sobre o que funcionava e o que não. Hoje, minha startup de neurofeedback está reunindo ondas cerebrais de pessoas de altíssimo desempenho – 24.000 amostras por segundo – e alimentando-as em uma máquina que pode encontrar padrões quase imediatamente. Imagine se aqueles monges meditadores tivessem acesso a essa tecnologia!

Muitos visionários no campo da saúde seguiram os dados e ignoraram o dogma, às vezes com resultados incríveis. Cada vez mais pessoas decidem dar o passo radical de fazer o que funciona, mesmo sem saber ao certo por quê, e estamos observando enormes benefícios. Usamos dados para verificar o que está funcionando e corrigir o rumo quando necessário. Essa é uma grande mudança para a humanidade, e estou muito animado em relação a ela.

Lei nº 29: Registre para hackear

> Você tem a capacidade de almejar qualquer estado de alto desempenho que escolher. Decida o que quer mudar, meça onde está e mexa-se. Verifique novamente mais tarde. Enxague e repita. Você pode superar gerações anteriores porque tem acesso a mais dados sobre si mesmo e os outros do que havia disponíveis ao longo da história. O campo de jogo está mais nivelado do que nunca, e a tecnologia vai ajudá-lo a corrigir o rumo quando necessário.

O dr. William Davis é um cardiologista que remou contra a maré para mudar a forma como as pessoas pensam sobre nutrição e saúde. Defensor de um estilo de vida sem grãos, é autor dos conhecidos livros *Barriga de trigo* e *Undoctored* [Tradução livre: Sem médicos]. Ele foi um dos primeiros médicos a soarem o alarme sobre os perigos do glúten. É raro para um membro tão respeitado da comunidade médica arriscar sua carreira colocando-se contra a dieta americana padrão. Mas o dr. Davis é uma pessoa que virou o jogo.

Em nossa entrevista, ele contou que está observando uma mudança extraordinária no modo como as pessoas administram a saúde. Em vez de confiarem em médicos para lhes dizer como se sentirem melhor, elas estão descobrindo isso por conta própria, graças ao maior acesso a pesquisas e dados médicos, assim como a multidão de dispositivos de acompanhamento disponíveis no mercado (tudo, de monitores de frequência cardíaca a dispositivos para acompanhamento de exercícios, monitoramento do sono e a temperatura basal). O dr. Davis considera isso algo maravilhoso, porque, em sua visão, o sistema predominante de saúde está fracassando.

Nos Estados Unidos, a indústria de saúde consome 17,5% do produto interno bruto. Em comparação, as construções residencial e comercial juntas chegam apenas a 7,5%. Da indústria farmacêutica a empresas de seguros, hospitais e fabricantes de equipamentos médicos, é um negócio enorme – e bastante lucrativo. A indústria da saúde está em grande expansão, e os americanos estão mais doentes do que nunca. Segundo o dr. Davis, isso acontece porque essa indústria está mais focada no lucro do que no cuidado com os pacientes. Não que as pessoas que trabalhem nesse ramo sejam más. É que as empresas envolvidas se tornaram muito boas em tomar decisões a serviço de um objetivo. Elas muitas vezes têm os objetivos errados, então suas decisões criam um comportamento emergente que parece mau. Na minha opinião, ela é de fato bem ruim. Mas eu entendo que a intenção não era essa.

A boa notícia é que, hoje em dia, uma biblioteca extraordinária de informação, especialistas, estudos e dados estão a apenas alguns toques de distância no teclado. A ideia de que médicos são os únicos que podem acessar e entender informação médica não é mais verdadeira. O dr. Davis acredita que, durante os próximos anos, cada vez mais gente vai usar tecnologia para tomar conta de sua saúde e se tornar saudável "sem médico".

O especialista afirma que, em sua experiência, pacientes que se educam sobre sua saúde e tomam as rédeas da situação normalmente experimentam resultados melhores do que aqueles que confiam exclusivamente nos médicos para informação e recomendações. Isso porque, quando você acompanha seus próprios dados, pode fazer observações que ninguém mais pode, como o impacto de um alimento específico ou suplemento em sua pressão sanguínea ou nível de inflamação. E pode aprender a afiar seus sensores embutidos, os que lhe dizem quando algo não parece certo, e acrescentar esses dados à solução do seu problema.

Um dos diagnósticos mais simples que o dr. Davis sugere às pessoas é medir a temperatura ao acordar. Sua temperatura é um reflexo de sua função tireoidiana, e se estiver baixa demais, é uma boa indicação de que sua tireoide está morosa (que você tem hipotireoidismo). O dr. Davis disse que seu vizinho de porta lhe contou uma vez sobre alguns sintomas de hipotireoidismo que estava sentindo. Ele tinha temperatura matinal de 34,7°C, o que indica hipotireoidismo. (Minha temperatura matinal era um nada saudável 35,5°C em 2005, quando experimentei essa técnica pela primeira vez.) O dr. Davis disse a ele:

– Você provavelmente tem deficiência de iodo. Comece a tomar iodo.

O iodo é necessário para o corpo criar hormônios da tireoide. Níveis baixos de iodo é a causa principal do hipotireoidismo, do qual grandes variações de temperatura são um sintoma importante. Em duas semanas, a temperatura de seu vizinho estava em 35,8°C de manhã, a caminho dos saudáveis 36,3°C.

No meu caso, o iodo não funcionou, então tentei um método para alterar a temperatura criado por um engenheiro de controle de sistemas: beber água quente e usar lã diante de um aquecedor, tomando doses direcionadas de hormônio da tireoide T3, e em geral me sentindo como uma lagosta cozida durante uma semana longa e suada. Funcionou, e minha temperatura corporal subiu e permaneceu alta. (Não tente fazer isso, especialmente tomar grandes doses de hormônio da tireoide sem conhecimento ou auxílio médico. Você pode morrer.)

Não importa se usa a tecnologia mais recente ou um termômetro antiquado. Tomar as rédeas da própria saúde é algo fortificante. Eu tenho experimentado com medidores de dados por anos e tenho um conhecimento profundo nessa área. Anos atrás, criei um sistema de dados para o primeiro monitor cardíaco adesivo conectado à internet, e mais tarde fui o chefe de tecnologia de uma empresa de dispositivos de controle de pulso que foi comprada pela Intel. Tenho uma gaveta cheia de dispositivos de controle de saúde e nunca consegui usá-los por mais de uma ou duas semanas, porque os dados não eram muito úteis e os dispositivos eram sem jeito e desconfortáveis.

Felizmente, esses dias ficaram para trás. Eu agora durmo usando um anel Oura, que registra as fases do meu sono, o ritmo cardíaco, a variabilidade da frequência cardíaca (nível de estresse), a temperatura corporal, taxas de respiração, níveis de atividade e mais. Parece um anel comum, sua bateria dura uma semana e é totalmente à prova d'água. Você nem consegue dizer que sou um ciborgue quando o estou usando. Ele me dá toda a informação necessária para saber o que está acontecendo no meu corpo e escolher minhas atividades com base no meu estado biológico.

Ser capaz de ajustar suas inserções de dados quando necessário é primordial para fazer biohacking com sucesso. Embora frequentemente seja útil desenvolver rotinas diárias ou "automatizar" certas decisões, como o que vestir ou comer no café da manhã (como discutido no Capítulo 1, isso pode ajudar a evitar a fadiga da força de vontade), as rotinas carregam um risco: se você as fizer no piloto automático, pode deixar passar sinais importantes de seus sensores embutidos. Seu corpo é um organismo dinâmico e complicado com um estado interno que varia de um dia para outro, com base em inúmeras variáveis. Ele vai lhe informar quando algo não estiver funcionando. Ao acompanhar sua biologia usando tecnologias que lhe permitem avaliar o que está acontecendo em seu organismo a qualquer momento, você pode afiar essa informação para que ela complemente o seu estado atual, em vez de fazer escolhas que funcionaram para você no passado.

Por exemplo, se meu anel me diz que não entrei nos estágios mais profundos de sono na noite passada, e, portanto, não obtive um sono restaurador, vou faltar um dia ao trabalho para meu corpo se recuperar. Se a variabilidade da minha frequência cardíaca (a variação entre a mínima e a máxima frequência cardíaca) está baixa, indicando que meu corpo está em um estado estressado de luta ou fuga, vou fazer uma pausa e um pouco de meditação ou ioga para me preparar para os eventos do dia. Quando sei que meu corpo está pronto para agir porque está descansado e com alta variabilidade de frequência cardíaca, vou escolher assumir um grande desafio com a confiança de realmente poder realizá-lo. Melhor de tudo, toda vez que obtenho dados do Oura, posso correlacioná-los a como estou me sentindo. Essas informações estão me ensinando a identificar quais sinais em meu sistema nervoso (também conhecidos como sentimentos) merecem ser ouvidos.

O estresse não é inerentemente bom ou mau, mas seu corpo só consegue lidar com certa quantidade de estresse de cada vez, antes que isso cobre seu preço. Há vários tipos de estresse: psicológico, emocional, físico e ambiental. Nem todos os tipos têm o mesmo impacto, mas todos afetam seu corpo. Por exemplo, o estresse psicológico o deixa esgotado. Então pegar pesado na academia ou desafiar seu corpo com um jejum de um dia inteiro pode não ser a maneira ideal de se recuperar de uma separação difícil. Você ficaria melhor fazendo o que seu corpo provavelmente está lhe dizendo para fazer: ir para a cama e puxar as cobertas acima da cabeça.

Às vezes o estresse não é algo do qual você está plenamente consciente, por isso é importante descobrir a quanto estresse inconsciente seu corpo está sendo submetido antes de decidir acrescentar mais estresse. Você pode se sentir ótimo, mas se seus dados dizem que hoje não é um bom dia para malhar, você precisa dar ouvidos a isso. Se seus dados mostram que você tem uma variabilidade de frequência cardíaca cronicamente baixa, isso significa que seu corpo está guardando muito estresse inconsciente. É importante descobrir por quê. O que você está fazendo (ou não está fazendo) com regularidade que o está deixando fraco? Você pode ter uma infecção crônica de baixo grau, sensibilidade a um alimento que come com regularidade, ou algo em seu ambiente pode o estar afetando. Experimente mudar partes específicas de sua rotina para ver o tipo de impacto que isso tem.

Claro que você pode usar a informação de seus dispositivos de controle de saúde do jeito contrário também – para determinar como seu corpo está respondendo às informações que você resolveu aplicar. O jejum intermitente está submetendo seu corpo a um estado de luta ou fuga porque você está fazendo isso com muita frequência? Você não tem que se preocupar nem ficar em dúvida. Apenas verifique a variabilidade de sua frequência cardíaca durante seu jejum intermitente. Você está se perguntando se beber café tarde da noite está interferindo em seu sono? Verifique seu relatório de sono no dia seguinte e descubra (Mas, sério, você não precisa de um aplicativo para isso!).

O número de ações que você pode tomar com base em feedback biológico é aparentemente infinito. Petteri Lahtela, o CEO e um dos fundadores da Oura, explicou que você pode usar o anel até para determinar seu cronotipo, ou a manifestação de seus ritmos circadianos pessoais. Você pode descobrir isso com base nas flutuações de temperatura corporal à noite.[1]

Como o dr. Davis explicou, mudanças de temperatura também podem ser um sinal de condições médicas. Se sua temperatura está excepcionalmente baixa, é hora de considerar o que pode estar causando um problema de tireoide, como comer grãos integrais demais ou ser exposto a mofo tóxico. Para mulheres, ter consciência das flutuações de temperatura também ajuda a administrar os ciclos de fertilidade. Quando uma mulher está ovulando, sua temperatura sobe cerca de meio grau. Acompanhar a temperatura basal pode ajudar uma mulher a ter consciência de quando está mais fértil, que é um conhecimento poderoso sobre o seu planejamento familiar.

Outra empresa que usa aprendizado de máquinas para decifrar o código do que acontece dentro do nosso corpo é a Viome. Como mencionei no Capítulo 4, sou consultor dessa empresa, que oferece um kit para monitorar a saúde de seus intestinos. Ela faz isso não avaliando seu ritmo cardíaco, temperatura corporal ou passos diários, mas testando suas fezes. Isso mesmo. Ela usa tecnologia de 2 bilhões de dólares para identificar rapidamente armas biológicas, toda bactéria, fungo e vírus em seus intestinos com um nível de detalhe antes desconhecido. A parte realmente empolgante é que a Viome compara o que há em seu intestino com o que há nos intestinos do resto das pessoas usando aprendizado de máquina, então você pode entender a probabilidade de seus micróbios intestinais o ajudarem ou prejudicarem, e o que vai funcionar para restaurar esse equilíbrio. Naveen Jain, o fundador e CEO da Viome, diz que seu maior objetivo é usar a tecnologia para tornar a doença opcional. Ele acredita – assim como muitos médicos e cientistas – que a saúde começa no intestino e que um microbioma desequilibrado é precursor de diversas doenças.

Naveen enxerga o corpo humano como um ecossistema que é apenas 10% humano e 90% microbiano. Noventa por cento das células em seus intestinos formam seu microbioma, e 25% dos metabólitos em seu corpo são criados em seu intestino. Então, se conseguir descobrir o que está acontecendo em seu intestino, você pode prever como seu corpo vai reagir a entradas específicas. Por exemplo, você pode saber que esteve em uma dieta cetogênica por tempo demais sem fazer pausa se não tiver a bactéria que cria ácidos graxos de cadeia curta benéficos.

A Viome também permite que usuários vejam as bactérias, bacteriófagos e vírus vivendo em seu sangue e mostra quais enzimas e cofatores (compostos dos quais as enzimas precisam para funcionar) estão mais baixos que o normal. Você pode corrigir esses desequilíbrios com facilidade tomando os suplementos corretos. A parte empolgante é que podemos usar essa informação para tomar consciência desses desequilíbrios antes de experimentarmos sintomas. Naveen acredita que isso acabará nos permitindo encontrar biomarcadores para prever doenças e curá-las antes de elas se manifestarem em problemas físicos.

Esse é um futuro que eu sem dúvida quero estar por perto para ver. O corpo é um mistério há muito tempo, e a ideia de que agora podemos usar essas ferramentas para descobrir o que está acontecendo em nosso interior é incrivelmente empolgante. Seu estado psicológico pode fazer toda a diferença em seu desempenho. Então por que você não ia querer a informação de que precisa para mudar o estado de seu corpo à vontade?

Na Bulletproof, dados estão inseridos na cultura da empresa. Membros da equipe calculam e compartilham seus cronotipos, seus instintos sobre a quantidade de informação que precisamos para tomar uma decisão, e até uma medida quantificada de como gostamos de receber gratidão. Pode parecer estranho, mas isso está profundamente programado em nossa biologia, e ter consciência de nossa individualidade nos ajuda a saber como nos comunicarmos e trabalharmos bem juntos. Se dados podem me mostrar que uma pessoa realmente gosta de agradecer, mas outra gosta mesmo de um elogio, vou usá-los, e todo mundo sairá ganhando.

Como ser humano, eu diria que você tem o dever moral de hackear a si mesmo – mas é moral hackear seus funcionários? Acredito que a resposta é sim. Você os estará preparando para vencer. Quando líderes ajudam seus funcionários a desenvolverem maior autoconhecimento, isso resulta em pessoas mais felizes, ao mesmo tempo mais compassivas consigo mesmas e com os outros e mais passionais em relação a seus trabalhos. Então vá em frente, hackeie a si mesmo. Ajude aqueles à sua volta a se hackearem também! A vida nunca mais será a mesma.

Itens de ação

- Registre seu sono usando um dispositivo como o anel Oura. Faça treinamento ou jejum menos intensos nos dias em que dormiu muito mal à noite e pegue pesado nos dias em que está com força total.
- Se não tiver um dispositivo para registrar seu sono, use seus sensores embutidos. Em uma folha de papel, classifique seu sono em uma escala de 1 a 10 assim que acordar. Baseie o resultado no quanto se sente bem, o quanto está rígido, o quanto está ansioso e o quanto foi fácil despertar.
- Pare de usar brinquedos que contam o número de passos que você dá em um dia ou métricas fictícias de "calorias queimadas". Eles o distraem dos dados úteis que você quer: ritmo cardíaco, variabilidade da frequência cardíaca, temperatura e qualidade do sono. Saber essas informações vai mudar sua vida.
- Se estiver dentro de seu orçamento, um painel completo de métricas de saúde de seu especialista em medicina funcional pode ser um grande investimento. Questione sobre todos os hormônios, tireoide completo, marcadores de informação e análise de nutrientes, além do que mais o seu médico achar que ajude.
- Teste suas fezes pela Viome (www.viome.com) para ver o que está acontecendo nos seus intestinos.

Áudios recomendados

- William Davis, "How the Health Care System Keeps You Sick & What You Can Do to Change It!", *Bulletproof Radio*, episódio 402.
- "Hack Your Chronotype to Improve Sleep & Recovery by Wearing a Ring", *Bulletproof Radio*, episódio 437.
- Naveen Jain, "Listen to Your Gut & Decide Your Own Destiny", *Bulletproof Radio*, episódio 452.

Leitura recomendada
- William Davis, *Undoctored: Why Health Care Has Failed You and How You Can Become Smarter than Your Doctor.*

Lei nº 30: O que não mata te fortalece

Todo sistema do corpo se beneficia de períodos intensos e curtos de estresse seguido de recuperação. Isso é o que nos faz mais fortes. Só os medrosos escolhem estresse crônico e sem fim no trabalho, nos relacionamentos ou no ambiente. Aplique o ciclo principal a todo o estresse em sua vida. Remova implacavelmente coisas estressantes inúteis de tudo o que faz e de seu próprio corpo.

O dr. Ron Hunninghake, chefe médico da famosa Clínica Riordan, em Wichita, Kansas, desenvolveu um protocolo aparentemente intuitivo que está mudando a forma como combatemos alguns tipos de câncer: usando vitamina C e oxidação. Normalmente, pensamos em oxidação como uma coisa ruim, mas, como o dr. Hunninghake explica, oxidação rápida e intensa (estresse celular) pode ser benéfica para a saúde desde que em seguida haja redução (recuperação celular).

Oxidação é o processo pelo qual nosso corpo processa oxigênio e o usa para criar energia. Como subproduto, isso cria radicais livres, moléculas instáveis e altamente reativas com elétron desemparelhado. Esses radicais livres podem danificar nossas células, mitocôndrias e até DNA. Muitos pesquisadores acreditam que essa é uma das principais causas do envelhecimento.

Redução é o processo contrário, durante o qual uma molécula com um elétron desemparelhado ganha um elétron, o que estabiliza a molécula e previne novos danos. Toda a energia do nosso corpo vem da variação rápida entre esses dois estados. As únicas células do corpo que não perdem nem ganham elétrons consistentemente são células mortas. Quanto melhor forem suas células em vacilar entre esses dois estados, melhor você será em tudo o que faz. Não vamos entrar em muitos detalhes aqui – hackear esse processo é o assunto de um livro inteiro, o *Head Strong*.

De volta à vitamina C. Ao consumi-la, ela funciona como um antioxidante (uma substância que inibe a oxidação), mas o dr. Hunninghake explica que aplicá-la por via endovenosa tem um efeito diferente. (Na verdade, os humanos são um dos únicos animais que perderam a habilidade genética de produzir a própria vitamina C, mas acredito que nossa capacidade de a produzir sinteticamente e usá-la com eficácia é parte da beleza da nossa espécie.) Administrar vitamina C por via endovenosa cria um efeito oxidante no corpo, o que, é claro, assusta muitas pessoas que deixam de fazer isso, entre elas muitos médicos da corrente dominante. O dr. Hunninghake compara isso ao jejum intermitente ou ao treinamento de alta intensidade a nível celular. A oxidação mata células que estão disfuncionais ou fracas, incluindo células cancerosas e pré-cancerosas.

O tratamento de câncer do dr. Hunninghake envolve administrar vitamina C por via endovenosa para matar as células doentes. Ele então suplementa com antioxidantes fortes como a glutationa, para tornar mais fortes as células que sobreviveram. Isso é hormese clássica, o processo de dar algo estressante ou tóxico ao corpo para estimular uma resposta de cura. O que não mata suas células as fortalece. E, no tratamento de câncer, matar células fracas para que as fortes possam substituí-las é uma grande estratégia.

Um princípio essencial do biohacking é que se deve parar de fazer coisas que o deixam fraco e fazer mais das coisas que o deixam forte – nessa ordem. Como você leu antes, o corpo pode lidar com apenas uma quantidade de estresse de cada vez. Ele não pode tirar proveito de hormese nem de qualquer forma de estresse produtivo se algo o estiver deixando fraco. É por isso que saber quando fazer um esforço a mais é tão importante quanto não fazer, e saber como relaxar e se recuperar é tão importante quanto manter uma boa postura quando se está levantando pesos. As pessoas que chegam ao topo dominam os dois lados da equação; elas aplicam isso no trabalho, em casa, na academia, na cama, quando comem e mesmo em suas células quando necessário.

A ideia de usar vitamina C endovenosa para combater alguns tipos de câncer parece uma terapia brilhante, e estou ansioso para ver mais pesquisas sobre isso no futuro. Se estivesse enfrentando um câncer, eu a usaria. Mas, na verdade, usei muita vitamina C endovenosa no passado, quando estava me recuperando de exposição a mofo tóxico, que os médicos tinham diagnosticado como fibromialgia, cansaço crônico e doença de Lyme. Acrescentei uma clínica independente de vitamina endovenosa aos laboratórios Bulletproof, em Santa Monica, Califórnia, porque essa terapia é poderosa o suficiente para provocar a recuperação até em pessoas que não estão doentes. Podemos aprender muito sobre a maneira como o corpo se recupera observando como essas terapias funcionam em pacientes com mal de Alzheimer, mal de Parkinson, diabetes e câncer. Usando os dados dos tratamentos mais inovadores utilizados para ajudar aqueles que sofrem mais, podemos ajudar a nos proteger um pouco desse mesmo tipo de sofrimento em nosso próprio futuro.

Itens de ação

- Opte por treinos intervalados de alta intensidade (corridas de curta distância ou levantamento de peso pesado) seguidos de recuperação e sono de alta qualidade, para obter mais retornos com menos exercício.
- Quando seus dados mostrarem que você está estressado, evite adicionar estresse ao seu corpo.
- Quando ultrapassar o limite de estresse, recupere-se como um rei. Considere nutrientes endovenosos. Faça uma massagem. Experimente crioterapia. Vá a uma sauna. Assista a um filme!

Áudios recomendados

- Ron Hunninghake, "Vitamin C Is Taking the Fight to the Big C", *Bulletproof Radio*, episódio 379.
- Erin Oprea, "Tabatas: Like Getting HIIT by a 4 x 4", *Bulletproof Radio*, episódio 313.

Lei nº 31: Cure-se como o Wolverine, envelheça como o Benjamin Button

O melhor investimento não é em Bitcoin. Não é no mercado de ações. É o investimento em sua biologia que conta. Lesões crônicas, dor crônica e o simples envelhecimento vão reduzir sua velocidade e tirar energia de coisas importantes. Faça o que for preciso para curar o que tem antes que o substitua ou remova. Antes de entrar na faca, esgote todas as outras opções possíveis. Mantenha todos os seus sistemas jovens.

A maioria das pessoas aprende em algum momento da vida a ignorar a dor crônica. Treinadores nos mandam "andar que passa", o que é um grande conselho se estiver apenas se queixando, mas um conselho terrível se estiver realmente lesionado. Ao chegar aos vinte anos, muitos têm lesões crônicas – partes do corpo que ainda funcionam, mas doem mais do que deveriam. Com o tempo, essas ineficiências causam disfunções em outras partes do corpo, criam um estresse sutil e desperdiçam energia que poderia ser usada de formas muito melhores.

Tenho minha cota de dor crônica graças a treze anos jogando futebol americano como um adolescente obeso e empolgado, a lesões de esqui e a um joelho com um parafuso depois de três cirurgias. Levando-se em conta meu plano de viver até os 180 anos, isso é simplesmente inaceitável! Usei lasers medicinais, estimulação elétrica, injeções, terapia de campo eletromagnético pulsátil e outras coisas saídas direto da ficção científica para ajudar a curar algumas dessas lesões, e fui muito bem-sucedido. Mas nada se compara a células-tronco, que se tornaram bem mais acessíveis nos últimos anos e já são bem mais baratas que o custo da maioria das cirurgias. Eu planejo receber injeções de células-tronco a cada seis meses pelo resto de minha (muito longa) vida.

Para aprender mais sobre essa terapia avançada, procurei três especialistas: o dr. Matthew Cook, que dirige a BioReset Medical em Los Gatos, Califórnia, e trata de muitos arremessadores da Major League Baseball quando lesionam os ombros; o dr. Harry Adelson na Clínica Docere em Park City, Utah, um dos primeiros a adotarem as células-tronco, e que se especializou em lesões espinhais; e a dra. Amy B. Killen da Docere Medical, também em Park City, que usa células-tronco para procedimentos cosméticos. Todos esses especialistas trataram de mim, e claro que os entrevistei para aprender mais sobre como tinham desenvolvido suas técnicas que viraram o jogo.

Comecei com o dr. Harry Adelson. Anos atrás, quando a terapia com células-tronco ainda era desconhecida nos Estados Unidos, ele viajou para a Venezuela para estudá-la com o dr. Carlos Cecilio Bratt. O dr. Bratt é um dos médicos de células-tronco mais conhecidos da América do Sul, e seu trabalho inspirou o dr. Adelson a procurar a "proporção áurea" entre tratamentos acessíveis e eficazes, que eu mesmo experimentei.

Durante anos, a maioria das pessoas achava que usar células-tronco para tratar dor crônica, melhorar a recuperação de lesões ou mesmo melhorar a pele era ficção científica, um tratamento reservado aos milionários, ou pior, algo controverso, pois trinta anos atrás as células-tronco vinham de embriões (que os adversários chamavam de células-tronco fetais). Hoje em dia, terapias com células-tronco usando células do próprio corpo estão amplamente disponíveis, e acredito que sua popularidade só vai crescer com o passar do tempo.

A habilidade do corpo humano de se curar sozinho é impressionante, e com um pouco de ajuda dessa terapia, ela vai de impressionante a quase inacreditável. A terapia com células-tronco já foi usada para restaurar a visão de cegos, restaurar a audição de roedores surdos, reparar tecido conjuntivo, curar lesões espinhais e até restaurar a função cognitiva de pacientes que tinham sofrido AVC. Suzanne Somers, uma das personalidades mais populares e amadas dos Estados Unidos, e autora que entrou na lista de mais vendidos do *New York Times*, me contou em uma entrevista que foi a primeira mulher nos Estados Unidos a desenvolver novamente um seio após uma mastectomia parcial usando suas próprias células-tronco.

Mas terapias de células-tronco não são usadas apenas para curar doenças e lesões. Reverter o envelhecimento significa se recuperar de estresse e tensão de modo que seu corpo se torne jovem novamente, e terapia de células-tronco pode desacelerar os efeitos do envelhecimento mantendo sua pele rica em colágeno e elastina. Ela deixa suas juntas mais fortes e mais flexíveis e pode até aumentar (é sério!) o comprimento e a circunferência de certas áreas.

Terapia de células-tronco envolve extrair células de uma parte do corpo, geralmente gordura da parte inferior das costas ou medula óssea, misturá--las com fatores de crescimento e injetá-las em outra parte do corpo. O dr. Adelson removeu células-tronco de minha medula óssea e de minha gordura e observou que eu tinha a medula "mais amarela" que ele já vira (isso é uma coisa boa) antes de injetá-la em todos os locais lesionados. Foi um procedimento intenso – eu tomei dezenas de injeções. Em apenas alguns dias, porém, meus níveis de dor diminuíram perceptivelmente. Você não percebe quanta dor está sentindo de verdade até ela desaparecer de repente! Fiquei tão impressionado com os resultados que resolvi visitar o dr. Adelson novamente, dessa vez com minha esposa, a dra. Lana. Depois do procedimento, ela disse que a dor de várias lesões de sua infância tinham simplesmente desaparecido.

Também marcamos uma consulta com a dra. Amy B. Killen, médica que se concentra em procedimentos antienvelhecimento com células-tronco. Sim, isso mesmo. A dra. Killen injeta células-tronco em lugares que provavelmente fariam você se encolher. Ela usa os fatores de crescimento nas plaquetas para regenerar partes diferentes do corpo, no caso a pele, o cabelo e os órgãos sexuais.

Por que eu ia querer injetar qualquer coisa nessa área tão sensível? A dra. Killen explica que as células nos vasos sanguíneos do pênis que permitem aos homens terem ereções envelhecem com o tempo. Algumas até morrem. Isso pode causar disfunção erétil. A introdução de células novas e fatores de crescimento nos corpos cavernosos, os tubinhos nas laterais do pênis que criam ereções, resulta em maior fluxo sanguíneo e resposta nervosa. A maioria de seus pacientes experimenta algum grau de disfunção erétil. Eu não tenho, sinceramente, mas queria fazer o possível para que o equipamento durasse o máximo. E como tinha células-tronco frescas, elas tinham que ir para algum lugar...

O efeito colateral desse tratamento em homens é um aumento no tamanho, especialmente se seguido de uma bomba de vácuo que estimula a circulação sanguínea. Você deve usá-la diariamente durante um mês, mas honestamente isso é muito tempo para se passar bombeando. Eu tentei duas vezes e decidi que estou feliz com o resultado, muito obrigado! Usei todo o tempo que economizei sem bombear para, em vez disso, escrever um capítulo deste livro.

Entretanto, como estamos no assunto de melhorias nessa região, vale a pena mencionar a GAINSWave, uma terapia de ondas de choque que médicos usam no pênis. Um procedimento não invasivo de quinze minutos que tem um efeito profundo no órgão masculino. Tive ereções espontâneas como se tivesse vinte anos. Normalmente, ele é usado para disfunção erétil, e uma versão para mulheres está sendo desenvolvida. Às vezes é difícil ser um biohacker profissional!

Minha corajosa esposa, a dra. Lana, também foi à dra. Killen e recebeu o que chama de "injeção turbo O". Em mulheres, a dra. Killen injeta células-tronco e fatores de crescimento em dois locais – no clitóris (ai!) e na parede superior anterior da vagina, bem acima do ponto G. Suas pacientes experimentam uma melhoria em seus tecidos vaginais, melhor lubrificação e até um aumento na força do orgasmo. Felizmente, pomada anestésica de uso local torna isso muito menos doloroso do que parece.

Sei que a dra. Lana não se importa que eu conte o fato de que ela experimentou mudanças profundas em uma semana. Ficou com vigor renovado e diz que se sentiu como se tivesse 25 anos outra vez (embora já fosse perfeitamente linda e vigorosa para mim). Do meu ponto de vista, a experiência também foi incrível. A dra. Lana recomenda terapia vaginal com células-tronco para todas as suas amigas e para muitas de suas clientes de coaching de fertilidade depois de darem à luz, para ajudá-las a se sentirem rejuvenescidas.

A última parada em meu tour pelas células-tronco foi o dr. Matthew Cook, um dos fundadores da BioReset Medical, que trata atletas profissionais e celebridades na Bay Area de São Francisco com um número enorme de tecnologias de rejuvenescimento, incluindo células-tronco. O dr. Cook gravou uma entrevista fantástica para o *Bulletproof Radio*, durante a qual explicou todos os tipos de terapia de células-tronco disponíveis e um pouco do trabalho inovador que vem realizando.

Ele descobriu que os músculos de meu pescoço estavam pressionando os nervos dos meus braços, um problema que muitos jogadores de beisebol desenvolvem. Como o dr. Cook trata de membros dos Washington

Nationals e vários outros atletas, ele sabia exatamente o que fazer. Usou um procedimento do qual tinha sido pioneiro quando foi anestesista para injetar células-tronco e fluido em torno do nervo para liberá-lo. E funcionou! Outros médicos que eu tinha visitado sugeriram remover uma de minhas costelas como forma de tratamento – o que teria resultado em desequilíbrios estruturais permanentes e dor crônica. O tratamento de uma hora do dr. Cook resolveu meu problema para sempre.

Esse procedimento proporcionou tantos benefícios para tantas pessoas que o dr. Cook deixou uma carreira de sucesso como anestesista para se concentrar em medicina regenerativa, onde foi pioneiro em um tipo de tratamento que usa células-tronco ultrapequenas, extraídas de seu próprio sangue. Outra inovação que o dr. Cook desenvolveu foi um tratamento com células-tronco para traumas. Usando um bloqueador nervoso anestésico, ele injeta cuidadosamente células-tronco perto do nervo vago para zerar a resposta do corpo ao estresse. Esse procedimento é como reiniciar um computador. Ele impede o sistema nervoso de lutar ou fugir durante oito horas; quando volta a funcionar, você está em modo "descansar e relaxar".

Se já vivenciou um evento altamente estressante, mesmo na infância, há chances de partes de seu sistema nervoso estarem travadas no modo lutar ou fugir. Essa reatividade aumentada ao estresse é comum em pacientes com transtorno de estresse pós-traumático. Quando fiz o procedimento de reinicialização, minha vitalidade e minha função cognitiva aumentaram enormemente. O dr. Cook também pôs células ao longo dos seios da minha face para que entrassem na base do cérebro, e em meia hora minha visão, que já era boa, melhorou perceptivelmente. Foi um procedimento chocantemente eficaz.

Eu realmente acredito (e espero) que, em um futuro não muito distante, usaremos terapia com células-tronco para eliminar a maioria das doenças degenerativas e ficar permanentemente jovens. Os custos estão caindo rapidamente. Isso pode virar o jogo não apenas para você e para mim, mas também para nossos filhos e toda a humanidade. Seja a terapia com células-tronco acessível ou não para você, recomendo muito que faça o possível para reparar lesões. Seu corpo vai consertá-las bem o suficiente para garantir que você se reproduza, mas você quer consertá-las tão bem que ficará livre para fazer seu trabalho no mundo pelo tempo que quiser.

Hoje temos o poder de permanecer mais jovens por mais tempo e até de reverter alguns dos efeitos degenerativos do envelhecimento. As pessoas com mais alto desempenho no mundo estão investindo em tratamentos inovadores para ajudá-las a ter o melhor desempenho possível pelo tempo que for humanamente possível e evitar a dor e o sofrimento que podem reduzir suas velocidades.

Itens de ação

- Quais os três maiores acidentes ou lesões das quais você se lembra neste momento?
- Você sente *qualquer* dor prolongada, rigidez ou falta de mobilidade em alguma dessas áreas? Se a resposta é sim, é hora de começar a hackear antes que elas voltem com força total.
- Se você tem dor crônica em uma parte do corpo que nunca se machucou, pode ser resultado de algum trauma emocional não resolvido. Reveja as leis deste livro sobre cura de trauma para orientação.

Áudios recomendados

- Matt Cook, "Everything There Is to Know About Stem Cells", *Bulletproof Radio*, episódio 512.
- "The Healing Power of Stem Cells" com o dr. Harry Adelson, *Bulletproof Radio*, episódio 332.
- Harry Adelson, "The Real Deal on Stem Cell Therapy for Pain Conditions", *Bulletproof Radio*, episódio 412.
- Amy Killen, "Treating & Curing Erectile Disfunction with Stem Cell Therapy", *Bulletproof Radio*, episódio 407.

PARTE III

MAIS FELIZ

11

FICAR RICO NÃO VAI DEIXÁ-LO FELIZ, MAS SER FELIZ PODE DEIXÁ-LO RICO

Um dos fatos mais reveladores nos dados que recolhi com pessoas de alto desempenho é que ninguém – nem empreendedores incrivelmente bem-sucedidos e ricos nem professores universitários – mencionou o dinheiro como uma de suas três principais prioridades. Dinheiro simplesmente não é o que motiva ou recompensa esse grupo de pessoas de alto impacto. Embora muitos deles tenham acumulado grande riqueza, ela foi um efeito colateral de perseguir suas paixões e transcender suas mentes primitivas. Na verdade, ao dominar os instintos básicos e encontrar a felicidade duradoura, você libera quantidades enormes de energia que pode usar para se tornar mais bem-sucedido e rico.

Essa é uma lição que levei anos para aprender. Quando garoto, eu tinha um pôster pendurado no meu quarto que dizia: "Os negócios são um jogo e você anota o placar com dinheiro." Eu me envergonho ao pensar nisso agora, sabendo que os negócios não são um jogo; são uma habilidade e uma arte, e você mede seu desempenho pelo impacto que causa. Sua equipe confia em seu negócio para sua sobrevivência, seu sustento, e para sustentar suas famílias, e seus clientes confiam em você por fazer o que diz cumprir o que se propõe a fazer e por fornecer mais valor do que custa seu serviço. Se acha que isso é um jogo, você certamente vai perder.

Passei anos correndo atrás de dinheiro, e quanto mais corria, menos feliz me sentia. Ganhar dinheiro não me deixou feliz, porque dinheiro não faz isso. Depois de alguma reflexão, percebi que minhas necessidades básicas estavam satisfeitas e eu estava vivendo suficientemente bem, então me concentrei em ajudar outras pessoas porque isso me fazia feliz. Você não pode precificar o que sente quando uma pessoa lhe olha nos olhos e lhe agradece com sinceridade por tornar sua vida melhor. As recompensas financeiras vieram em seguida. E algumas pessoas bem mais ricas do que eu também não priorizam o dinheiro. Elas sabem que o dinheiro vem da felicidade, não o contrário. Claro, você pode ganhar dinheiro – e muito – tirando dos outros ou fazendo coisas que odeia. Mas quando você tem o suficiente para comer, isso não compensa.

Lei n° 32: Você não pode botar um preço na felicidade

Ao ter suas necessidades básicas satisfeitas, concentre sua energia em fazer coisas grandes que sejam profundamente importantes para você. Ganhar dinheiro além dos limites da segurança financeira básica não aumenta substancialmente a felicidade ou a alegria. Então arregace as mangas e faça o que for necessário para garantir o básico, e em seguida tente algo maior.

Se há uma pessoa que sabe o que a deixa feliz e o que não deixa é Genpo Roshi, um sacerdote zen e professor das escolas de zen budismo Soto e Rinzai. Desde seu despertar espiritual mais de 45 anos atrás, ele dedica a vida a ajudar as pessoas a tomarem consciência da verdadeira natureza e a aprofundar sua jornada. Genpo diz que existe um estado de felicidade autossustentável que não depende das condições. Nesse estado, a felicidade é sua fundação básica.

Felicidade condicional, por outro lado, depende de um fator externo. Essa é a mentalidade "Serei feliz quando...". *Serei feliz quando conhecer a pessoa certa. Serei feliz quando conseguir um aumento ou uma promoção.* Eu persegui essa forma de felicidade durante anos. Quando ganhei 6 milhões de dólares aos 26 anos, fico constrangido de admitir o que de fato disse a um amigo que também havia encontrado a fortuna repentina:

– Serei feliz quando tiver dez milhões.

Ao perder tudo dois anos depois, meus níveis de estresse aumentaram, obviamente, mas minha felicidade (ou falta dela) não mudou.

Quando estamos nesse estado de busca, às vezes chamado de estado mental de escassez, nunca somos realmente felizes porque nos concentramos no que não temos. A felicidade é sempre uma cenoura pendurada à sua frente. Para ser sustentavelmente feliz, você precisa estar satisfeito com o que tem agora. Genpo diz que, quando percebeu que tinha dinheiro suficiente, parou de buscar. Ele não estava rico, mas tinha o suficiente.

Ao parar de buscar e passar a simplesmente permitir, ele se tornou mais feliz e capaz de realizar mais do que nunca. Genpo diz que encontrar a felicidade sustentável é possível apenas quando alguns padrões são alcançados, incluindo liberdade mental e física. Isso significa ter dinheiro suficiente para se sentir seguro em vez de estar constantemente estressado com as finanças. É difícil ser feliz quando seu corpo está no modo pânico, concentrado apenas em sobreviver.

Entretanto, não é impossível. Depois de terminar a escola de administração, passei algum tempo no Camboja, onde a renda média era de cerca de um dólar por dia e a população estava traumatizada pela guerra. Era comum ver pessoas sem membros, vítimas de explosões de minas terrestres. Embora muitos ali geralmente não soubessem de onde viria sua próxima refeição, fiquei mortificado com a felicidade que vi em seus olhos. Frequentemente, eles eram mais felizes do que eu. A felicidade podia vir de sua comunidade, de suas famílias ou talvez de seu sistema de crenças, mas sem dúvida não vinha do dinheiro. Nenhuma de minhas experiências anteriores tinha me preparado para ir àquela região assolada pela guerra e ver tamanha felicidade e vitalidade.

No Ocidente, entretanto, pesquisas descobriram que há uma renda mínima que produz felicidade. Um estudo de 2010 da Universidade de Princeton determinou que são 75 mil dólares ao ano. O estudo revelou que esse salário é o valor com o qual as pessoas podem mais facilmente se sentir sustentavelmente felizes e satisfeitas com a direção que suas vidas estão tomando.[1] (O número pode ser um pouco maior ou menor, dependendo de onde você vive, e a inflação pode ter aumentado um pouco esse número, mas é um bom ponto de partida para pensar como o foco de sua segurança financeira.) Pessoas que não chegaram a esse valor não eram necessariamente mais tristes, mas eram mais estressadas e esgotadas por se preocuparem com necessidades básicas do que suas contrapartidas de ganho mais alto. (Você encontra esse tema ao longo de todo este livro: estresse contínuo e incômodo de *qualquer* fonte consomem sua energia para virar o jogo.) Mas a coisa mais interessante sobre esse estudo era que, não importava o quanto as pessoas ganhavam além dos 75 mil dólares, seus níveis de felicidade se estabilizavam depois que suas necessidades básicas eram atendidas. Alguns estudos apontam um número mínimo mais alto, mas todos mostram que acrescentar renda além de certo nível não aumenta a felicidade de forma significativa.

Nem todos os convidados de meu podcast são bem-sucedidos financeiramente, mas todos alcançaram um nível de destaque em sua área, e a grande maioria deles tem muito mais satisfação com o trabalho do que com as recompensas financeiras que ele proporciona. Vários mencionaram outro ponto que a maioria das pessoas não alcança nunca, mas com o qual muitos sonham: tornar-se milionário. Há cerca de onze milhões de milionários nos Estados Unidos atualmente (sem contar os proprietários de bitcoins). Isso é dinheiro suficiente para garantir que suas necessidades básicas serão atendidas por *toda a sua vida*, se você administrar bem o dinheiro.

Muitos dos milionários com quem conversei mencionaram a liberdade pessoal que o fato de chegar a esse ponto proporciona e alertaram contra o desejo empreendedor de arriscar perder tudo. Ouvi isso pela primeira vez de John Bowen, que ajuda famílias incrivelmente ricas a gerenciar seu dinheiro. Ele diz que, se algum dia você tiver juntado um pé-de-meia (também conhecido como "capital de fracasso", ou "dinheiro do foda-se"), nunca o arrisque. Se está lendo este livro, pode ser o tipo de pessoa inclinada a pôr tudo em jogo para correr atrás de suas paixões. Eu também sou assim, bem como a maioria dos empreendedores que conheço. Foi esse instinto que me fez perder a incrível fortuna inesperada que ganhei quando jovem. Quando se é apaixonado pelo que faz e se sente confortável com o risco, é muito fácil pôr tudo em jogo. Mas as pessoas mais ricas e bem-sucedidas que conheço mandam combater esse instinto e proteger suas economias com afinco. Se alguém tivesse me ensinado isso antes!

Conversei com Shazi Visram, fundadora e CEO da Happy Family, uma empresa de alimentos orgânicos para bebês que ela abriu e posteriormente vendeu por, segundo informações, 250 milhões de dólares. Era dinheiro suficiente para ela se aposentar e manter um estilo de vida luxuoso. Apesar disso, ela diz que, quando ganhou esse dinheiro, não ganhou o direito de ser feliz para sempre. O que ela ganhou foi a capacidade de parar de se preocupar com dinheiro para sempre (a menos que o perdesse). Filha de imigrantes, Shazi cresceu em um quarto de motel no Alabama pelos seus primeiros sete anos de vida, então conquistar a capacidade de nunca ter que se preocupar com dinheiro outra vez foi algo muito importante. Ela diz que imigrantes e filhos de imigrantes nunca se esquecem de como é sentir fome. Isso fica gravado no DNA.

O medo de não ter o suficiente quando ela na verdade tinha o suficiente foi o que levou Shazi a proteger seu pé-de-meia a todo custo. Mas além do medo à espreita, ela é uma pessoa batalhadora e ambiciosa que acredita na magia de criar as próprias oportunidades. Seu desejo de assumir alguns riscos e tentar dobrar, triplicar ou quadruplicar suas economias muitas vezes ameaçou sua essência. Depois de provar o sucesso, é difícil não querer cada vez mais. E provavelmente terá cada vez mais, mas esse não é o objetivo final. Shazi aconselha a investir o tempo em melhorar seu jogo. Faça com que seja uma questão de acumular alegria, e não apenas sucessos na forma de elogios ou dinheiro.

Ela também aconselha a alavancar seus recursos não financeiros depois de um grande ganho. Para ela, isso significa investir tempo, energia, criatividade e habilidade para lidar com desafios difíceis nos negócios em que acredita em vez de arriscar uma porção grande demais de seu valor líquido na compra de ações. (Estou muito honrado por minha empresa ser uma daquelas em que ela acredita.) Shazi recomenda preservar seus recursos financeiros com disciplina e apoio. Invista com sabedoria e respeite as regras. Encontre uma assessoria financeira confiável que entenda o espírito de seu dinheiro e o ajude a definir a liquidez que você tem para assumir riscos em investimentos e novos empreendimentos. Ela pode ser zero, e isso não é um problema. Você provavelmente não é a melhor pessoa para determinar como alocar seus recursos – mesmo modestos – porque está perto demais deles.

Além disso, ela recomenda que você tome cuidado para não se viciar em negócios, porque às vezes a emoção do negócio, o charme do empreendedor ou a empolgação da missão atrapalham seu julgamento. O mesmo vale para a negociação diária de opções de ações ou a compra daquela nova moeda virtual sobre a qual você leu na internet. Se está em busca de aventuras e atividades emocionantes, procure em outro lugar (como, por exemplo, experimentar kite surf) até você ter realmente dinheiro para ligar o f*da--se, coisa que Shazi e eu esperamos de verdade que você consiga um dia.

Mas lembre-se de que o verdadeiro sucesso é a alegria que você tira da vida. O dinheiro pode ajudar, mas não é o único nem mesmo o principal caminho para a felicidade. Pense nele como um carro um pouco melhor com um toque mais suave e um bom sistema de som. É bom andar nele, mas qualquer outro carro decente que funcione também vai levá-lo a seu destino.

Coincidentemente, uma de minhas histórias favoritas sobre o poder (ou a falta dele) do dinheiro é sobre carros, e ela vem de meu bom amigo, o lendário guru do marketing Jay Abraham, que aumentou significativamente os lucros de mais de dez mil clientes pelo mundo. Jay estudou e solucionou praticamente todo tipo de questão, desafio e oportunidade envolvendo negócios. Eu o chamo quando estou com problemas. Ele tem uma habilidade inacreditável para enxergar recursos ocultos, oportunidades negligenciadas e possibilidades subvalorizadas.

Jay começou aos dezoito anos, com três empregos ao mesmo tempo, e sempre estava inseguro e se considerava pouco merecedor; sentia a necessidade de ter bens materiais para provar seu valor. Ganhou o equivalente a 35 milhões de dólares aos 26 anos, o que na verdade ele não recomenda, a menos que você seja excepcionalmente maduro, bem embasado e extremamente focado em fazer uma diferença a longo prazo. Para Jay, isso o levou a três crises de meia-idade. Ele sempre se perguntava: "Isso é tudo?" O dinheiro não o estava fazendo feliz. Em outras palavras, ele ainda estava à procura.

Quando Jay começou a ganhar muito dinheiro, a primeira coisa que fez foi sair e fazer um leasing de um Mercedes-Benz top de linha, algo que sempre quisera. Então foi até a casa de um colega de um antigo emprego de baixo salário, estacionou seu novo Mercedes magnífico em frente e saltou com seu 1,70 metro de altura para exibir a nova ostentação material de seu sucesso. Seu amigo abriu a porta de casa, olhou para ele, olhou para o Mercedes grande e caro em frente, olhou para Jay novamente e disse:

– Engraçado, você não parece nem um pouco mais alto!

Jay diz que devia ter aprendido com isso, mas como vinha de origem humilde, ansiava por reconhecimento externo por parte do mundo. Então, toda vez que ficava estressado, saía e comprava um carro luxuoso absurdamente sem sentido. O engraçado é que ele aproveitava de talvez uma ou duas semanas de alegria por possuí-lo, depois raramente o dirigia, até finalmente perceber que o carro não podia lhe dar a certeza interna, a confiança, o propósito, a paixão ou o conforto terapêutico que ele desejava. Então o vendia rapidamente por um preço muito mais barato do que o comprou. Por fim, percebeu que o maior prazer que a maioria das pessoas obtém por possuir carros exóticos e outros brinquedos vistosos é a emoção indireta que eles provocam nos outros pelos momentos fugazes em que se passa por eles.

Jay tentou de tudo para ser mais feliz. Ia ao terapeuta durante os 55 minutos habituais, mas sempre sentia que seu tempo acabava quando estava chegando às coisas boas. Então pagou ao terapeuta para trabalhar com ele várias horas de cada vez, durante uma semana inteira. Isso custou muito dinheiro, mas ele obteve compreensões profundas que mudaram toda a sua perspectiva de vida e dos negócios.

O terapeuta lhe disse que a maioria dos empreendedores está focada em obter um produto final: uma empresa de crescimento mais rápido, uma casa maior, um número maior de bens, uma esposa mais bonita, o que for. Entretanto, se você tiver o azar de conquistar qualquer uma ou todas essas coisas apenas em nome da conquista, vai perceber que é algo anticlimático: os céus não se abrem, os anjos não cantam, alegria e felicidade puras não cairão sobre você automaticamente. Na verdade, seus problemas, desafios e estresse apenas se multiplicam. A verdadeira emoção nos negócios e na vida é o processo, a qualidade de interações e relacionamentos, o valor com o qual você contribui com os outros. A lição foi simples, embora profunda: o sucesso que você acha que vai impulsionar seu barco (ou, quem sabe, um iate) apenas abrirá buracos no casco se a jornada não for significativa e prazerosa.

Não há problema em querer ser rico. Apenas assegure-se de que sua felicidade não está ligada ao seu dinheiro.

Itens de ação
- Se suas necessidades básicas estão preenchidas, pare de querer mais. O dinheiro não vai fazê-lo feliz. Qual a renda anual da qual você realmente *precisa* para atender às suas necessidades? _____
- O que você faria se amanhã ganhasse o dobro dessa quantia? _____
- Essa é uma boa dica do que faz você feliz. Comece a fazer mais disso agora!
- Se teve sorte o suficiente para fazer um pé-de-meia, proteja-o com afinco. Consiga ajuda para administrá-lo com cuidado e concentre-se em alavancar seus recursos não financeiros para receber dividendos em alegria, não apenas em dinheiro.
- Concentre-se na viagem, não no destino. Se você não se divertir no caminho, também não estará feliz ao chegar no ponto final.

Áudios recomendados
- Genpo Roshi, "Learn to Meditate from a Zen Buddhist Priest", *Bulletproof Radio*, episódio 425.
- Jay Abraham, "Biohacking Secrets for Success from the Greatest Executive Coach & Marketing Strategist in the World", *Bulletproof Radio*, episódio 396.
- A série de entrevistas de Jay Abraham comigo em The Abraham Group, www.abraham.com.

Leituras recomendadas
- Dennis Genpo Merzel, *Big Mind Big Heart: Finding Your Way.*
- Jay Abraham, *Getting Everything You Can Out of All You've Got: 21 Ways You Can Out-Think, Out-Perform, and Out-Earn the Competition.*

Lei nº 33: A riqueza é um sintoma da felicidade

Pessoas felizes são engajadas, produtivas e bem-sucedidas. Você precisa se concentrar no que lhe faz feliz hoje pois ser feliz libera um novo nível de potencial em tudo o que você faz. A felicidade torna muito mais fácil mudar sua situação, sua vizinhança ou talvez o mundo todo.

Pessoas mais felizes são mais bem-sucedidas que pessoas menos felizes. Isso pode parecer um exagero, mas não é. Especificamente, pessoas felizes têm em média 31% a mais de produtividade que seus pares infelizes, suas vendas são 37% maiores e sua criatividade é três vezes mais alta.[2] Pesquisadores atribuem essas diferenças ao poder do pensamento positivo. Pessoas felizes pensam mais positivamente, e essa perspectiva de "poder fazer" leva a um sucesso maior.

Mas a felicidade não está ligada apenas ao sucesso pessoal. Pessoas felizes também ganham mais dinheiro tanto para si quanto para seus empregados. Um estudo feito pelo Gallup Healthways mostrou que funcionários com baixa satisfação de vida faltam ao trabalho uma média de 1,25 dia a mais por mês que seus colegas felizes. Isso resulta em uma perda de quinze dias por ano.[3] Além disso, pesquisadores do Gallup descobriram que lojas de varejo com pontuação mais alta na satisfação de vida dos funcionários geravam 21 dólares a mais em ganhos por 0,092 m² de espaço que outras lojas, acrescentando 32 milhões de dólares em lucros adicionais para toda a cadeia.

Talvez ninguém entenda mais sobre a conexão entre felicidade e produtividade do que Vishen Lakhiani, cuja empresa, a Mindvalley, foi certificada como um dos melhores locais de trabalho pelo instituto Great Place to Work. Vishen diz que a felicidade é o combustível que o leva mais rápido até sua visão. A maioria das pessoas perde esse combustível porque acredita que será feliz *depois* de alcançar sua visão. Elas ficam estressadas e infelizes pois não desconectaram sua felicidade de sua visão. Estão esperando chegar a um destino. Como Genpo diria, estão à procura. Mas quando você percebe que pode encontrar felicidade ao longo da jornada, tudo muda.

Em seu livro *O código da mente extraordinária: 10 leis para ser feliz e bem-sucedido fazendo o que você acredita*, Vishen fala sobre seu conceito de "disciplina do contentamento". Ele formulou uma metodologia diária para hackear seus níveis de felicidade e transformá-la em combustível de foguete para levá-lo até sua visão mais depressa. Isso envolve mudar a maneira como determina objetivos a si mesmo. Vishen explica que há dois tipos de objetivos: objetivos meio e objetivos fim. Por exemplo, querer obter um diploma universitário, arranjar um emprego, casar e ter um milhão de dólares em sua conta bancária são objetivos meio. Eles não tratam de sua felicidade, pois são todos meios para se chegar a outra coisa. Você quer um diploma universitário para poder fazer outra coisa (por exemplo, arranjar um emprego e ganhar dinheiro). Você quer um milhão de dólares para poder ser outra coisa (um milionário que todo mundo respeita). Você quer se casar para poder sentir outra coisa (conectado e apoiado em vez de solitário ou com medo).

A "outra coisa" é o objetivo fim. Esses objetivos são tipicamente orientados para os sentimentos, como, por exemplo, eu quero viajar pelo mundo, quero acordar todos os dias ao lado do amor da minha vida ou quero experimentar a alegria (e a frustração) de criar um filho. Quando Vishen criou sua empresa, ele o fez com um objetivo fim em mente: "Quero montar uma empresa para aprender a funcionar em equipe, desenvolver minhas habilidades de liderança e ter a emoção de construir algo único." Esse foco trouxe verdadeira felicidade a Vishen e ao resto de sua equipe.

Ele afirma que objetivos fim se classificam em três categorias diferentes: coisas que você quer experimentar, formas como quer crescer como ser humano e maneiras pelas quais quer contribuir ou deixar sua marca no mundo. Quando está determinando objetivos práticos para si mesmo, diz Vishen, é importante ter tempo para considerar esses objetivos fim.

Ao fazer isso, você para de almejar o milhão de dólares, embora possa alcançá-lo mesmo assim. Porque Vishen acredita que se concentrar em objetivos fim leva ao rendimento criativo que vai ajudá-lo a se tornar bem-sucedido. E quando planeja desse jeito, pode evitar a armadilha na qual tantos milionários caem: ter dinheiro no banco mas odiar suas vidas. Essas pessoas cometem o erro de se concentrar nos objetivos meio e sacrificar os objetivos fim.

Quando Vishen reavaliou sua lista de objetivos, decidiu abrir mão completamente de uma de suas empresas porque ela estava o deixando infeliz. Vendeu todas as suas ações, teve uma perda e escapou. Assim que fez isso, sentiu-se mais alegre instantaneamente. Em seguida, decidiu começar seu próprio festival, que se tornou o Awesomeness Fest [em tradução livre, festival da grandiosidade] e agora se chama A-Fest. Quando teve a ideia, Vishen sabia que não havia sentido comercial em organizar um festival, mas sentiu-se compelido a fazê-lo. Ele estava alinhado com seus objetivos fim. Hoje em dia, o A-Fest é um de seus maiores legados. Todo ano, milhares de pessoas se inscrevem para se juntar a ele em um belo local e aprender com professores incríveis. Isso nunca foi parte de seu plano, mas ao criar sua lista de objetivos fim, ele encontrou um caminho para o sucesso e a felicidade.

Itens de ação

- Estabeleça novos objetivos meio fazendo a si mesmo estas perguntas para determinar seus objetivos fim:
  - O que quero experimentar?
  - Como quero crescer?
  - Como quero contribuir para o mundo a minha volta?

Áudio recomendado

- Vishen Lakhiani, "10 Laws & Four-Letter Words", *Bulletproof Radio*, episódio 309.

Leitura recomendada

- Vishen Lakhiani, *O código da mente extraordinária: 10 leis para ser feliz e bem-sucedido fazendo o que você acredita*.

Lei nº 34: Quanto menos você tem, mais você ganha

Alguns de seus pertences são necessários e valiosos, mas a sociedade o programa para acreditar que objetos o fazem feliz. O oposto é verdadeiro: quando você se livra das coisas que não agregam nenhum valor e abre espaço em sua vida para as coisas que agregam, você fica mais feliz e satisfeito.

Joshua Fields Millburn é um minimalista que ajudou mais de vinte milhões de pessoas a reduzir gradualmente as coisas em suas vidas através de um podcast, um site, livros e um documentário. Mas, vários anos atrás, ele vivia uma vida muito diferente. Ele diz que era bem-sucedido em um sentido estreito. Mas estava fora de forma e acima do peso, seus relacionamentos estavam em ruínas e ele não se sentia criativo nem apaixonado pelo que fazia, embora tivesse uma carreira financeiramente próspera.

Joshua sentia que não estava crescendo nem contribuindo para o mundo ao seu redor, dois objetivos fim importantes de Vishen. Em vez disso, estava concentrado nos chamados sucesso e conquistas, e em nossa cultura isso significa o acúmulo do que ele chama de "troféus de sucesso": bens. Estava morando em uma casa grande com mais banheiros que pessoas para usá-los e mais TVs que pessoas para assisti-las. Ele tinha inúmeros carros de luxo, armários cheios de roupas caras e um porão cheio, repleto de coisas que ele achava que deviam fazê-lo feliz. Mas, em vez de se sentir bem-sucedido, ele estava insatisfeito, ansioso e devastado. Ganhava um bom salário, mas estava gastando ainda mais dinheiro, e antes que pudesse perceber, contraíra dívidas na casa dos seis dígitos e se sentia aprisionado sob seu peso.

Então, em um mês, a mãe de Joshua morreu e seu casamento acabou. Esses dois acontecimentos o forçaram a olhar ao redor e fazer um inventário de sua vida, e ele se deparou com a ideia do minimalismo. Perguntou a si mesmo: "Como minha vida poderia ser melhor com menos?" A resposta foi que ele podia melhorar a saúde, pois teria mais tempo para se concentrar em cuidar de si mesmo. Poderia investir tempo em seus relacionamentos e finalmente abrir espaço para trabalhar em um projeto de paixão. Ele percebeu que estava usando seus bens como barreiras para protegê-lo de ser vulnerável e assumir riscos.

Joshua começou a olhar para seus pertences e reduzir o máximo que podia. Ele diz que, depois disso, obteve mais valor das coisas que possuía. Atualmente, ele às vezes testa suas escolhas se privando esporadicamente de algo para ver se aquilo realmente acrescenta valor à sua vida. Por exemplo, ele pode viver sem celular durante um mês ou ficar sem internet em casa. Quando traz esses pequenos luxos de volta para sua vida, ele o faz de um jeito muito mais deliberado e os utiliza de maneira intencional. Ele vê como eles podem aprimorar sua vida enquanto permanece consciente das maneiras pelas quais desperdiçam tempo e energia preciosos.

Basicamente, essa abordagem minimalista permitiu que Joshua abrisse espaço para as coisas mais importantes da vida, que, é claro, não são *coisas*. Para abrir espaço, Joshua recomenda começar com o objetivo simples de se livrar de um item por dia durante trinta dias. Você provavelmente vai se livrar de mais de trinta itens, porque quando começa a revistar seus armários e gavetas, ganha impulso.

Se quiser reforçar um pouco o processo, acrescente alguma contabilidade e competição amigável. Para isso, junte-se a um amigo ou membro da família no início do mês. Faça uma aposta. Pode ser um dólar, uma refeição ou o que você quiser. (Tente não tornar isso algo material.) No primeiro dia do mês, os dois precisam se livrar de um item. No segundo dia, os dois precisam se livrar de dois itens. E assim por diante. O início é fácil, mas no meio do mês fica bem difícil. Quem chegar mais longe ganha a aposta. Se os dois chegarem ao fim do mês, cada um terá se livrado de quase quinhentos itens, então, na verdade, ambos saem ganhando.

Ao decidir o que guardar e do que se livrar, pergunte a si mesmo se você realmente precisa de cada pertence. Ele é essencial? Ele aumenta sua experiência de vida ou é uma chupeta que você usa para se acalmar ou preencher uma necessidade emocional?

Como Vishen, Josh alerta sobre ver "coisas" como um objetivo fim. Se trabalha apenas para ganhar dinheiro para comprar coisas, você não vai se sentir preenchido a longo prazo. Com grande frequência as coisas acabam sendo a questão até você perceber, como Joshua, que elas na verdade não o fazem feliz.

Mas ser feliz é o objetivo fim correto? Joshua acha que não. Ele acredita que a busca pela felicidade em nossa sociedade é um problema, porque ela nos leva a buscar as coisas erradas. Nós confundimos o prazer efêmero com a felicidade ou o contentamento a longo prazo. Para ele, a questão é viver uma vida mais significativa, alinhando suas ações de curto-prazo (o trabalho que você faz, as formas como contribui e as pessoas com as quais passa seu tempo) com seus valores de longo prazo. Se conseguir fazer isso, a felicidade é apenas um ótimo subproduto.

Depois que conversei com Joshua, procurei James Altucher, um milionário que se fez sozinho, empreendedor em série e autor de sucesso. Ele levou o minimalismo ao próximo estágio: cerca de três anos atrás, deu praticamente todos os seus bens terrenos e decidiu viver a vida de um nômade sem nenhum lugar para chamar de casa.

Cerca de um ano antes de nossa conversa, James estava viajando e tinha dois apartamentos alugados com contratos a expirar. Um ficava na cidade onde ele trabalhava e outro na cidade onde seus filhos viviam. Enquanto estava fora, ele pediu a um amigo que fosse aos dois apartamentos e vendesse, pegasse, doasse ou jogasse fora tudo o que havia lá. Ele nunca mais queria voltar a esses imóveis e ter de lidar com o cansaço de tentar descobrir, mais uma vez, como administrar todos seus objetos e pertences.

Na verdade, ele não estava levando um estilo de vida maximalista antes disso, entretanto tinha acumulado milhares de bens. Quando seu amigo lhe enviou fotos de cem sacos de lixo cheios de coisas, James ficou chocado. Decidiu não passar novamente pelo processo de alugar e acumular coisas e, em vez disso, tornou-se nômade. Para experimentar outros estilos de vida e variar o seu próprio, ele alugava espaços no Airbnb e ficava o tempo que queria em cada um deles.

Esse estilo de vida não apenas liberou James das amarras do aluguel de um apartamento, mas também o ajudou a não ter mais que tomar milhares de decisões sobre como manter e atualizar uma casa com todos os seus pertences. Ele queria passar um percentual maior de seu dia fazendo escolhas sobre o que realmente gostaria de fazer em vez do que tinha de fazer, e reduzir dramaticamente seus pertences permitiu que fizesse isso.

A maior parte das pessoas descobre o "fardo da administração" oculto de possuir objetos quando compra uma casa pela primeira vez. A quantidade de energia que você gasta consertando, decorando e limpando coisas é difícil de imaginar, até que se comece a fazer. E se você gastasse essa energia em se aperfeiçoar em vez de aperfeiçoar sua casa?

James mantinha duas bolsas, uma contendo três mudas de roupa e a outra contendo um computador, um tablet e um telefone. Ele usa outros itens, mas não os possui. Em vez de economia do compartilhamento, James chama isso de economia de acesso. Ele é inscrito em uma academia para ter acesso aos itens de que precisa para se exercitar e tem um cartão de biblioteca para acessar os livros que deseja ler. Ele prioriza o acesso a tudo de que precisa para ganhar a vida e ser produtivo. Ele pode pegar um Uber por dez dólares em vez de gastar dezenas de milhares de dólares em um carro próprio. Pode ficar em um apartamento em Nova York por trezentos dólares a diária em vez de gastar dois milhões para ter o próprio apartamento.

James diz que isso não é minimalismo, é *escolhismo*. Ele eliminou de sua vida tantas decisões difíceis quanto foram possíveis. Isso liberou energia para que ele se concentrasse em coisas que ama fazer. Nem sempre é possível fazer isso, mas se continuar buscando, se concentrar em seus objetivos fim e se soltar de suas âncoras, você poderá melhorar drasticamente suas chances de se concentrar nas coisas que ama fazer.

Cerca de um ano depois da minha entrevista com ele, James encerrou sua vida nômade, mas ele ainda pratica a arte de possuir menos.

Itens de ação
- Estabeleça o compromisso de se livrar de pelo menos um item por dia pelos próximos trinta dias.
- Quando estiver mexendo nos itens, pergunte a si mesmo: "Isso agrega valor à minha vida?".
- Explore o escolhismo eliminando itens e responsabilidades que o forcem a tomar decisões constantemente.

Áudios recomendados
- "Minimalism: Living a Richer Life with Less" com "o Minimalista", *Bulletproof Radio*, episódio 372.
- "How Giving Away All His Possessions & Living Like a Nomad Made Millionaire James Altucher Happier & More Successful", *Bulletproof Radio*, episódio 405.

Leituras recomendadas
- Joshua Fields Millburn e Ryan Nicodemus, *Minimalism: Live a Meaningful Life*.
- James Altucher e Claudia Azula Altucher, *The Power of No: Because One Little Word Can Bring Health, Abundance and Happiness*.

SUA COMUNIDADE É SEU AMBIENTE

Você já notou como trocar ideias em voz alta com um amigo leva a resultados mais criativos do que quando você faz isso sozinho, ou como passar tempo com a pessoa certa lança uma nova luz sobre qualquer obstáculo com o qual você esteja lidando no momento? Ou talvez tenha simplesmente percebido que fica mais feliz quando sabe que pode contar com os mesmos rostos amigos em seu jogo de pôquer semanal, na aula de ioga ou mesmo em uma happy hour.

Se algum desses exemplos faz sentido, você conhece em primeira mão o poder da comunidade. Assim como as pessoas que viram o jogo: ser parte de uma comunidade foi o segundo conselho mais popular. Um número impressionante dos inovadores que entrevistei elogiou o poder da comunidade para melhorar o desempenho, aumentar o sucesso e cultivar felicidade. Eles veem relacionamentos de alta qualidade como elemento fundamental de uma boa qualidade de vida. As pessoas que fazem diferença neste mundo priorizam as conexões.

Claro, nem todas as conexões são criadas da mesma maneira. As erradas podem gerar muito estresse e prejudicar seu desempenho, ou se transformarem em um peso que o prende no *status quo*. Mas quando encontra os amigos, relacionamentos e comunidades certos, eles podem trazer felicidade, aumentar o crescimento, promover segurança, oferecer compreensões e apoio e desafiá-lo a mudar seu jogo.

Eu queria que alguém tivesse me dado esse conselho no início de minha carreira. Desperdicei muito tempo tentando ser bem-sucedido através de independência ferrenha em vez de reconhecer o poder da conexão. A verdade é que ninguém pode virar o jogo sozinho. Não é preciso apenas uma aldeia, é preciso a aldeia certa. Construa a sua com propósito.

Lei nº 35: Entre em uma onda com uma ajudinha dos amigos

A interação social tem impacto sobre a química de seu cérebro para o bem ou para o mal. Procure uma comunidade forte que o inspire e colha os benefícios em todas as áreas de sua vida.

Pesquisas recentes mostram que os benefícios de conexão e comunidade são mais que apenas relatos ou experiências: são neurológicos. O tipo certo de conexão humana ajuda seu cérebro a se tornar mais forte. Como alguém que cresceu um pouco desconfortável socialmente e com tendência à introversão, eu queria aprender mais sobre os benefícios cognitivos da conexão social. Então procurei o dr. Paul Zak. Ele é um cientista, autor prolífico e palestrante cuja pesquisa sobre oxitocina e relacionamentos lhe valeu o apelido de "Dr. Amor". Seu trabalho atual aplica neurociência para melhorar o marketing e as experiências de consumo. Por isso, ele chama a si mesmo de "neuroeconomista", título que poucas pessoas no mundo têm.

Conheci o dr. Zak em um "jantar de influenciadores" oferecido por Jon Levy. Os jantares de Jon receberam grande atenção da mídia porque ele insiste que todos os convidados não revelem seu nome nem sua profissão até depois de terem preparado uma refeição juntos. Em vez de apertar minha mão, o dr. Zak me abraçou. Era assim que ele cumprimentava todo mundo. Nem pareceu (muito) estranho.

Décadas atrás, ele estudava economia e biologia e investigava o impacto que a confiança tem sobre as decisões econômicas internacionais, quando a lendária antropóloga Helen Fisher lhe perguntou:

— Você já ouviu falar em oxitocina?

Essa pergunta mudou o rumo de sua carreira. Ele se deu conta de que tinha encontrado um mecanismo biológico que influenciava não apenas o comportamento e a tomada de decisões individuais, mas também o processo de criação de políticas internacionais.

Ao interagir com outra pessoa que você considera de confiança, seu cérebro envia um sinal hormonal avisando que o relacionamento é seguro, e, portanto, deveria avançar com ele. Esse hormônio é a oxitocina. Quando recebe uma dose de oxitocina, você fica motivado a continuar interagindo com o outro, porque isso faz com que se sinta bem. Ela funciona contra nosso sistema de medo embutido, que o alerta a ser cauteloso e se esconder ou fugir de estranhos.

Entender a oxitocina é importante porque muitas coisas boas podem vir da interação com outros humanos. Todo mundo, de início, é um estranho para todo mundo. Mas a outra pessoa pode se tornar um amigo, um colaborador profissional ou até um parceiro para toda a vida. Se você busca uma conexão ou não, isso é determinado em grande parte pela resposta química de seu corpo ao indivíduo.

A oxitocina também amplifica a empatia, que é um componente fundamental de qualquer conexão humana autêntica. A empatia permite que você imagine a dor da outra pessoa. Quando sente empatia por alguém, você é motivado a tratá-lo melhor porque consegue se colocar emocionalmente em seu lugar. Uma nova pesquisa mostra que apenas 10% da empatia é inato. Os outros 90% são uma habilidade que se pode aprender.[1] Estudos também revelam que a oxitocina tem grande implicação com o sistema de neurônios-espelho,[2] o que faz todo o sentido, já que neurônios-espelho são acionados quando você age e quando observa outra pessoa completando a mesma ação, como se você mesmo a estivesse fazendo.

O dr. Zak fez centenas de experimentos medindo os níveis de oxitocina no tecido e no sangue de pacientes e manipulando-os usando injeções de oxitocina ou um spray nasal, e conseguiu observar que um aumento desse hormônio torna as pessoas mais generosas, mais seguras e menos desconfiadas. Isso também as torna melhores para ler sinais sociais. Quando estimulada, a produção de oxitocina pelo cérebro permanece ativa por cerca de vinte minutos. Durante esse tempo, a distância entre você e os outros diminui. Seu ego recua e enxerga mais semelhanças que diferenças entre você e os outros humanos.

Qualquer tipo de interação humana aumenta seu nível de oxitocina, mas algumas são mais eficazes do que outras. Comunicação cara a cara estimula a maior liberação de oxitocina. Videoconferências vêm em segundo lugar, em seguida falar ao telefone, depois mensagens de texto e, finalmente, publicações em redes sociais. A empatia, na verdade, está diminuindo nas gerações mais jovens devido à sua confiança na tecnologia para se conectar com amigos e colegas.[3] Eu posso ser um cara da área tecnológica, mas ainda valorizo interações cara a cara, e você deveria fazer o mesmo.

Outro grande benefício da oxitocina é que ela reduz sua resposta ao estresse e aumenta bastante a sua felicidade. E a interação social é um jeito incrivelmente simples de obter uma dose de oxitocina. O dr. Zak sugere que, da próxima vez em que estiver estressado, isolado ou deprimido, vire-se para alguém de quem gosta e diga: "Estou tendo um dia ruim; um pouco de amor cairia bem agora." Esse é um jeito poderoso de priorizar sua própria felicidade e a saúde de seus relacionamentos.

Eu usei esse conselho de muitas maneiras benéficas. Seguidores do Bulletproof estavam obtendo alguns benefícios com a oxitocina quando interagiam em meus fóruns on-line, mas criei reuniões presenciais para que tivessem lugares para se encontrar pessoalmente, construir uma comunidade e aumentar ainda mais seus níveis de oxitocina. Essa também foi uma das formas motivadoras por trás da criação dos laboratórios Bulletproof em Santa Monica, onde as pessoas podem se conectar uma com as outras enquanto aperfeiçoam tanto suas mentes quanto seus corpos. Além disso, aprendi a priorizar o tempo passado com minha equipe assim como com meus amigos e colegas empreendedores. Vivo em uma fazenda orgânica em uma ilha em área rural, e há muitos benefícios nisso, mas um problema é que preciso entrar em um avião para me conectar com minha equipe e algumas de minhas comunidades favoritas nos Estados Unidos. Quando não reservo tempo para isso, meu desempenho é reduzido, assim como minha felicidade. A conexão não é opcional, ela é essencial.

Itens de ação

- Aperte menos mãos e abrace mais. O contato físico estimula a liberação de oxitocina.
- Marque uma massagem para aumentar sua oxitocina.

- Faça videoconferências em vez de telefonar, quando possível.
- Tire tempo para encontros presenciais quando puder.

Áudios recomendados
- "Hugs from Dr. Love" com Paul Zak, *Bulletproof Radio*, episódio 334.
- Lindsey Berkson, "How Our Toxic Environment Is Impacting Our Sexy Brains and Hormones", *Bulletproof Radio*, episódio 418.

Leitura recomendada
- Paul J. Zak, *Trust Factor: The Science of Creating High-Performance Companies*.

Lei nº 36: Você é um reflexo de sua comunidade

Crie uma rede de segurança de pessoas que estarão presentes para você quando precisar delas, muito antes de vir a precisar delas. Assegure-se de que elas extraiam o seu melhor e o levem a pensar maior e melhor. O palestrante motivacional Jim Rohn diz que você é a média das cinco pessoas com as quais passa mais tempo. Escolha-as com cuidado.

Você leu anteriormente sobre a recuperação milagrosa do filho da autora de sucesso e especialista em bem-estar JJ Virgin, Grant, depois de ter sido vítima de um atropelamento em que o motorista não prestou socorro. Muito antes de isso acontecer, JJ tinha formado uma forte comunidade de especialistas em bem-estar que ela reunia com frequência por meio de conferências e eventos. Muitos deles atribuíam a JJ o fato de tê-los ajudado a alcançar seus objetivos e se tornarem os profissionais de sucesso que são hoje.

Então aconteceu o acidente. O primeiro grande livro de JJ, *The Virgin Diet* [A dieta Virgin] estava prestes a ser lançado. Ela tinha investido tudo nesse livro. Não apenas tinha gastado todo o adiantamento recebido do editor em ações de marketing e publicidade, mas chegou até a investir as próprias economias. Como principal fonte de sustento de seus dois filhos,

JJ tinha que fazer do livro um sucesso. Ela se importava muito com sua mensagem, e estava contando com ela para sustentar a família, e agora a vida de seu filho literalmente dependia disso.

Claro, quando JJ estava formando suas conexões, ela não planejava precisar delas para ajudá-la a lançar seu livro. Mas quando Grant estava no hospital, elas apareceram com toda a força para ajudá-la com tudo, do lançamento do livro aos cuidados com o filho. Alguém que JJ mal conhecia antes do acidente era a dra. Anne Meyer, médica especializada em reabilitação que trabalha na unidade de trauma cerebral do Centro Médico Cedars-Sinai. Ela apareceu em uma sexta-feira à noite armada com óleos essenciais que ajudaram a despertar os sentidos de Grant. Uma das amigas de JJ a pôs em contato com o dr. Donald Stein, que estava estudando terapia de progesterona no tratamento de danos cerebrais havia décadas. Outro amigo a pôs em contato com o dr. Barry Sears, que em 2006 foi consultado no primeiro caso de utilização de altas doses de óleo de peixe para tratar lesões traumáticas no cérebro (e foi convidado do *Bulletproof Radio*). JJ começou a usar creme de progesterona e óleo de peixe em Grant, que logo em seguida saiu do coma.

A comunidade de JJ informou às suas próprias redes de contatos, e JJ começou a receber gestos simpáticos de completos estranhos. Uma família que ela não conhecia dirigiu três horas até o hospital apenas para rezar ao lado da cama de Grant. Em pouco tempo, havia círculos de oração para ele no mundo todo. Quando se sentava ao lado do filho, JJ podia sentir todo esse amor e essa energia curativa dirigidos a ele de pessoas em torno do mundo.

Quem pode dizer o quanto cada uma dessas intervenções afinal ajudou na recuperação de Grant? JJ acredita que cada uma delas teve um papel. Elas também desempenharam o trabalho significativo de fazer com que ela se sentisse bem cuidada durante o período mais difícil de sua vida. Isso foi valioso, e não teria acontecido se ela já não tivesse investido tanto de sua energia na criação de uma comunidade profunda e de apoio. Na verdade, antes do acidente de Grant, JJ tinha forçado a barra para me fazer ir aos eventos de networking com ela, porque sabia do valor de formar uma comunidade de pessoas que pudessem me inspirar em meus planos. Funcionou, e enquanto eu me conectava com mais pessoas que mudam o mundo, seu desejo por ajudar os outros – até mesmo a mim – era contagiante e inspirador.

Na verdade, a felicidade é literalmente contagiosa. Em um estudo longitudinal com quase cinco mil pessoas, pesquisadores viram que pessoas felizes se aglutinam, e a relação entre a felicidade das pessoas se estende a até três graus de separação (por exemplo, aos amigos dos amigos de uma pessoa).[4] Isso não é apenas coincidência nem resultado de pessoas felizes gravitarem naturalmente na direção umas das outras. Pesquisadores concluíram que indivíduos que são cercados por muitas pessoas felizes têm mais chances de serem felizes no futuro. E você já sabe que pessoas felizes são mais bem-sucedidas.

Isso leva a um ciclo virtuoso de retroalimentação de relacionamentos e alegria. Pessoas felizes têm mais relacionamentos e de maior qualidade, estendendo sua felicidade para os outros e os ajudando a ficar ainda mais felizes. Quando pesquisadores compararam os 10% de pessoas mais consistentemente felizes com pessoas de felicidade mediana ou mesmo infelizes, descobriram que as pessoas mais felizes eram mais sociáveis e tinham relacionamentos românticos e outros relacionamentos sociais mais fortes do que aquelas em grupos menos felizes.[5] Ser parte de uma comunidade também cria uma sensação de segurança, que acalma seu cérebro primitivo.

Eu segui o conselho de JJ e comecei a passar mais tempo com outras pessoas que viram o jogo, incluindo muitos dos que estão neste livro, e no caminho aprendi tanto com elas que isso fez uma diferença enorme na minha vida. Uma dessas pessoas é Tony Robbins, que me ensinou o que pode ser aprendido com os outros e o que você precisa aprender sozinho. Ele diz que todos nós podemos aprender a ciência da conquista, ou como pegar sua visão e torná-la real, com os outros. Todos devíamos nos apoiar nas pessoas à nossa volta em vez de reinventar a roda. Mas você não vai aprender o que ele chama de "arte da realização", ou o que vai fazer você se sentir realizado, com mais ninguém. Você precisa descobrir isso por conta própria. Isso é crucial porque, como diz Tony, sucesso sem realização é o maior dos fracassos.

Ele conta que recebe telefonemas o tempo inteiro de empreendedores multibilionários, políticos e pessoas que acabaram de receber um Oscar, mas estão deprimidas. Elas não podem dizer a ninguém como realmente se sentem porque alcançaram todos os seus objetivos, mas ainda não se sentem realizadas. Essas pessoas não têm um sentido de significado em suas vidas. Tony diz que o antídoto para isso é se concentrar em coisas fora de você. Isso exige não apenas um pensamento maior, mas também um pensamento além de seu próprio ego. Há uma razão para tantas das pessoas que viram o jogo deste livro terem dedicado suas vidas a tornarem o mundo melhor para o resto de nós. O sucesso vem com maior naturalidade quando você para de pensar no que quer e começa a pensar no que os outros precisam. A maioria das pessoas acredita que pode crescer apenas em pequenos passos graduais, mas Tony aconselha a pensar dez vezes maior sobre o impacto que pode provocar. Isso muda seu foco de ganhar um pouco mais de dinheiro para fazer uma diferença de maneira que você realmente se interesse, e isso é maior que você mesmo. É isso o que leva à verdadeira realização e à felicidade.

Outra pessoa que me ajudou a pensar maior foi Peter Diamandis, fundador e presidente executivo da Fundação X Prize, considerado um dos cinquenta maiores líderes do mundo pela revista *Fortune*, e que está literalmente criando robôs para a exploração mineral de asteroides. Sou grato a Peter por ter me chamado alguns anos atrás e ter me dito que eu não estava pensando grande o bastante sobre o impacto que poderia ter. Esse conselho e minha amizade com Peter tiveram um impacto profundo em muitas áreas de minha vida.

O conselho de Peter é pensar no grupo para o qual você mais quer ser um herói. Quem você quer inspirar e do que essas pessoas precisam? Responder a essa pergunta vai ajudá-lo a determinar seu propósito. Quando tiver noção maior de seu propósito, pode perguntar a si mesmo: qual é seu "tiro na lua" – sua grande ideia ousada – dentro desse propósito? Peter me sugeriu pensar em uma ideia ousada com a qual eu pudesse realmente me animar e deixar de lado o que eu achava que sabia porque isso era impossível.

Foi assim que descobri meu tiro na lua: abalar a produção industrial de alimentos porque acredito que a coisa mais importante que a comida faz é mudar a maneira como você se sente, mas produtores de alimentos estão presos em um ciclo vicioso de produzir produtos baratos e viciantes que fazem com que você se sinta mal. O café Bulletproof foi o começo, mas Peter fez com que eu pensasse ainda maior. Antes de aprender com ele, achei que continuar sendo uma pequena empresa privada de comércio eletrônico era o melhor caminho, porque eu poderia vender diretamente sem intermediários, mas pensar maior me permitiu enxergar que meu verdadeiro objetivo era ajudar milhões de pessoas a se sentirem bem, e permanecer pequeno não me permitiria isso. Nos últimos anos, as pessoas consumiram mais de cem milhões de xícaras de café Bulletproof. Isso não teria acontecido sem uma comunidade de pessoas que me ajudaram a ver em que ponto eu estava pensando pequeno.

Isso não significa que você deva passar tempo apenas com pessoas que pensem e ajam como você. Aproveitei muito uma conversa hilariante e surpreendentemente profunda com JP Sears, um coach de vida e comediante que é mais conhecido por suas sátiras de veganismo, crenças *new age*, alimentos sem glúten e, sim, até da dieta Bulletproof. JP diz que não gosta de andar com pessoas que pensam como ele, pois elas não o ajudam a crescer. Ele prefere procurar pessoas que sintam de forma semelhante e que o aceitem, mas pensem de forma diferente. E disse isso usando a legging de oncinha da esposa.

É confortável estar com pessoas que pensam como você. Todo mundo concorda com suas ideias, então você se sente seguro, mas não é desafiado. Quando se depara com algo com que você discorda, tem uma oportunidade de crescer. Em vez de criar resistência e mais divisão, JP recomenda tentar entender isso de um ponto de vista oposto ou apenas diferente. O objetivo não é fazê-lo mudar de ideia, nem convencer ninguém a mudar a sua. Na verdade, é ficar em um espaço intermediário, que JP diz ser a definição de entendimento e tolerância. Claro, empatia é uma parte enorme disso, e por isso temos a tendência a nos darmos melhor com pessoas das quais discordamos pessoalmente do que com aquelas de quem discordamos em interações on-line. Interações pessoais levam a níveis maiores de oxitocina, o que leva a mais empatia, o que leva a conexões mais fortes.

Esse não é um conselho importante a ser praticado apenas externamente, ele também se aplica a nossos conflitos internos. Muitas pessoas não se permitem estar em conflito. Em vez disso, têm conflitos sobre os próprios conflitos. Mas se conseguirem lidar com o fato de terem opiniões e emoções que nem sempre estão em sincronia, poderão descobrir uma sensação de paz, tanto interna quanto externamente. Você poupará muita energia quando parar de lutar contra seu conflito interior e abraçar todo o alcance de seus pensamentos e sentimentos sem julgamentos.

Nossa tendência a buscar o familiar e lutar contra tudo que nos desafia é um produto de nossos instintos básicos de nos mantermos em segurança. Mas ninguém jamais virou o jogo sem correr riscos. Como diz JP, é quando estamos no mistério – quando atravessamos a floresta proverbial ou saltamos do penhasco e não sabemos exatamente onde vamos cair, quando vamos cair, ou mesmo se vamos cair – que encontramos euforia e inspiração. Na opinião dele, um ingrediente necessário para uma grande vida é a disposição para matar a si mesmo de medo para, na verdade, viver, e não apenas sobreviver. É isso que lhe permite sair do caixão de sua zona de conforto onde vive no piloto automático, repetindo os mesmos padrões. Saia desse caixão e abrace verdadeiramente o mistério e o desconhecido. Conecte-se com pessoas que o desafiam a crescer de maneiras inesperadas e às vezes desconfortáveis.

Sério, quão melhor seria a sua vida se você estivesse constantemente cercado por pessoas tão profundas e inspiradoras (e engraçadas) como JP? As companhias com as quais escolhe passar seu tempo são importantes. Observe se sua comunidade consiste de indivíduos que despertam o melhor de você ou o arrastam para baixo, para seu próprio nível. Nunca tenha medo de mudar as coisas e criar novas conexões. As pessoas ao seu redor têm um papel enorme em determinar seus limites ou encorajá-lo a superá-los.

Itens de ação

- Estabeleça objetivos que reflitam seu desejo de ter um impacto no mundo de maneira dez vezes maior do que tem agora.
- Pergunte a si mesmo para quem você quer ser um herói e do que essas pessoas precisam. Isso vai ajudá-lo a determinar seu tiro na lua – seu objetivo grande e ousado.
- Procure ativamente pessoas que o desafiem a pensar de maneira diferente e maior, e passe mais tempo com elas.

Áudios recomendados

- Tony Robbins e Peter Diamandis, "Special Podcast, Live from the Genius Network", *Bulletproof Radio*, episódio 306.

- Peter Diamandis, 1ª parte, "The Space Episode", *Bulletproof Radio*, episódio 448.
- Peter Diamandis, 2ª parte, "What the Hell Is a Moon Shot?", *Bulletproof Radio*, episódio 449.
- JP Sears, "Using Humour & Sarcasm to Improve Your Life, Revitalize Mitochondria & Defeat Self-Sabotage", *Bulletproof Radio*, episódio 393.

Leituras recomendadas
- Tony Robbins, *Inabalável: um guia prático para a liberdade financeira*.
- Peter H. Diamandis, *Abundância: o futuro é melhor do que você imagina*.
- JP Sears, *How to Be Ultra Spiritual: 12 ½ Steps to Spiritual Superiority*.

Lei nº 37: Nenhum relacionamento é uma ilha

Seus relacionamentos íntimos têm o poder de levá-lo a novos níveis de sucesso ou fracasso. Conserte ou acabe com um relacionamento ruim a fim de liberar energia para poder fazer o que mais importa para você. Invista em qualquer tipo de grande relacionamento que funcione para que você libere mais poder do que liberaria se estivesse sozinho. Ignore a tradição se ela não lhe servir, mas procure o apoio de sua comunidade. O relacionamento que lhe serve será mais forte e duradouro com o apoio de uma comunidade.

Embora nem sempre pareça assim (ahã), quando se está casado ou em um relacionamento de longo prazo, estudos mostram consistentemente que as pessoas que estão em relacionamentos longos, de todas as idades e gêneros, são em geral mais felizes do que as pessoas que não estão.[6] Claro que há também muitos solteiros felizes, mas a ciência mostra que as pessoas em relacionamentos são, na média, mais contentes. De um ponto de vista evolucionário, relacionamentos íntimos apoiam dois de seus três Fs. Saber que você tem um parceiro estável proporciona sensações de segurança e um sentido de comunidade, o que reduz a fobia em geral. E em relação à outra palavra com F, se o corpo acredita que pode reproduzir a espécie, isso reduz o estresse geral (mesmo que você não tenha planos de fazê-lo).

Menos medo, mais sexo – quem não ficaria mais feliz? Muita gente. Mas quando se está em um relacionamento que não funciona, ocorre o contrário: a felicidade – e o desempenho – despencam.

Isso não quer dizer que o casamento é o único tipo de relacionamento que oferece felicidade. Muitas das pessoas jovens com as quais trabalho estão abraçando o poliamor e outros tipos "não tradicionais" de relacionamento que podem ser extremos, mas parecem fazê-las felizes e permite que tenham seu melhor desempenho. Quando conversei com Christopher Ryan, um dos autores de *Sex at Dawn: How We Mate, Why We Stray, and What It Means for Modern Relationships*, livro que entrou na lista de mais vendidos do *New York Times*, ele me contou que a forma como vemos os relacionamentos sexuais hoje em dia é, em grande parte, um produto da cultura. Depois de estudar primatologia, anatomia humana, psicossexualidade contemporânea e literatura antropológica, ele acredita que a visão da sexualidade de nossos ancestrais antigos é clara: eles eram mais igualitários, fluidos e independentes. Reduziam o risco compartilhando seus recursos em vez de acumular propriedade privada (e cônjuges) da forma como fazemos agora. Chris nos lembra que nós não *descendemos* de macacos, nós *somos* macacos. Vivemos em um ambiente criado artificialmente que está em conflito com nossos apetites naturais e não nos faz necessariamente felizes.

Sabendo que nossos relacionamentos íntimos afetam profundamente nosso desempenho, procurei uma das maiores especialistas do mundo em relacionamentos, Esther Perel. Ela é psicoterapeuta e autora que chegou à lista de mais vendidos do *New York Times*, e uma das vozes mais perspicazes sobre relacionamentos modernos. Como Chris, Esther acredita que relacionamentos são mais complexos e têm mais níveis do que a sociedade gosta de admitir. Nossas ideias sobre o que constitui um relacionamento estão sempre mudando. Por exemplo, mudamos a definição de monogamia de acasalar com uma pessoa durante toda a vida para estar com uma pessoa de cada vez. Muitas vezes temos múltiplos parceiros durante o curso de nossa existência devido a rompimentos, mortes e divórcios.

Hoje em dia as regras para os relacionamentos estão mudando sob nossos pés. Nós, enquanto indivíduos, estamos navegando por uma série de desafios e oportunidades que não existiam um século atrás, quando decisões eram tomadas por instituições legais e religiosas. Ninguém sabe onde isso vai parar. Apenas uma geração atrás, não se falava de casais inter-raciais, interculturais, inter-religiosos e gays. Hoje, são a norma.

É interessante o que Esther diz, que qualquer tipo de relacionamento – mesmo um não tradicional – funciona melhor com o apoio da comunidade. Toda vez que uma norma cultural começa a mudar, as pessoas dizem que é impossível, que nunca vai dar certo. Esther nos lembra que os primeiros casamentos mistos nos Estados Unidos foram entre católicos e protestantes. As pessoas disseram que aquilo nunca funcionaria. Então veio o casamento entre judeus e gentios. As pessoas disseram que aquilo nunca funcionaria. Depois foi o casamento entre brancos e negros, que era um crime até não muito tempo atrás. As pessoas disseram que aquilo nunca funcionaria. Mas esses casamentos foram difíceis no início porque os casais estavam isolados. Sem o apoio de suas comunidades, tinham menos recursos e eram menos felizes. Com a mudança das normas e os casais mistos ganhando o apoio das pessoas em volta, esses relacionamentos se tornaram mais bem-sucedidos. Na verdade, ter um relacionamento não acalma totalmente o medo biológico sutil como deve fazer, a menos que o relacionamento também tenha apoio da comunidade.

Então talvez não seja tanta loucura achar que ter mais de um parceiro por vez volte a se tornar a norma, como Chris acredita que era antes. Esther diz que muitas pessoas hoje querem relacionamentos de longo prazo que combinem todos os valores de um casamento tradicional – companheirismo, apoio econômico, vida familiar e respeitabilidade social – com um parceiro romântico que seja seu melhor amigo, amante passional e confidente. Também querem o que ela chama de casamento de autoatualização, que inclui os valores de autenticidade e de verdade consigo mesmo. Segundo Esther, isso leva a um número surpreendente de pessoas a tentarem relacionamentos abertos. Muitos desejam um relacionamento comprometido, estável e seguro, mas não querem isso à custa de sua liberdade pessoal, de sua expressão pessoal ou de sua personalidade autêntica.

Em uma discussão acalorada durante a entrevista, Esther explicou que, embora não seja feito para evitar a infidelidade, o poliamor pode realmente fazer com que um relacionamento dure mais, porque os dois parceiros experimentam uma sensação de autoatualização dentro do relacionamento e, portanto, se tornam um casal mais forte. Esse é o objetivo: durar, se fortalecer e não comprometer a própria personalidade no contexto de uma conexão. Se isso for feito com honestidade e transparência, as pessoas também conseguem evitar os segredos, as mentiras e as falsidades que acompanham a infidelidade.

Claro, isso não é para todo mundo. Esther enfatiza a importância de conhecer e ser honesto sobre o que funciona para você. Isso também exige que se saia do isolamento. Se você não tem o apoio da comunidade, qualquer relacionamento será mais difícil. Esther diz que a maioria das pessoas que pratica o poliamor mantém isso em segredo por medo de julgamentos, o que os deixa sem o tipo de apoio da comunidade que é fundamental para o sucesso de uma relação.

Não importa o tipo de relacionamento, Esther enfatiza a importância da comunidade. Procure exemplos de casais que lhe inspirem. Ela diz que, quando pede a seus pacientes que citem casais que os inspiram, a maioria não responde. Entretanto, quando pede a eles que citem empreendedores, pessoas criativas, músicos ou artistas que os inspiram, a lista é infinita. Trate seu relacionamento com a mesma intenção com que trata qualquer outra parte de sua vida e de seu desempenho. Encontre exemplos de casais que lhe inspiram e trabalhe para obter seu apoio. Quanto mais integrado à comunidade for seu relacionamento, mais ele se fortalecerá e ajudará a estimular seu desempenho.

Pessoas que fazem grandes coisas podem aprender uma lição aqui. Trabalhe com tanto afinco em seus relacionamentos quanto trabalha na academia ou em sua carreira, e garanta que qualquer relação que tiver estará ligado a uma comunidade. Não é autoindulgência gastar tempo e energia trabalhando em seus relacionamentos; é necessário para ser feliz, e a felicidade é essencial para seu sucesso.

Itens de ação

- Pergunte a si mesmo quanto você é feliz em seu atual relacionamento. Se estiver infeliz, estará prejudicando seu desempenho. Invista em consertá-lo, ou redirecione sua energia para outro lugar.
- Liste três casais que lhe inspiram. Não conhece nenhum? Comece a prestar atenção até encontrar alguns.
  - _____
  - _____
  - _____
- Você está em uma comunidade que apoia o tipo de relacionamento que você tem ou procura? Se não, comece a procurar uma comunidade como estratégia para melhorar – ou iniciar – um relacionamento de altíssimo nível.

Áudios recomendados

- Christopher Ryan, "Sex, Sex Culture & Sex at Dawn", *Bulletproof Radio*, episódio 52.
- Neil Strauss, "Relationship Hacks for Dealing with Conflicts, Monogamy, Sex & Communication with the Opposite Sex", *Bulletproof Radio*, episódio 406.
- "Sex, Marriage, and Business: Relationship Therapy" com Esther Perel, *Bulletproof Radio*, episódio 456.
- John Gray, "Beyond Mars and Venus: Tips That Truly Bring Men and Women Together", *Bulletproof Radio*, episódio 414.
- John Gray, "Addiction, Sexuality & ADD", *Bulletproof Radio*, episódio 222.
- Genpo Roshi, "Learn How to Meditate from a Zen Buddhist Priest", *Bulletproof Radio*, episódio 425.
- "Make Bad Decisions? Blame Dopamine" com Bill Harris, *Bulletproof Radio*, episódio 362.

Leituras recomendadas

- Christopher Ryan e Cacilda Jetha, *Sex at Dawn: How We Mate, Why We Stray and What It Means for Modern Relationships*.
- Esther Perel, *Casos e casos: repensando a infidelidade*.

❶❸ REINICIE SUA PROGRAMAÇÃO

Quando observei os dados de centenas de pessoas de sucesso, foi incrível notar quantas delas tinham compartilhado suas experiências com meditação. É verdade que muitas vezes procurei convidados com conhecimentos específicos nessa área, mas a maioria dos líderes que mencionaram a prática como um de seus conselhos mais importantes não eram especialistas em meditação, mas pessoas que tinham grandes conquistas em áreas não relacionadas – o tipo de pessoa que você não esperaria que estivesse interessada em algo tão "místico".

Se você tem menos de trinta anos, pode não entender por que é tão incrível que as pessoas revelem que meditam, mas há vinte anos, a meditação era vista da mesma forma que as drogas inteligentes são vistas hoje: pouquíssimos admitiam se beneficiar dela, mas muitos indivíduos de alto desempenho, na verdade, admitiram. Anos atrás, listei a meditação em meu perfil no LinkedIn junto do uso de drogas inteligentes, e tenho certeza de que quem notou achou que eu estava louco. Mas era o Vale do Silício, e engenheiros já são loucos. A Califórnia é conhecida pelas pessoas esquisitas e pelos pensadores muito livres, e eu era bom o bastante no que fazia para ter a liberdade de ser um pouco excêntrico.

De vez em quando, alguém me abordava depois de uma reunião e dizia em voz baixa:

– Você medita? Eu também.

As pessoas guardavam segredo sobre isso porque não queriam que essa informação fosse usada contra elas. Já no Vale do Silício, hoje em dia, e nos altos escalões de quase toda empresa, é mais provável alguém ter algo contra você se *não* meditar.

É um passo enorme na direção certa o fato de podermos reconhecer publicamente o valor da meditação, mas ainda temos um longo caminho a percorrer em termos de aprender a meditar com eficiência e eficácia. A ideia de a meditação ter sido um dos vinte principais conselhos de pessoas com alto desempenho mostra como ela pode ser útil. Não importa o tipo de meditação que você faz, uma prática constante o torna mais consciente de seus pensamentos e impulsos automáticos, e com essa consciência vem um controle maior. Quando consegue viver no momento presente e escolher suas respostas à vida, em vez de deixar que sejam escolhidas para você por seu sistema operacional primitivo, você está preparado para o sucesso. Em outras palavras, a meditação cria consciência, e a consciência cria escolhas.

Lei n° 38: Seja o dono da voz em sua cabeça

A voz crítica em sua cabeça lhe segura. Ela causa dor, distrai e limita seu potencial. A meditação pode ajudar a entender quando a voz em sua cabeça o está distraindo com mentiras e quando o está ajudando. Não há desculpa para viver sua vida sem ser o dono da voz em sua cabeça. Medite. Sua felicidade e desempenho estão esperando uma grande melhoria.

No Capítulo 6, contei a história de Bill Harris, sobre o período difícil pelo qual ele passou em 2008, quando os Estados Unidos entraram em crise e ele passou por um divórcio estressante. Durante esse período, deixou de lado sua prática de meditação, e antes que percebesse, tinha sido multado seis vezes por excesso de velocidade e teve a carteira de habilitação suspensa.

Qual a ligação entre a suspensão de uma prática de meditação e a suspensão de uma carteira de habilitação? A meditação reduz a resposta química de seu corpo ao estresse. Ela faz isso, afirmou Bill, aumentando o funcionamento do sistema nervoso parassimpático, que dispara a resposta de lutar ou fugir. Também foi demonstrado que a meditação reforça o córtex pré-frontal, a parte do cérebro envolvida na tomada de decisões. Então, quando você medita com regularidade e alguém lhe dá uma fechada no trânsito, em vez de se sentir ameaçado e achar que precisa fugir (ou acelerar para longe bem depressa, no caso de Bill), sua resposta ao estresse permanece contida, e seu córtex pré-frontal pode entrar em ação e ajudá-lo a tomar uma boa decisão.

Então, como começar a praticar meditação? Bill recomenda que, ao começar a meditar, é importante se livrar de expectativas e apenas deixar que as coisas aconteçam. Muitas pessoas lidam com a vida resistindo ou se escondendo do que não gostam. Por isso, quando esses sentimentos reprimidos surgem na prática de meditação, eles parecem desconfortáveis. Mas não são os sentimentos em si que causam o desconforto, é sua resistência a esses sentimentos. Quando você dá a si mesmo o espaço para sentir e aceitar o que vier, isso deixa de ser desconfortável, e você pode então lidar de maneira apropriada com esses sentimentos.

Ao meditar, tente se afastar de seu cérebro por um momento e observe os pensamentos com curiosidade. A maioria das pessoas não se dá conta de que há um espaço entre um gatilho e um sentimento. Quando seu gatilho é disparado, você acha que um estímulo faz com que você se sinta de determinada maneira, mas há um sistema dentro de sua cabeça que interpreta dados do exterior de uma perspectiva com base no medo e os traduz em sentimento. Suas mitocôndrias, afinal de contas, querem que você perceba e fique obcecado com perigos em potencial. Mas isso apenas o mantém preso a um ciclo vicioso de medo e reação. O medo é o que chama nossa atenção e nos leva a agir. Se alguém lhe dá uma fechada no trânsito, sua resposta ao estresse é ativada, você sente raiva e grita obscenidades pela janela. Quando interrompe esse sistema, consegue ver que não está em perigo, mesmo se seu cérebro diz que está. Então você pode escolher conscientemente reagir com raiva e medo ou simplesmente deixar pra lá e não ter nenhuma reação.

Com repetição e tempo de prática, novos caminhos neurais vão se desenvolver e vão favorecer o sentimento de felicidade, calma, paz, foco e criatividade, em oposição a reação, raiva e resistência. Bill admite que sentia muita raiva, era cheio de arestas afiadas, difícil de lidar, infeliz e deprimido. Uma prática de meditação consistente mudou sua essência e o levou a uma vida completamente diferente.

Vishen Lakhiani também credita à meditação uma guinada em sua vida. Anos atrás, depois de trabalhar duro para se tornar engenheiro na Microsoft, ele percebeu que odiava programação e pediu demissão. Então passou um longo período tentando descobrir algo que achasse significativo e recompensador. Depois de abrir algumas empresas que não foram para a frente e de ter sido demitido duas vezes, ele estava sem dinheiro e dormindo no sofá alugado de um universitário de Berkeley.

Isso foi em 2001, depois do estouro da bolha das empresas ponto com, e o único emprego que Vishen conseguiu encontrar foi no telemarketing de uma empresa de tecnologia que vendia produtos para firmas de advocacia. Ele tinha de abrir as páginas amarelas e telefonar para todos os advogados da lista telefônica para lhes vender a tecnologia da empresa. Não havia salário base, portanto, se não fechasse nenhuma venda, ele não recebia nada.

Em desespero, Vishen entrou no Google e procurou dicas para ajudá-lo a ser bem-sucedido. Os resultados o levaram a uma aula de meditação. A professora era representante de vendas de uma empresa farmacêutica, e disse que aprender e aplicar técnicas de meditação a havia ajudado a aumentar suas vendas, então Vishen decidiu experimentar. Ele usou as técnicas que tinha aprendido em sua aula de meditação no trabalho. Antes de escolher um nome das páginas amarelas, ele entrou em estado profundo de meditação. Então abriu as páginas amarelas e, em vez de ligar aleatoriamente para advogados para tentar fazer uma venda, passou o dedo pela lista de nomes, fechou os olhos e esperou por um impulso. Então, quando abriu os olhos, ligou para o nome sobre o qual seu dedo estava.

Sim, isso parece estranho. Nem o próprio Vishen consegue explicar. Mas, em uma semana, ele dobrou suas vendas. Era como se estivesse ligando magicamente para os advogados com maiores chances de comprar. Na verdade, a voz em sua cabeça estava enviando um sinal, dizendo a ele para quem ligar e como adaptar seu argumento de vendas para cada pessoa. Ele continuou a aprofundar sua prática de meditação. Antes de ligar para um advogado, estabelecia a intenção de que a venda só correria bem se fosse do melhor interesse de todos os envolvidos. Então visualizava uma conexão entre seu coração e o coração do advogado, e imaginava uma conversa amigável durante a qual ele era receptivo às necessidades da outra pessoa e tinha empatia por ela.

Mais uma vez, ele dobrou suas vendas. Em quatro meses, foi promovido quatro vezes, acabou se tornando diretor de vendas e abriu uma filial da empresa em Nova York aos 26 anos. Ele se apaixonou pela meditação. Sabendo o quanto ela o havia ajudado, ele quis dividir o conhecimento com outras pessoas, e foi assim que sua empresa, a Mindvalley, nasceu.

Se você não se convenceu pela história de Vishen, tudo bem. Conheço muitos investidores de capital de risco céticos que admitem seguir seu instinto quando decidem investir. (Eu também vendi um investimento para um bilionário que fez uma análise segundo a astrologia chinesa da equipe de startup com a qual eu estava trabalhando antes de investir!) Ser cético e meditar não são mutuamente exclusivos – apenas pergunte a Dan Harris, jornalista vencedor do Emmy que se considera cético, mas admite ter se surpreendido com os benefícios da meditação. Como Vishen, ele está determinado a compartilhar isso com os outros. Acredita que a meditação estará na dianteira de uma revolução de saúde pública centrada no bem-estar físico *e* mental, que vai lidar com questões como bullying, educação, paternidade, casamento, política e basicamente todos os outros aspectos da vida e do desempenho.

Muito antes de Dan ser um convidado do *Bulletproof Radio* e um autor, era correspondente do programa *Nightline* da rede ABC. Ele voou até minha casa na ilha de Vancouver para me entrevistar sobre como eu tinha usado o modafinil para me destacar no Vale do Silício. Essa entrevista colocou o modafinil sob os holofotes a nível nacional como uma droga inteligente. Depois da entrevista, nós meditamos juntos em meu jardim. Percebi que ele era um pouco cético em relação à prática, mas já tinha feito isso antes e estava disposto a ir até o fim. Meu cachorro, Merlin, deve ter sentido o mesmo, porque caminhou até Dan e se sentou a seus pés. Merlin sempre encontra meditadores e se junta a eles. Cachorros sentem quando a energia de uma pessoa muda durante a meditação.

À medida que Dan desenvolvia uma prática de meditação mais séria, começou a ver que a razão para fazer coisas que não queria era porque não tinha consciência de seus pensamentos com base no medo – e tinha deixado que eles assumissem o banco do motorista. Para ele, meditação era a construção de um telescópio interno que lhe permitia observar a atividade de sua mente de modo que ela não mais o controlasse. Enquanto há muitas outras coisas que a meditação pode fazer, esse é um objetivo simples para iniciantes ou céticos. Não é complicado. Não é místico. Não envolve acreditar em nada, se juntar a um grupo, usar roupas especiais ou se sentar em uma posição engraçada. É muito simples, na verdade. Mas ainda exige aprendizado e prática.

Dan acredita agora que sua função no planeta é dizer isso com a maior clareza possível, o mais alto possível, e no maior número de lugares possível, de modo que as pessoas vejam a meditação como uma opção viável para elas. O que a meditação ou a atenção plena permitem que qualquer um faça é estabelecer a linha entre angústia útil e construtiva e ruminação inútil. Se você causar um impacto, haverá alguma agitação mental e angústia de vez em quando. Algumas preocupações. Algumas maquinações. Algum planejamento. Alguma estratégia. Mesmo algum medo legítimo. Mas na 17ª vez em que você estiver tratando como catástrofe um problema que surgiu, imaginando todas as piores situações possíveis nos mínimos detalhes, a meditação permitirá que você pare e pergunte a si mesmo: "Isso é útil?" Esse é um resultado poderoso da meditação em ação.

Por exemplo, quando conversei com Dan, seu filho tinha um ano e meio e estava passando por uma fase na qual se recusava a escovar os dentes. A mente de Dan começou a lhe contar uma história imediatamente. Ele nunca vai escovar os dentes. Vai ficar com a boca podre, nunca vai conseguir arrumar um emprego e sua vida será arruinada. Os pensamentos de Dan estavam contando a ele histórias como essa durante anos, mas a meditação permitiu que ele simplesmente tomasse consciência delas. Então passou a poder escolher sair do trem antes de ficar frustrado ou reagir. Esse é exatamente o espaço entre o gatilho e a reação do qual Bill falou, e em minha mente é um dos grandes benefícios da meditação.

Dan quer que todos entendam que a mente é treinável. E a metodologia do treinamento está disponível para qualquer um disposto a fazer o trabalho. Você não fará com que as coisas de que não gosta em si mesmo simplesmente desapareçam, mas, com o tempo, pode reduzir a probabilidade de você ser um babaca, de ser impaciente ou cruel consigo mesmo e os outros. Se isso não é algo que vira o jogo, não sei o que é.

Itens de ação
- Encontre uma aula de meditação na internet ou pessoalmente. Inscreva-se!
- Algumas ferramentas de que gosto:
  - O aplicativo de meditação 10% Happier de Dan Harris em www.10percenthappier.com.
  - Meditação Energy For Success do dr. Barry Morguelan em www.energyforsuccess.com (ele está tocando ao fundo enquanto digito isto).
- No primeiro mês, comprometa-se a fazer pelo menos cinco minutos de meditação todo dia. Mais do que isso é ainda melhor. Apenas adquira o hábito e naturalmente acabará encontrando o tipo e a quantidade certa para você.

Áudios recomendados
- Bill Harris, "Hacking Meditation with Holosync", *Bulletproof Radio*, episódio 186.
- Vishen Lakhiani, "10 Laws and Four-Letter Words", *Bulletproof Radio*, episódio 309.
- "Mind, Buddha, Spirit" com Dan Harris, *Bulletproof Radio*, episódio 343.
- Barry Morguelan, "The Ancient Energy Discipline That Stimulates Healing and Vitality", *Bulletproof Radio*, episódio 413.

Leituras recomendadas
- Dan Harris, *10% mais feliz: como aprendi a silenciar a mente, reduzi o estresse e encontrei o caminho para a felicidade – uma história real*.
- Vishen Lakhiani, *O código da mente extraordinária: 10 leis para ser feliz e bem-sucedido fazendo o que você acredita*.

Lei nº 39: Capture a atenção de seu corpo

Sua respiração controla seu cérebro e seu coração já que a falta de oxigênio chamará a atenção de seu corpo mais rápido do que qualquer coisa. Treine o corpo a permanecer calmo durante situações estressantes usando a respiração em seu benefício. Treine o corpo para usar melhor o oxigênio. Há uma energia intocada quando o corpo para de se estressar e obtém mais oxigênio. A respiração inconsciente diminui seu impacto no mundo. E você está aqui para causar impacto.

Wim Hof, que detém vinte recordes mundiais do Guinness por resistir a temperaturas extremas, subiu o monte Everest e o monte Kilimanjaro apenas de short e calçado. Ele é mais conhecido como "O Homem de Gelo", e você pode tê-lo visto na TV nadando entre geleiras sem roupa de neoprene. Ele desenvolveu uma técnica de respiração que fornece haustos curtos de oxigênio às células, o que as treina para usar o oxigênio com mais eficiência. A técnica de respiração é uma ferramenta de meditação, e ela funciona porque ensina o corpo a não ficar estressado em situações que ele normalmente estaria.

Quando conheci Wim, ele tinha comparecido a uma conferência de biohacking da Bulletproof, e eu o convidei a subir ao palco. Em um minuto, ele me fez praticar sua técnica de respiração enquanto fazia flexões de braço diante de três mil pessoas. Isso me deixou um pouco embriagado, mas ele insistiu que eu continuasse. Quando levantei cambaleante, perguntei a mim mesmo: "Quem é esse cara?". Na verdade, Wim gosta mesmo de viver de forma destemida. Você pode notar isso na paixão pelo que faz, em nossa entrevista no podcast.

Wim diz que perdemos a capacidade de nos conectarmos com nossos corpos no nível mais básico, de usar o oxigênio para mudar profundamente a química em nossos tecidos. Os efeitos dessa desconexão são piorados pela típica dieta e estilo de vida ocidentais que, diz ele, abrem caminho para doenças. Se você bebe água poluída ou come alimentos processados, o corpo usa muitos recursos e energia tentando se desintoxicar, o que gera estresse celular. Uma forma de combater esse estresse é usar a respiração para reestabelecer o equilíbrio. A técnica de respiração profunda de Wim não apenas protege do frio, mas também dá a ele o controle da química de seu corpo, permitindo limpar seus tecidos desde o interior e criar mais energia celular. E ele tem dados para provar isso.

Seu método é composto de três elementos: respiração profunda, exposição gradual ao frio e atitude mental. É baseado em quarenta anos de trabalho de campo e tem resultados impressionantes. O primeiro grupo de teste, composto por dezoito pessoas, não tinha experiência anterior no frio. Depois de quatro dias de treinamento, foram capazes de aguentar cinco horas de shorts, no inverno, em temperaturas abaixo de zero.

A razão para essa técnica ser tão eficaz é que ela otimiza o sistema vascular, o que permite que o corpo distribua oxigênio para as células e por todo o fluxo sanguíneo com mais eficiência, baixando o ritmo cardíaco e reduzindo o estresse no corpo. O ritmo da respiração afeta diretamente o ritmo cardíaco, e a exposição gradual ao frio desacelera a ativação do sistema nervoso parassimpático (a resposta lutar ou fugir). Em outras palavras, respirar fundo no frio acalma o ritmo cardíaco e alivia o estresse no organismo. Wim diz que ao fazemos isso, tiramos o corpo de um modo de estresse e ansiedade para um modo de alívio, o que acarreta uma sobra de energia que o corpo pode usar para aquecer e curar a si mesmo.

Ele sugere começar devagar. Uma vez por semana, encerre o banho quente com um jato de ducha fria durante trinta segundos, e aumente gradualmente a partir daí. Para executar sua técnica de respiração, sente-se, fique confortável e feche os olhos. Assegure-se de estar em uma posição na qual possa expandir livremente os pulmões. Wim sugere fazer essa prática logo depois de acordar, quando o estômago ainda está vazio. Aqueça seu corpo inspirando profundamente e inalando ar até sentir uma leve pressão. Prenda a respiração por um momento antes de expirar completamente, forçando o ar para fora o máximo possível. Segure a expiração pelo maior tempo possível. Repita esse processo quinze vezes.

Em seguida, inspire pelo nariz e expire pela boca em haustos curtos e poderosos, como se soprasse um balão. Encolha a barriga ao expirar, e deixe que ela se expanda ao inspirar. Faça isso cerca de trinta vezes em ritmo constante, até sentir que seu organismo está saturado de oxigênio. Você pode ficar tonto, latejante ou experimentar uma onda de energia literalmente elétrica. Perceba quais partes de seu corpo estão transbordando de energia e quais estão com falta dela – e onde há bloqueios entre esses dois extremos. Ao continuar a respirar, envie a respiração para esses bloqueios.

Se o frio não é para você, há várias outras maneiras para se beneficiar de exercícios respiratórios. Eu procurei Emily Fletcher, fundadora da Meditação Ziva, para aprender suas técnicas de meditação para pessoas ocupadas e ativas. Emily começou seu treinamento em Rishikesh, na Índia, e se inspirou a ser uma professora de meditação depois de experimentar os profundos benefícios físicos e mentais proporcionados durante sua carreira de dez anos como atriz na Broadway.

Perguntei a ela quais técnica de respiração acreditava proporcionar a seus alunos os benefícios mais profundos, e ela me instruiu no que chama de "respiração de equilíbrio", para equilibrar os lados direito e esquerdo do cérebro. Ela diz que uma forma simplificado de olhar para o cérebro é que o lado esquerdo está a cargo do passado, do futuro e do pensamento crítico e analítico, todas as atividades que levaram nossas vidas modernas a um nível nada saudável, razão pela qual achamos tão difícil permanecer focados no momento presente e ainda mais difícil se entregar a um estado de fluxo. Nosso pobre lado direito do cérebro, que controla a criatividade e a solução de problemas, a consciência do momento presente e a intuição, está atrofiado. A respiração de equilíbrio é algo que você pode fazer em estado acordado para corrigir a desigualdade entre esses dois lados.

Emily diz que um dos benefícios da meditação é engrossar o corpo caloso, a tira branca fina que conecta os hemisférios direito e esquerdo do cérebro. Isso é valioso pois, quanto mais grosso for seu corpo caloso, mais capaz você será de unir o espaço entre os dois hemisférios, não importa o que aconteça ao seu redor. Então, mesmo que seu chefe grite com você, que você fique preso no trânsito ou que discuta com seu parceiro, você se torna mais capaz de acessar soluções criativas e permanecer focado no momento presente em vez de reagir por medo ou raiva. Por acaso, em média, as mulheres têm naturalmente um corpo caloso mais grosso do que os homens.

Para praticar a respiração do equilíbrio, use o polegar e o dedo anular da mão direita. Pressione e feche a narina direita com o polegar, expire completamente pela narina esquerda. Em seguida inspire completamente pela narina esquerda e feche a narina esquerda com o anular. Solte o polegar e expire completamente pela narina direita. Em seguida inspire completamente pela narina direita. Siga esse padrão, terminando, de forma ideal, do mesmo jeito que começou, com uma expiração pela narina esquerda.

Emily diz para fazer isso rápido se você se sente cansado e precisa de uma dose de energia para se concentrar. Faça devagar se está ansioso ou nervoso e precisa relaxar. Também é um bom jeito de relaxar e começar a meditar. É quase como esticar um arco e flecha de modo que, ao entrar em sua meditação, seu corpo pode realmente se entregar e se soltar.

Segundo Emily, a razão para tantos professores de meditação e de ioga usarem trabalho de respiração como entrada para a prática é que a respiração e os pensamentos são duas funções que podemos controlar até certo ponto, mas são ambas autônomas. Nós respiramos involuntariamente o tempo todo, entretanto podemos entrar lá e desacelerar nossa respiração, acelerá-la ou mudar a narina pela qual estamos respirando. E nós podemos fazer a mesma coisa com nossos pensamentos.

A mente pensa involuntariamente, da mesma forma como respiramos e o nosso coração bate. Nunca faremos com que a mente pare de pensar – e esse, afinal de contas, não é o objetivo da meditação. Mas podemos entrar lá e mexer com ela até certo ponto. E quanto mais meditamos, mais podemos ir além da voz crítica do lado esquerdo do cérebro e nos tornarmos capazes de acessar aquela voz pequenina dentro de nós. Quando começa a meditar, você está levando o lado direito do cérebro para a academia. A prática não limpa sua mente. A meditação em si não se trata disso. Mas ela abaixa o volume daquela voz crítica, e então você pode ouvir o pequenino sussurro de sua intuição. Quanto mais você cultiva e escuta essa voz suave e condutora, mais alta ela fica.

Itens de ação

- Termine seu banho matinal com trinta segundos ou mais de água fria. Prepare-se para isso se for preciso. Deixe a água atingir seu rosto e peito para obter o máximo de benefícios.
- Pratique a "respiração do equilíbrio" durante alguns minutos ao dia, idealmente antes de meditar.

Áudios recomendados
- "Climb Everest in a T-Shirt and Shorts. Survive Submersion in Freezing Waters for Hours. Wim Hof Tells You How He Did It!", *Bulletproof Radio*, episódio 403.
- Emily Fletcher, "Greater Sex, Better Sleep with Ziva Meditation", *Bulletproof Radio*, episódio 224.

Leituras recomendadas
- Wim Hof e Koen De Jong, *The Way of the Iceman: How the Wim Hof Method Creates Radiant Longterm Health*.
- Scott Carney, *What Doesn't Kill Us: How Freezing Water, Extreme Altitude, and Environmental Conditioning Will Renew Our Lost Evolutionary Strength*.

Lei nº 40: Depressa! Medite mais rápido!

Meditar custa apenas o tempo e a energia necessários à prática. O retorno é um desempenho melhor e mais felicidade. Obtenha um retorno melhor do investimento em meditação reduzindo o tempo que ela leva e aumentando seus benefícios. Medite. Mas quando conhecer o básico, medite melhor.

Como você sabe, eu medito há vinte anos. Nesse tempo, meditei com monges no Tibete, com eletrodos presos a minha cabeça e de praticamente todos as formas entre essas duas. O que aprendi ao longo da jornada é que muita gente está gastando tempo demais meditando e obtendo menos benefícios do que poderia, assim como há muitas pessoas que se exercitam mas não obtêm todos os benefícios de seu esforço. Seu tempo e energia são seus recursos mais preciosos. Por que deveria gastar mais tempo do que o necessário para obter energia? Pessoas que viram o jogo aprendem a ser grandes meditadores. Claro, se períodos mais longos de meditação lhe dão realização pessoal ou espiritual, vá em frente! Mas se está interessado em obter o melhor retorno do investimento de seu tempo, tire proveito de ferramentas que irão ajudá-lo a meditar mais rápido.

Quando estava começando a carreira como engenheiro, um colega me convidou a acompanhá-lo para aprender técnicas de respiração com um guru indiano. Eu disse não. A ideia de um monte de gente sentada em uma sala respirando junto parecia ritualista e estranha. Só alguns anos depois, quando o mesmo programa me foi descrito como uma técnica para aumentar o desempenho, eu me interessei.

Fui a um seminário para executivos de um fim de semana da Arte de Viver em uma bela mansão em Saratoga, Califórnia, e fiquei maravilhado. Nos cinco anos seguintes fiz os exercícios de respiração do programa todas as manhãs. Eu acordava aos sábados com o nascer do sol e viajava 45 minutos de carro para fazer esses exercícios respiratórios com um pequeno grupo de executivos de empresas de tecnologia que tinham em conjunto ganhado em torno de um bilhão de dólares. Aprendi o poder da respiração e as coisas incríveis que ela pode fazer, e isso foi transformador. Passei a ter um melhor desempenho, fiquei mais produtivo e mais simpático com as pessoas ao meu redor. Meus relacionamentos, assim como todo o resto da minha vida, melhoraram.

Os executivos naquela sala guardavam aquele tempo para se reunir porque achavam que valia a pena. Não era apenas a respiração que tornava a prática tão eficaz, mas o sentimento de comunidade que adquirimos ao fazer aquilo juntos. Um deles me disse:

– Eu não paro de frequentar o grupo porque é como tomar um banho mental toda semana.

Essas pessoas que viram o jogo usavam as coisas a seu favor de todas as maneiras possíveis. E eu o encorajo a fazer o mesmo.

Muitos começam uma prática de meditação apenas para desistir algumas semanas depois, porque não veem resultados. Isso porque não estão praticando com eficiência ou seus egos entram no caminho. Outros continuam, mas passam anos praticamente sem conseguir nada quando poderiam obter resultados muito mais rápido. A meditação parece tão simples que algumas pessoas resistem em contratar um professor ou um coach, mas na verdade é muito mais complicada do que parece. Sem o uso de um instrutor ou de tecnologia para ajudá-lo a avaliar se você está fazendo as coisas direito, é muito difícil saber quando você está entrando nos estados mentais corretos que farão a diferença. Além disso, como a meditação é tão popular hoje em dia, é fácil fazer uma busca rápida na internet e descobrir muita informação de baixa qualidade que pode levá-lo na direção errada.

Para continuar a evoluir minha prática, contei com a ajuda das pessoas que entrevistei para este capítulo – Bill Harris, Emily Fletcher, Dan Harris, Vishen Lakhiani e Wim Hof –, todos os quais ensinam meditação usando ferramentas e técnicas de alta qualidade. Também procurei especialistas nas mais novas tecnologias para levar minha prática de meditação ao estágio seguinte e obter mais benefícios em menos tempo, culminando na abertura de minhas próprias instalações de neurofeedback em Seattle para aprimorar minha meditação e a de muitas pessoas que viram o jogo.

Uma tecnologia fundamental de meditação se chama treinamento de variabilidade de frequência cardíaca, ou HRV. Como discutimos no Capítulo 10, a variabilidade de frequência cardíaca é usada para acessar a resposta ao estresse. Ela nada tem a ver com o número de batidas de seu coração por minuto. Na verdade, ela mede o espaço entre dois batimentos cardíacos e o compara ao espaço entre outros batimentos cardíacos individuais. Quando está em estado de lutar ou fuga, sua variabilidade de frequência cardíaca fica muito baixa, com um espaço igual entre os batimentos cardíacos. Mas quando está em estado descansado de fluxo, a variabilidade de sua frequência cardíaca pode subir ou descer, mas a HRV cresce drasticamente. O espaço entre dois batimentos cardíacos será muito diferente do espaço entre dois outros batimentos que ocorram um momento depois. Sua variabilidade de frequência cardíaca tem impacto sobre tudo, de suas ondas cerebrais a sua saúde cardiovascular, e até sobre as pessoas ao seu redor.

O Instituto HeartMath, que pesquisa a variabilidade da frequência cardíaca há anos, produz tecnologia que você pode usar para descobrir a sensação de ter essa variável correta e aprender conscientemente a se colocar nesse estado. Ela mede a frequência cardíaca e, quando você respira, recebe um sinal (verde para variabilidade alta, vermelho para variabilidade baixa). Isso lhe diz como está indo. Eu aprendi a fazer isso anos atrás e achei tão eficiente que comecei a usar com executivos que treinei em desempenho humano.

Um de meus clientes de coaching era um gerente de fundo de investimento de bilhão de dólares que estava em estado crônico de luta ou fuga, mas não sabia disso. Recomendei treinamento de variabilidade de frequência cardíaca junto à alimentação, o sono e a meditação corretos e outras técnicas. Ele, de início, resistiu ao treinamento de HRV, mas depois de praticar durante seis semanas, sentiu uma enorme diferença em sua capacidade de mudar os níveis de estresse à vontade. Decidiu medir a variabilidade de sua frequência cardíaca no trabalho. Chegava no trabalho cedo, conectava o sensor, e a campainha que indicava o início dos trabalhos soava. Entrava na zona vermelha de estresse e ficava o dia inteiro nela. Ele levou mais seis semanas para conseguir operar em um estado de calma enquanto negociava. Sua capacidade de entrar em um estado relaxado e focado de fluxo no trabalho permitiu que tomasse decisões melhores, se tornasse um operador mais bem-sucedido e tivesse mais energia no fim do dia. Se você está desperdiçando energia no sistema nervoso central o dia inteiro sem saber, é de se espantar que esteja cansado?

Outra opção é introduzir elementos em sua prática de meditação que realmente alterem seu estado cerebral. Um meio de fazer isso é através do som, cuja frequência vibracional afeta seu estado mental. As trilhas sonoras da empresa de Bill Harris, Holosync, fornecem sons específicos para tocar durante a meditação. Há também mantras específicos que você pode usar para ajudar a ativar o estado que deseja alcançar. A luz também tem impacto na experiência da meditação. Óculos de som e luz piscam luzes diante dos olhos fechados para ajudá-lo a conquistar um estado cerebral diferente mais rápido enquanto medita.

Assim como o treinamento de variabilidade de frequência cardíaca, quando estiver familiarizado com a sensação que alcança ao meditar com alguma ajuda tecnológica, vai saber quais estados cerebrais almejar quando for meditar sozinho. Mais de algumas vezes eu fui aquele cara estranho no avião usando óculos pretos com luzes vazando pelas beiradas. Não consigo ver outras pessoas, mas tenho quase certeza de que estão me olhando estranho quando assumo o controle de meu cérebro a 10 mil metros de altura. Até hoje, ninguém me expulsou de um voo por causa disso, mas sei que alguns comissários de bordo obtiveram seus próprios óculos de luz e som depois de conversarmos sobre isso. Faça o que for necessário para conquistar o domínio sobre sua mente, e não se preocupe com o que os outros pensem.

Até a cor da luz pode ter impacto em seu estado cerebral. Eu uso óculos TrueDark com filtros óticos patenteados projetados para induzir ao sono profundo. Na verdade, quando os uso, meu cérebro rapidamente entra no estado de ondas cerebrais alfa, calmo e relaxado, mesmo que não esteja planejando dormir. Claro, eu poderia meditar para chegar lá, mas é incrível conseguir isso e responder e-mails ao mesmo tempo.

Minha última e mais importante técnica para hackear a meditação é meditar com eletrodos presos à minha cabeça registrando minhas ondas cerebrais. Cientistas monitoram ondas cerebrais há cinquenta anos, mas quase sempre observando cérebros disfuncionais. Agora sabemos a aparência das ondas cerebrais de praticantes avançados de meditação e como treiná-los.

Tive minha primeira máquina de eletroencefalograma em casa em 1997, e fiz um upgrade dessa tecnologia – e de meu cérebro – desde então. Depois de experimentar todo tipo de meditação que consegui, descobri que não há nada que se compare a ter um computador lhe dando feedback mil vezes por segundo. Por isso criei a 40 Years of Zen, uma instalação de neurociência em Seattle que treina pessoas bem-sucedidas para terem um desempenho em níveis ainda mais altos. Criamos equipamentos e programas personalizados para levar o cérebro a outro nível, comprimindo anos de meditação em cinco dias de trabalho intenso em um lugar que parece suspeitosamente como a Escola Xavier para Jovens Superdotados. O objetivo é ser capaz de manifestar os mesmos estados cerebrais de pessoas que passaram décadas meditando. Esse é o grande truque da meditação, e muitos estudos mostram que o neurofeedback pode aumentar seu QI.[1] Sério. O tiro na lua para a 40 Years of Zen é tornar a meditação tão acessível que possamos aumentar o QI médio do planeta em quinze pontos.

Ao longo dos últimos anos, tenho medido ondas cerebrais de pessoas de alto desempenho, e agora as estamos analisando com aprendizado de máquina, de modo que pela primeira vez na história podemos entender os padrões cerebrais comuns a pessoas que estão mudando o mundo – e torná-los ensináveis. O próximo passo é disponibilizar essa tecnologia em escolas, escritórios e casas de um modo seguro e eficaz, no que estou trabalhando enquanto escrevo. Com sorte, quando você ler este livro, será capaz de usar o último truque de meditação em qualquer lugar do mundo, editar as vozes em sua cabeça e empreender uma jornada rápida e eficiente na direção de um desempenho melhor e um autoconhecimento maior.

Itens de ação

- Inscreva-se em uma aula de meditação. Não é tão difícil.
- Meça ou treine a variabilidade de sua frequência cardíaca. Eu uso o HeartMath para treinamento e um anel Oura para monitorar minha variabilidade de frequência cardíaca durante o sono.
- Tente outras técnicas para hackear a meditação, por exemplo: óculos de luz e som, as trilhas sonoras Centerpointe de Bill Harris e/ou óculos escuros TrueDark. (Revelação: eu ajudei a fundar a TrueDark e sou um dos investidores.) Faça o que for necessário. Há valor em meditação não assistida, mas a tecnologia vai ajudá-lo a conseguir chegar lá mais rápido.
- Pense na possibilidade de ir a um www.40yearsofzen.com para fazer seu trabalho de eletroencefalograma.

Áudios recomendados

- "Lyme Disease, Heart Rate Variability & Skincare", *Bulletproof Radio*, episódio 297.
- Eric Langshur, "Be a Boss with Your Brain, Heart & Gut", *Bulletproof Radio*, episódio 457.

14

SUJE-SE SOB O SOL

Eu não teria previsto que, dentre todos os possíveis conselhos do mundo, algo tão simples quanto sair ao ar-livre e se sujar seria uma das vinte principais respostas das pessoas que entrevistei. Mas, afinal, eu decidi deixar o mundo tecnológico do Vale do Silício para trás, mas permanecer conectado, e me mudei para a floresta da ilha de Vancouver quase uma década atrás para passar mais tempo na natureza. Minha experiência mostrou que o maior presente que eu poderia dar a meus filhos era crescer ao ar livre. Isso melhorou meu estado de ânimo e meu desempenho cognitivo de forma incomensurável, e na verdade eu não estou sozinho. Passar tempo na natureza alimenta seu cérebro e seus intestinos, ajuda suas células a criarem mais energia e é tão eficiente no tratamento da depressão quanto produtos farmacêuticos. Não importa onde você viva, é possível e essencial encontrar o tempo e o lugar para fazer algo tão básico que muitas pessoas cometem o erro de não perceber: sair ao ar livre. Isso ajuda a melhorar seu desempenho também quando está em lugares fechados.

Lei n°41: Transforme seu ambiente mais em um zoológico e menos em uma fazenda

A maioria das pessoas vive em um ambiente domesticado que é economicamente útil e eficiente, mas desprovido do tipo de energia que pode impulsioná-lo a novos níveis. Passe mais tempo ao ar livre. Veja árvores.

> Sinta o cheiro das plantas. Coma comida de verdade. Sue ao sol. Trema quando estiver frio. Dê ao seu sistema nervoso uma prova do ambiente em que ele evoluiu de modo que possa colher os retornos conforme sua biologia muda para aumentar seu desempenho.

Daniel Vitalis é apaixonado pela ideia do homem na natureza – como em uma forma de vida livre, soberana e não domesticada. Sua paixão reside na interseção da zoologia humana e do desempenho pessoal. Em outras palavras, ele é altamente focado em entender como podemos usar a sabedoria de nossos ancestrais e os benefícios de seus ambientes naturais para revigorar nossa natureza selvagem enquanto simultaneamente temos sucesso no mundo de hoje. Há duas décadas, ele desenvolve e aplica práticas com base na vida dos primeiros humanos para ajudar as pessoas a entrarem em contato com seu lado selvagem. Algumas coisas que faz são um pouco loucas, mas está inspirando muita gente a maximizar seu desempenho de maneiras alinhadas às minhas.

Daniel usa a expressão "retorno ao estado selvagem" para se referir à ideia de restaurar algo a seu estado natural e não trabalhado. É o contrário de *domesticar*, que é uma palavra derivada de *domicílio*. Em outras palavras, *domesticado* significa "da casa", e por milhares de anos os humanos têm não apenas domesticado plantas e animais, mas também domesticado a si mesmos. Pelo caminho, criamos uma versão doméstica de muitas entidades naturalmente selvagens. A alface-romana que comemos é uma versão domesticada da alface selvagem *Lactuca serriola*. Os cães que temos como animais de estimação são versões domesticadas dos lobos. E Daniel diz que os humanos de hoje não são *Homo sapiens*, mas na verdade uma subespécie domesticada que ele chama de *Homo sapiens domestico fragilis*. Talvez seja um certo exagero, mas ele chamou minha atenção.

Como a domesticação nos mudou? Daniel diz que somos menos robustos e mais graciosos fisicamente que nossos ancestrais selvagens. Somos versões mais esguias, magras e menores. Nós acasalamos e nos reproduzimos em cativeiro. Temos uma dieta de alimentos domesticados. Somos, portanto, uma subespécie doméstica. Isso é um pensamento radical.

Isso significa que há uma forma "selvagem" de humanos – povos indígenas que ainda vivem em bolsões isolados ao redor do mundo. Daniel afirma que esses humanos selvagens são mais saudáveis, mais fortes e mais em forma que o resto da humanidade. Mas não restam muitos deles. Daniel acredita que estamos à beira de uma mudança monumental para a história humana, que é a extinção dos humanos selvagens. Quando isso acontecer, diz ele, vamos perder a força de nosso patrimônio genético. É por isso que precisamos despertar novamente o lado selvagem que ainda está vivo em nosso DNA com práticas diárias que vão atiçar o fogo em nossas raízes.

Esse processo de *retorno ao estado selvagem* envolve dar uma olhada em seu estilo de vida e perguntar a si mesmo como pode resgatar algumas das coisas naturais para nossa espécie. Daniel diz para imaginar tirar um chimpanzé da floresta e levá-lo para viver em casa, na América do Norte. É seu interesse manter esse animal saudável para que ele viva uma vida longa e produtiva? Em caso positivo, você criaria um hábitat para o chimpanzé que se assemelhasse a seu ambiente natural o máximo possível, em vez de enfiá-lo em um apartamento, entregar a ele um controle remoto e alimentá-lo com comidas processadas. Mas isso é exatamente o que fazemos conosco, tanto que ele acredita que estamos detendo a evolução e causando danos ao DNA para as gerações futuras. Ele sugere haver um elo direto entre essa degeneração de nosso código genético e o aumento de doenças modernas como o câncer, cardiopatias, diabetes, cáries e perdas ósseas. Estamos ficando sem cola.

Nesse momento, diz Daniel, vivemos em uma fazenda industrial humana. O propósito de uma fazenda não é promover a saúde, a felicidade, o bem-estar e a longevidade. Trata-se de obter o máximo de produtividade a qualquer custo, com o objetivo de acabar rapidamente com a vida do animal. Nós nascemos em cativeiro. Somos cortados logo após o nascimento. Somos traumatizados. Somos doutrinados. Sofremos lavagem cerebral. Então produzimos produtos, serviços e dinheiro de impostos sem parar até morrermos prematuramente. Isso é uma fazenda industrial para humanos. É uma interpretação sombria de nossa vida, claro, e ignora os benefícios da civilização. Mas essa perspectiva nos oferece algumas sacadas úteis quando se trata de maximizar o desempenho humano.

Daniel acredita que, em vez disso, podemos criar um zoológico humano – um lugar que promova a máxima saúde de um animal, a expressão de seu comportamento selvagem e a preservação de sua genética, para que o animal possa ter uma vida longa. Para viver em um zoológico, é necessário recriar um hábitat e uma dieta que sejam tão similares à versão selvagem quanto possível. Isso se encaixa exatamente na definição de biohacking: mudar o ambiente a sua volta para ter total controle da própria biologia. Daniel não está sugerindo que você saia completamente do esquema e comece a viver na floresta. Em vez disso, pergunte a si mesmo: se fosse levar um ser humano selvagem para casa, como você se prepararia? O que ofereceria para ele comer? Que tipo de atividade planejaria? Então pense em como você poderia tirar vantagem das mesmas mudanças para deixar sua vida mais como um zoológico e menos como uma fazenda.

Claro, Daniel enfrentou muitas críticas. Ele sugere que é porque a ideia de selvagem é tabu em uma sociedade "civilizada". Para manter nossa civilização, nós nos programamos para acreditar que há algo assustador, desorganizado e inerentemente "diferente" no selvagem, e que se entrarmos em contato com essa parte de nós, vamos erodir todo o progresso que fizemos e nos tornar bárbaros outra vez.

Esse estado selvagem não é apenas normal, é saudável. Nós vimos como todo passo que demos para longe da natureza levou a um prejuízo para nossa saúde, seja resultado de ficar sentado por tempo demais, de não obter nutrientes suficientes de plantas e animais, ou do trabalho exaustivo de agropecuária no início da revolução do neolítico. Antes que os humanos passassem a viver em recintos fechados, eles tinham acesso constante a ar fresco e não precisavam lidar com coisas como poeira, que é pele morta que agora respiramos o dia inteiro, além dos clorofluorcarbonos que os aparelhos de ar-condicionado e refrigeração têm lançado no ar desde os anos 1930 e de todas as toxinas em nossos carpetes e móveis produzidos industrialmente.

Nunca conseguiremos voltar a ser completamente selvagens, mas Daniel e outros pesquisadores recomendam algumas ações simples que podem ajudar a despertar o lado selvagem de seus genes – todas as quais refletem os conselhos ao longo deste livro: reduzir sua carga tóxica, melhorar a qualidade de sua dieta, aumentar sua exposição ao ar fresco, ao sol, ao solo e à água limpa. Basicamente, começar o processo de retorno à natureza imergindo a si mesmo em um ambiente natural quando puder sair, e mudar o ambiente interno para ser mais natural.

Itens de ação

- Arranje algumas plantas para sua casa. (Assegure-se de obter plantas orgânicas sem pesticidas e com controle de crescimento de mofo na terra. Eu uso o spray Homebiotic, que contém bactérias naturais do solo que combatem fungos produzidos em espaços fechados.)
- Dê uma caminhada na natureza toda vez que viajar.
- Liste três maneiras de deixar seu ambiente mais como um zoológico do que como uma fazenda:
  - _____
  - _____
  - _____

Áudios recomendados

- Daniel Vitalis, "ReWild Yourself!", *Bulletproof Radio*, episódio 141.
- Zach Bush, "Eat Dirt: The Secret to Healthy Microbiome", *Bulletproof Radio*, episódio 458.

Lei nº 42: Permita que seu corpo produza o próprio protetor solar

A luz do sol é um nutriente. Assim como comer demais pode causar diabetes, obter luz do sol em excesso pode causar câncer. Mas substituir a luz do sol por luz artificial de baixa qualidade é a mesma coisa que substituir alimentos de verdade por junk food. Você terá um desempenho melhor e viverá mais se a luz do sol real e sem filtro banhar sua pele nua e entrar em seus olhos durante pelo menos vinte minutos por dia. Isso vai melhorar seu sono, agir como antidepressivo e lhe dar mais energia. A luz do sol não é opcional.

Você leu anteriormente sobre o incrível trabalho do dr. Gerald Pollack, que descobriu um quarto estado da água que não é líquido, sólido nem gasoso, mas um gel chamado água de zona de exclusão. Esse é o tipo de água que há em nossas células e da qual as mitocôndrias (os milhões de usinas de força nas células) precisam para criar energia. Recentemente, cientistas descobriram misteriosas estruturas celulares chamadas microtúbulos, que são necessárias para produzir novas mitocôndrias e movê-las pelos neurônios,[1] e, na verdade, a água de zona de exclusão é essencial para o movimento no interior dos microtúbulos.

Há alguns meios de criar mais água de zona de exclusão. Você obtém esse tipo de água naturalmente ao beber suco de vegetais frescos, água de fonte ou água de derretimento de geleiras, e ela se forma espontaneamente quando a água normal vibra ou se mistura. Pesquisas recentes feitas pelo dr. Pollack mostram que ainda mais água de zona de exclusão se forma ao misturar a gordura da manteiga com água. Melhor ainda, água de zona de exclusão se forma em suas células ao expor a pele (e os olhos, os portais do cérebro) à luz do sol durante alguns minutos por dia, sem óculos escuros, roupas ou filtro solar.

Especificamente, é uma luz de 1.200 nanômetros que transforma a água nesse quarto estado, embora a luz do sol também tenha outros espectros com efeitos benéficos. Por exemplo, a luz vermelha encontrada na luz do sol é absorvida pela hemoglobina no sangue e pelas mitocôndrias, que acrescentam elétrons às células. É o mesmo tipo de elétron que seu corpo produz normalmente a partir da combinação de alimentos e ar.

Há tanta confusão e medo em relação à exposição à luz solar que muitas pessoas chegam ao ponto de cobrir cada centímetro da pele antes de sair. Nós nos cobrimos de filtro solar, usamos óculos escuros e usamos roupas. Mas nosso corpo prospera sob a luz natural. Claro, não é saudável se submeter a tanta exposição solar que chegue ao ponto de ter uma queimadura, mas uma pequena quantidade de exposição ao sol todos os dias estimula a produção de colágeno e é boa para o cérebro, o estado de ânimo e a água nas células.

Para obter informação sobre exposição ao sol e filtros solares, procurei a dra. Stephanie Seneff, pesquisadora graduada do Laboratório de Ciência da Computação e Inteligência Artificial do MIT, cuja pesquisa se concentra principalmente na relação entre nutrição e saúde. Ela escreveu dez trabalhos sobre doenças dos dias modernos e o impacto de deficiências nutricionais e toxinas ambientais na saúde humana. Ela é meu tipo favorito de pessoa que vira o jogo – uma especialista em uma área que migrou para outra área e a revolucionou, porque via as coisas de um jeito diferente.

A dra. Seneff diz que os índices de melanoma cresceram junto com o aumento do uso de filtro solar. Embora a relação de causa e efeito não tenha sido provada, há uma forte correlação entre esses dois aspectos, o que não faz sentido, pois o filtro solar deveria proteger você dos raios prejudiciais do sol. Mas a especialista explica que a conexão na verdade remonta ao glifosato, o herbicida Roundup, que, segundo ela, perturba a habilidade natural da pele de se proteger do sol.

Micróbios intestinais normalmente produzem triptofano e tirosina, aminoácidos que servem como precursores da melanina, o composto escuro em peles de tipo bronzeado ou escuro. A função deles é absorver a luz UV e protegê-lo de qualquer dano que ela possa causar. Mas quando o alimento é exposto ao glifosato, isso afeta os micróbios intestinais, e eles não podem produzir o suficiente desses aminoácidos. Os mecanismos naturais para proteção contra o sol param de funcionar. Isso contribui para queimaduras de sol perigosas e/ou melanoma – não devido à exposição ao sol em si, mas à exposição a produtos químicos que matam as bactérias das quais você precisa para se proteger do sol. Você também necessita de muitos polifenóis (compostos de plantas de cores vivas) na dieta para que sua pele produza melanina, porque a melanina é feita de polifenóis interligados.

Com a dieta correta e um intestino saudável, você pode se expor ao sol de forma moderada com segurança, permitindo que suas células produzam mais água de zona de exclusão. Quando água normal é exposta a essa luz (e talvez à UV), ela se transforma em água de zona de exclusão. Se você se expuser à luz infravermelha por meio de uma sauna infravermelha ou simplesmente saindo em um dia ensolarado sem óculos escuros ou filtro solar, seu corpo vai absorver essa energia e formar água de zona de exclusão. A luz entra em seu corpo através de seus olhos e segue caminho diretamente para o cérebro, devido à sua capacidade de produzir água de zona de exclusão, e porque você produz melanina nas profundezas de seu cérebro, onde ela pode criar oxigênio e elétrons extras para abastecer a função cognitiva. Outra pesquisa mostra que a exposição à luz UV pode prevenir ou reduzir a miopia.[2]

O dr. Pollack me contou sobre um experimento em seu laboratório, no qual ele passou água por um tubo estreito. Quando expôs a água à luz UV, ela fluiu pelo tubo cinco vezes mais rápido. Se o sangue e o fluido linfático podem fluir através dos vasos capilares estreitos mais rapidamente, você experimenta menos inflamação crônica. Os microtúbulos pequeninos em suas mitocôndrias também se beneficiam desse efeito de "supercarga" quando se expõe à luz do sol.

Como leu no Capítulo 7, a exposição adequada à luz solar também é necessária para dar apoio ao ritmo circadiano de modo que obtenha sono de boa qualidade. Quando se expõe à luz do sol, seu corpo produz serotonina, o neurotransmissor das boas sensações. O corpo transforma a serotonina em melatonina, o hormônio do sono. Se você não se expuser suficientemente à luz natural durante o dia, não terá melatonina suficiente para dormir bem à noite. E você já sabe que não dormir bem é a chave para ir mal em basicamente tudo.

Uma das primeiras pessoas a realmente tocarem o alarme sobre a luz de baixa qualidade (luz artificial que pode prejudicar o desempenho) foi T.S. Wiley, uma autora que estava quinze anos à frente de seu tempo na identificação da importância da luz do sol e da escuridão para a saúde humana. Desde essa época, o Prêmio Nobel tem sido dado a trabalhos sobre biologia circadiana, e alguns líderes pensantes do espaço do bem--estar se juntaram a mim ao assumir a causa do uso da luz e da escuridão para melhorar nossa biologia. Talvez o mais conhecido seja o dr. Joseph Mercola, um médico osteopata que administra o site de saúde com maior tráfego na internet há vinte anos. Ele está consistentemente à frente da curva em muitas de suas recomendações. Como poderia esperar de uma pessoa inovadora que vira o jogo, ele tem sua cota de críticos, embora tenha sido inocentado várias vezes. Além de entrevistá-lo no programa, passei a conhecê-lo como alguém que realmente pratica o que prega. Para dar apoio à própria biologia, o dr. Mercola passa cerca de noventa minutos por dia caminhando na praia, a maior parte do tempo descalço e sem camisa para receber elétrons, prótons, íons negativos do oceano, micróbios das aves marinhas e, o mais importante, exposição aos raios UVB. Isso permitiu que ele mantivesse níveis elevados de vitamina D sem tomar suplementos durante os últimos anos. Noventa minutos por dia não é viável para a maioria das pessoas, mas você ainda pode usufruir de um passeio na natureza sempre que possível.

Nossos corpos foram feitos para produzir toda a vitamina D de que necessitamos quando expostos à luz UVB adequada através de raios solares. Entretanto, o dr. Mercola estima que, hoje, 85% das pessoas têm deficiência de vitamina D, o que está ligado a uma imensidão de problemas: câncer, diabetes, osteoporose, artrite reumatoide, doença inflamatória do intestino, esclerose múltipla, doença cardiovascular, altos níveis de colesterol, transtornos no sistema neurológico, falência dos rins, transtornos do sistema reprodutor, fraqueza muscular, obesidade, transtornos na pele e até problemas dentários.

Há outra razão por que a vitamina D é tão importante: a deficiência dela pode levar a transtornos do sono. Na verdade, estudos mostram que a epidemia desses transtornos é causada, em parte, pela vasta deficiência de vitamina D.[3] Se você não pode se mudar para a Flórida e passar mais de uma hora na praia todos os dias, como faz o dr. Mercola, sugiro comer alimentos ricos em vitamina D, como salmão, gema de ovo e atum, e fazer uma suplementação, além de obter alguma exposição a raios UVB da luz do sol ou de uma lâmpada bronzeadora, caso viva mais ao norte como eu. Antes de iniciar a suplementação, faça um exame de sangue para se assegurar de tomar a quantidade correta de vitamina D. Da mesma forma que pouca vitamina D é ruim, o seu excesso também é. A vitamina D pausa temporariamente a produção de melatonina, então tome-a de manhã em vez de à noite, quando quer dormir. E, por favor, não tome vitamina D3, a menos que também tome vitamina K2. Uma nova pesquisa mostra que tomar vitamina D3 sem ter K2 suficiente em sua dieta pode calcificar tecidos ao longo das décadas, e alguma vitamina A previamente formada (não apenas betacaroteno) pode ajudar a equilibrar essas proporções.

A exposição à luz do sol é essencial para sua saúde mental e felicidade. Você provavelmente está familiarizado com o tipo de depressão mais generalizado, que ataca nos meses mais escuros. Clinicamente, isso se chama transtorno afetivo sazonal, ou TAS, e seus sintomas podem ir de falta de motivação e problemas para se concentrar a sintomas de depressão. Pessoas que sofrem de TAS normalmente descobrem que ele começa no outono, quando os dias ficam mais curtos, e melhora na primavera, quando os dias ficam mais longos. A localização nitidamente tem um papel – os que vivem mais longe da linha do equador têm uma incidência maior de transtorno afetivo sazonal do que os que vivem mais perto dela. Apenas 1% dos residentes da Flórida experimentam transtorno afetivo sazonal, enquanto ele afeta 9% dos residentes do Alasca.[4] Acredito haver muita gente que não tem todos os sintomas de TAS, mas cujo desempenho e bem-estar geral são impactados de forma negativa pelo inverno, especialmente mais ao norte da Terra. Esse é um problema enorme se você está procurando ser mais bem-sucedido no que faz, mas tem menos energia por vários meses do ano!

Há décadas, o tratamento mais eficaz e popular para a depressão sazonal tem sido a fototerapia. Pesquisas mostraram que ela é tão eficiente quanto antidepressivos farmacêuticos, e alguns estudos chegaram a indicar que ela pode funcionar mais rápido.[5] A versão mais eficaz da fototerapia é simplesmente sair e expor os olhos e a pele à luz natural durante vinte minutos ao dia. Para maximizar sua vitamina D, exponha o máximo de pele que a temperatura e as leis locais permitirem.

Para programar o temporizador do cérebro para dormir e acordar, não use óculos escuros e não olhe diretamente para o sol. O espectro certo de luz vai se refletir ao seu redor. Mesmo que não sofra de depressão sazonal, fazer isso vai melhorar seu ânimo, ajudá-lo a dormir e a produzir mais água de zona de exclusão nas células. E é de graça.

Se a exposição a luzes naturais não for uma opção, experimente encontrar uma luz interna com todo o espectro que emita ao menos 2500 lux (lux é uma unidade de luz) sem usar luzes de LED. Instale as luzes ao nível dos olhos e aponte-as para longe de seu campo direto de visão. Assim como o sol, não olhe diretamente para elas. Você quer expor os olhos sem fritar as retinas. Comece com apenas cinco ou dez minutos de exposição por dia, dependendo da força da luz, e aumente gradualmente, sem passar dos sessenta minutos. Tenha certeza de seguir as instruções do fabricante. Proteja os olhos de luz UV excessiva.

Faço uso da fototerapia desde 2007 para melhorar meu desempenho, e funciona. Uma das pessoas que me ajudaram a descobrir isso foi

Steven Fowkes, um bioquímico que foi um dos pioneiros a reunir pesquisas sobre drogas inteligentes e compartilhá-las. Sua influente newsletter, *Smart Drug News* [Notícias sobre drogas inteligentes], que não é mais publicada, foi o início da revolução dos nootrópicos que vivemos hoje em dia. Sem o trabalho de Steve, eu não teria tido a carreira que tive no Vale do Silício. Steve trabalhava nisso vinte anos antes de todo mundo.

Ele me ajudou a fazer a sintonia fina de minha fototerapia, o que melhorou minha função cognitiva e me ajudou a desfrutar de um sono perceptivelmente melhor. Ele diz que, se você está em harmonia com seu dia, e seus biorritmos estão de acordo com o ciclo claro-escuro, você quer se expor à luz vermelha de manhã para espelhar o nascer do sol. Portanto, a luz precisa mudar para o azul no meio do dia e pela maior parte do dia, antes de voltar ao vermelho outra vez ao se preparar para dormir. Isso imita o ciclo natural do sol, embora LEDs azuis sejam um modo ruim de obter luz do dia azul, devido à sua intensidade.

Se não está em sincronia com as fases naturais do dia, o que significa que fica acordado até tarde ou desperta cedo (antes de o sol nascer), você pode usar fototerapia para voltar a se alinhar. Por exemplo, se precisa acordar mais cedo do que é ideal para sua biologia, você vai querer se expor à luz vermelha ao acordar. Ponha algumas luzes vermelhas acima de sua cama, chute as cobertas, acenda as luzes e bronzeie o corpo em fótons vermelhos e infravermelhos. Isso ativará suas mitocôndrias, melhorará sua circulação e lhe dará um aumento considerável de energia. À noite, a luz do dia que faz parte do espectro de lâmpadas de LED suprime a produção de melatonina, por isso instale interruptores que regulam a intensidade da luz em sua casa no período noturno e evite as luzes de telas eletrônicas.

A exposição ao sol ajuda o corpo a criar vitamina D e água de zona de exclusão, e determina o ritmo circadiano para melhorar o desempenho. Sair ao ar livre é fundamental, o que nos leva à próxima lei...

Itens de ação

- Escolha alimentos orgânicos que não foram expostos ao glifosato.
- Obtenha exposição adequada ao sol – vinte minutos por dia sem filtro solar nem óculos de nenhum tipo (lentes bloqueiam os raios UV). Escute um podcast, saia para dar uma caminhada, dê um telefonema

ou medite durante esse período para que você possa ter um retorno maior de seu investimento de tempo.
- Pense na possibilidade de tomar suplementos das vitaminas D, K2 e A. Assegure-se de se submeter a um exame antes, para saber a dosagem apropriada. Salmão selvagem e gema de ovo são boas fontes nutricionais de vitamina D, mas não chegam nem perto da dose dos suplementos.
- Passe uma semana em um lugar ensolarado durante o inverno, caso viva em um lugar com invernos escuros.
- Pense na possibilidade de fazer fototerapia se sente mesmo uma pequena redução de energia durante os meses de inverno.

Áudios recomendados
- Stephanie Seneff, "Glyphosate Toxity, Lower Cholesterol Naturally & Get Off Statins", *Bulletproof Radio*, episódio 238.
- Joseph Mercola, "The Real Dangers of Electric Devices and EMFs", *Bulletproof Radio*, episódio 424.
- Steven Fowkes, "Hacking Your pH, LED Lightining, and Smart Drugs", *Bulletproof Radio*, episódio 94.

Leituras recomendadas
- T.S. Wiley, *Lights Out: Sleep, Sugar, and Survival*.
- Joseph Mercola, *Cura sem esforço: 9 maneiras simples de melhorar a saúde, perder peso e ajudar seu corpo a se curar*.

Lei nº 43: Banhe-se na floresta e não na banheira

A obsessão da sociedade por limpeza levou a uma drástica redução de nossa biodiversidade intestinal, o que tem impacto negativo na saúde e felicidade em geral. Não é necessário nem benéfico ser 100% higiênico o tempo inteiro. Para ter boa saúde e felicidade, suje-se, banhe-se na natureza e não se mantenha mais do que moderadamente limpo.

A dra. Maya Shetreat-Klein é neurologista e herborista, e autora de *The Dirt Cure: Healthy Food, Healthy Gut, Happy Child* [Tradução livre: A cura da sujeira: alimentos saudáveis, intestinos saudáveis e uma criança feliz], que descreve uma abordagem integrada e espiritual para o tratamento de problemas de saúde tanto em crianças quanto em adultos. Acho seu trabalho especialmente interessante, pois ela não é apenas neurologista, mas também é herborista e fazendeira urbana, e fez muitos trabalhos importantes com comunidades indígenas.

A dra. Shetreat-Klein quer mudar a maneira como você pensa sobre a sujeira e as bactérias. Ela diz que se expor a bactérias é transformador para o corpo inteiro, do desenvolvimento do intestino ao desenvolvimento do sistema imunológico e a uma função cerebral saudável. Nossa cultura é obcecada pela higiene. Nós passamos a acreditar que quanto mais limpo for, melhor será, e que se sujar é uma coisa ruim. Como resultado, sanitizamos nossas vidas e nossos corpos em excesso com antibióticos, alimentos de fazendas industriais e produtos de limpeza antibacterianos.

Tudo isso conspirou para nos tornar menos saudáveis e menos felizes em vez de mais. A especialista afirma diz que o primeiro passo para reclamar nosso bem-estar é mudar a maneira como pensamos a sujeira. A maioria das bactérias não é boa nem má. Sem dúvida há algumas muito perigosas, mas a força do sistema imunológico de seu corpo – que inclui os micróbios de seus intestinos – determina se a ameaça está presente. Então, o que determina a saúde de seus intestinos? A biodiversidade microbiana é o Santo Graal. Quando há uma comunidade diversa de bactérias vivendo dentro de você, elas mantêm os intestinos equilibrados e previnem que qualquer tipo de bactéria cresça fora de controle. Você nunca estará completamente livre de organismos maus. Eles estão dentro de nós o tempo inteiro, incluindo parasitas e vírus. Mas eles podem viver em sinergia e manter uns aos outros sob controle desde que você também tenha uma grande variedade de outros organismos.

A melhor maneira de promover a diversidade dos micróbios intestinais é por meio de exposição à boa e velha sujeira – em especial, a terra, que contém organismos que podem literalmente fazê-lo mais feliz. Cientistas descobriram isso, como muitas outras coisas boas, por acidente. Em 2004, a dra. Mary O'Brien, oncologista no Hospital Royal Marsden, em Londres, injetou uma bactéria do solo, chamada *Mychobacterium vaccae*, em pacientes com câncer de pulmão, para ver se isso poderia prolongar suas vidas. Não prolongou. Entretanto, melhorou significativamente a qualidade de vida deles, que ficaram mais felizes, expressaram mais vitalidade e tiveram melhor funcionamento cognitivo depois de receberem a bactéria.

Alguns anos mais tarde, neurocientistas da Universidade de Bristol injetaram a mesma bactéria em camundongos e descobriram que ela ativava grupos de neurônios no cérebro dos roedores responsáveis por produzir serotonina. Isso aumentou os níveis de serotonina no cérebro a níveis semelhantes ao de medicamentos antidepressivos. Então, em vez de tomar remédios com efeitos colaterais bem conhecidos e documentados, é possível obter resultados semelhantes cuidando de seu jardim orgânico. Me inclua nessa.

Cientistas estudam atualmente se podem repetir esses resultados em humanos e usar a bactéria do solo para tratar depressão e até transtorno de estresse pós-traumático. Até que consigam financiamento e passem pelos estágios necessários para completar um estudo duplo cego, vou arriscar gastar meu tempo brincando na lama.

Há uma razão para gostarmos de brincar na lama quando crianças: nós gravitamos em sua direção instintivamente porque ela faz com que nos sintamos bem. Nós naturalmente queremos ficar sujos. Mesmo quando bebês, engatinhamos no chão e colocamos constantemente pés e mãos na boca. Ao fazer isso, estamos na verdade semeando várias e várias vezes nossos micróbios durante esse período fundamental de desenvolvimento.

A dra. Shetreat-Klein diz que essa é a única forma de os humanos se envolverem naturalmente com a medicina das plantas. Todos sabemos que uma caminhada na natureza faz com que nos sintamos bem. Assim como ganhar flores, o que segundo ela é outra forma de medicina das plantas. Nossa cultura nos diz para dar flores às pessoas quando estamos felizes, quando as amamos ou quando elas estão tristes ou experimentaram uma perda. Fazemos isso porque as plantas transformam a maneira como nos sentimos física e emocionalmente. Ter plantas vivas da natureza em nosso lar muda nosso estado de ânimo. Talvez a nuvem de bactérias do solo que acompanha as flores seja uma razão para isso.

Outro comportamento cultural com base na medicina das plantas é a prática japonesa do *shinrin-yoku*, ou banho de floresta. Nessa tradição, as pessoas mergulham na beleza da floresta. O conceito foi desenvolvido nos anos 1980, quando muitos japoneses se mudaram de zonas rurais para áreas mais urbanas e se sentiram compelidos a voltar para a terra e se banhar para absorver um pouco do que sentiam falta na cidade. A terapia se tornou um pilar da medicina japonesa.

O banho de floresta não apenas melhora seu bioma intestinal. Caminhar na natureza é uma atividade física suave que, por si só, pode melhorar o estado de ânimo, reduzir a produção de hormônios do estresse e aumentar a longevidade.[6] Mas não é apenas o movimento que reduz o estresse nas pessoas que se banham de floresta. Estudos mostram que as concentrações salivares de cortisol em adeptos dessa prática são de 12% a 13% mais baixas que em pessoas que fazem caminhadas em áreas urbanas, o que significa que a natureza em si reduz os hormônios do estresse. O banho de floresta também pode reduzir a atividade nervosa simpática, a pressão sanguínea e a frequência cardíaca.[7]

Além disso, ele também aumenta a imunidade. Isso, em parte, pode ser resultado da maior biodiversidade de passar tempo na natureza. Muitas árvores perenes liberam compostos aromáticos chamados *fitoncídeos*, que aumentam as células exterminadoras naturais (ou células NK, as *natural killers*), a principal defesa de seu sistema imunológico contra vírus e doenças. As células NK são suprimidas por exposição crônica aos hormônios de estresse, o que pode levar a um sistema imunológico enfraquecido ou mesmo ao câncer. Mas a atividade das células NK é sempre mais alta depois de um banho de floresta, e aumenta quando seu corpo é exposto a mais fitoncídeos. Cognitivamente, o banho de floresta melhora o estado de ânimo e amplia o desempenho mental e a solução criativa de problemas.[8] É possível que alguns óleos essenciais de árvores perenes também contenham esses compostos.

Outro convidado do *Bulletproof Radio*, o dr. Zach Bush, começou sua carreira em pesquisa oncológica. Quando descobriu moléculas de micróbios no solo que se pareciam a produtos químicos de quimioterapia que estava estudando, uma lâmpada se acendeu em sua cabeça. Ele percebeu que micróbios do solo se comunicam diretamente com nossas mitocôndrias e nosso DNA celular, e redirecionou sua carreira para estudar esse fenômeno. Em sua entrevista, o dr. Bush recomendou que todos passem tempo em uma variedade maior de ambientes naturais, apenas respirando fundo. Nossos seios da face captam micróbios de ambientes naturais, e a diversidade microbiana em nossos corpos nos torna muito mais resistentes. Ele tem o hábito de visitar desertos, florestas tropicais e qualquer outro ambiente natural incomum que possa encontrar como uma maneira de diversificar suas bactérias intestinais. Também criou um suplemento feito de bactérias antigas do solo contendo os compostos que ele descobriu, chamado Restore. Eu agora faço questão de respirar fundo em ambientes incomuns cheios de micróbios do solo intocados. Isso se chama fazer caminhadas, e é muito melhor que usar uma esteira em vários aspectos.

Mesmo que você viva em um ambiente urbano, há formas de se beneficiar de estar na natureza. Passe tempo em parques públicos, experimente fazer compostagem, arranje um cachorro para correr com ele ou passe mais tempo com outras pessoas para aumentar sua biodiversidade intestinal. Tudo bem ser higiênico e lavar as mãos, mas reduza os antimicrobianos e higienizadores de mão e use sabonete normal em vez disso.

Basicamente, seja moderadamente limpo e estimule seus filhos a se sujarem. Deixe que desçam colinas rolando e brinquem ao ar livre o máximo que puderem. Brinque com eles, e depois se lave no fim do dia com uma barra de sabão. Na verdade, é muito simples, como são todas as melhores coisas que viram o jogo.

Itens de ação
- Deixe seus filhos brincarem na terra. Melhor ainda, junte-se a eles.
- Faça uma caminhada na natureza uma vez por semana. Aumente seu retorno acrescentando a comunidade (leve amigos!).
- Elimine produtos de limpeza antibacterianos e água sanitária.
- Leve plantas em vasos (incluindo a terra) para sua casa para se beneficiar das bactérias do solo.

Áudios recomendados
- "Talking Dirty About Spiritual Plants and Microbial Biodiversity", *Bulletproof Radio*, episódio 426.

- Evan Brand, "Forest Bathing, Repairing Your Vision & Adaptogens", *Bulletproof Radio*, episódio 268.
- Zach Bush, "Eat Dirt: The Secret to a Healthy Microbiome", *Bulletproof Radio*, episódio 458.

Leitura recomendada
- Maya Shetreat-Klein, *The Dirt Cure: Healthy Food, Healthy Gut, Happy Child*.

USE A GRATIDÃO PARA REPROGRAMAR SEU CÉREBRO

Algo que quase todas as leis deste livro têm em comum é que elas tiram você de um estado de estresse de lutar ou fugir fazendo com que seus sistemas primitivos de defesa se sintam seguros. É assim que as pessoas mais bem-sucedidas do planeta encontram forças para mudar o mundo. E a melhor maneira de garantir que seu corpo saiba que está seguro é cultivar gratidão. As pessoas que estão no topo de suas áreas, fazem coisas notáveis, têm poder e o usam para servir aos outros sabem que a gratidão não é apenas algo agradável de sentir, ela é vital para ter energia para executar o seu trabalho e aproveitar mais a vida.

É fácil ser grato quando as coisas vão bem, mas sentir gratidão por tudo, mesmo seus piores traumas, reveses e obstáculos, não é simples. Entretanto, como afirmaram esses luminares, isso é essencial. Em vez de cair na armadilha da autopiedade ou de criar uma narrativa em que as probabilidades estão contra eles, esses indivíduos se esforçaram para ver a beleza em seus momentos mais sombrios. Muitas das pessoas que entrevistei disseram que não seriam tão felizes nem bem-sucedidas quanto são hoje se não tivessem encontrado uma maneira de serem gratos por seus esforços. O mesmo vale para mim.

Sou grato por ter morado em uma casa cheia de mofo tóxico que alterou completamente minha biologia. Sou grato por ter perdido todo meu dinheiro e precisar continuar a trabalhar. Se não tivesse vivido a dor e a dificuldade desses momentos, não teria aprendido lições valiosas que me inspiraram a criar a Bulletproof e a compartilhar o aprendizado sobre como criar mais energia do que eu achei que deveria ter. Foi preciso esforço para me sentir assim, pois minha resposta natural era sentir muita raiva de toda a situação. Mas esse esforço compensa todo dia porque eu não carrego mais o fardo da raiva. Se pulasse todos os outros capítulos do livro e lesse apenas este, você ainda estaria à frente no jogo. Esse é o nível de importância da gratidão. E é uma habilidade que você pode desenvolver. Com prática regular, a gratidão deixa uma marca duradoura em seu sistema nervoso, tornando-o mais sensível ao pensamento positivo. Isso significa que, quanto mais você pratica a gratidão, mais encontra naturalmente a positividade em vez da negatividade. Basicamente, *a vida exige menos trabalho quando você pratica a gratidão*. Quanto mais você tende naturalmente na direção do pensamento positivo, mais capaz será de transcender seus instintos básicos e gastar sua preciosa energia fazendo coisas em seu próprio benefício, e talvez para o resto da humanidade também.

Lei nº 44: A gratidão é mais forte do que o medo

Superar o medo que não lhe tem serventia é necessário para acessar sua grandeza. A coragem funciona, mas é preciso muita energia para mantê-la. Guarde a coragem para quando sua vida estiver realmente em jogo. No resto do tempo, use a gratidão para desligar o medo a nível celular. A liberdade dos medos leva à felicidade, e a felicidade é o que faz com que você tenha o melhor desempenho no que quer que escolha fazer.

Um dos principais convidados com os quais aprendi é o dr. Stephen Porges, um importante cientista da Universidade de Indiana, onde dirige o Consórcio de Pesquisa de Traumas Sexuais do Instituto Kinsey. Em 1994, o dr. Porges mudou a cara da medicina ao propor a teoria polivagal, que liga o sistema nervoso autônomo ao comportamento social e fornece uma explicação fisiológica para problemas comportamentais e transtornos psiquiátricos. Seu trabalho mudou profundamente a forma como cientistas abordam a questão da saúde mental e oferece compreensões sobre a funcionalidade do estresse que podem beneficiar a todos.

Conhecido como o "nervo errante" (vagus em latim significa "errante"), o nervo vago começa em seu bulbo raquidiano e percorre seu corpo, conectando o cérebro ao estômago e ao trato digestivo, assim como aos pulmões, ao coração, ao baço, aos intestinos, ao fígado e aos rins. O principal trabalho do nervo vago é monitorar o que está acontecendo no corpo e levar a informação de volta ao cérebro. É um componente-chave de seu sistema nervoso parassimpático, responsável por acalmá-lo depois de uma resposta de luta ou fuga. A força da atividade do nervo vago é conhecida como tom vagal. Se você tem um tom vagal alto, consegue relaxar mais rapidamente depois de passar por um momento de estresse. Um tom vagal baixo é o contrário e pode mantê-lo em estado crônico de luta ou fuga.

Nitidamente, ser capaz de passar por cima da programação padrão e se acalmar de forma mais rápida depois de experimentar um momento de estresse é importante. Por sorte, segundo o dr. Porges, qualquer um pode melhorar seu tom vagal. Uma forma de aumentar o tom vagal é por meio de interação social. Os mamíferos não evoluíram em isolamento, e sim em comunidades. Portanto, nós nos beneficiamos e continuamos a precisar da ajuda de outros. Dar cuidados não é uma atitude abnegada com apenas uma direção. É bidirecional, ou pelo menos deveria ser. Nós nos sentimos bem naturalmente quando ajudamos outras pessoas, desde que elas recebam de bom grado essa ajuda. Crianças e cachorros são exemplos perfeitos disso. São carentes e respondem de forma amorosa a nossos cuidados, e isso faz com que nos sintamos bem e queiramos continuar a cuidar deles.

Outra experiência humana com impacto sobre o tom vagal é sentir gratidão. O dr. Porges explica que, quando está em estado de gratidão, seu sistema nervoso é banhado em sinais de segurança. Isso faz sentido do ponto de vista evolucionário – você não vai se sentir grato ao ser perseguido por um tigre. Porém, é necessário mais do que a ausência de um tigre para se sentir grato. Ele nos lembra que a remoção de uma ameaça não é a mesma coisa que segurança. Seu corpo precisa receber sinais de que está realmente seguro para sentir gratidão. Ele sugere que há uma espécie de processo decisório que determina como seu corpo responde ao perigo percebido. Você não tem consciência desse processo – ele acontece no pano de fundo, e ramificações diferentes do nervo vago são ativadas em resposta a situações diferentes.

Quando recebe um estímulo assustador, seu corpo responde primeiro à comunicação social: linguagem verbal, linguagem corporal, tom de voz e outros sinais não verbais.[1] Se o estímulo é forte demais para que essas respostas forneçam o conforto adequado, o cérebro ativa os hormônios de estresse – sua resposta de lutar ou fugir. Se tem um baixo tom vagal e não é capaz de voltar ao princípio, você pode congelar completamente e ser incapaz de agir. O dr. Porges sugere que isso é comum em sobreviventes de traumas ou abusos.

Quando sabe que seu medo é irracional, você pode usar sinais de segurança para deter o pânico e impedir que seu corpo entre em modo total de lutar ou fugir. Um desses sinais de segurança é usar uma voz tranquilizadora. O dr. Porges explica que esse fenômeno está gravado em nós. Pense em crianças pequenas que são nitidamente acalmadas por tons de voz calmantes e melódicos. Os pais frequentemente usam esses tons de voz instintivamente com os filhos, mas alterar o tom de sua fala também funciona com adultos. Meditações guiadas, pessoalmente ou gravadas, adotam um tom lento e rítmico de fala. Usar a voz como sinal de relaxamento leva o cérebro a um estado relaxado mais rápido do que um tom normal de conversa. (É por essa razão que eu não falo rápido no *Bulletproof Radio*!) A implicação é que, se estiver estressado, o Rage Against the Machine pode não ser a melhor trilha sonora, mesmo que seja energizante. Música calma pode render dividendos mais altos para o sistema nervoso.

Outra maneira de ativar um sinal de segurança para seu cérebro é imaginar seu lugar feliz. Sei que isso parece clichê, mas funciona. Para fazê-lo com eficiência, você precisa determinar um "lugar seguro" ou "lugar feliz" quando está calmo. Feche os olhos e pense em um ambiente no qual você se sinta completamente à vontade, satisfeito e em paz. Imagine o máximo de informação sensorial e detalhe possível – imagens, cheiros e sons. Pratique essa visualização com frequência. Assim, quando começar a sentir medo ou raiva, pode invocar seu "lugar seguro" sem muito esforço. Ele está ali para quando você precisar. O meu pode ou não parecer uma batcaverna.

Outra grande especialista que me ensinou muito sobre gratidão é a dra. Elissa Epel que, como você leu antes, é professora da UCSF e estuda como o estresse pode impactar nosso envelhecimento biológico através do sistema telômeros/telomerase, e como modalidades de meditação podem reduzir os efeitos do estresse e aumentar o bem-estar físico e espiritual.

A dra. Epel me contou de um estudo que fez com o pesquisador de mitocôndrias dr. Martin Picard da Universidade de Columbia. Eles examinaram o sangue dos participantes para determinar a atividade de suas enzimas mitocondriais. Esses químicos têm um papel importante na produção de energia para as células. A dra. Epel e o dr. Picard descobriram que, como grupo, cuidadores – como mães com filhos com condições crônicas – tinham reduzido a atividade das enzimas. Entretanto, dentro desse grupo havia grandes exceções.

Para descobrir a origem dessas diferenças, os pesquisadores fizeram um levantamento da vida diária dos participantes, perguntando coisas como: Desde a hora em que acorda, quanto anseia pelo dia? Quanto está preocupado com o dia? Quanto está feliz? Quanto você está estressado ou ansioso? Eles observaram não apenas o afeto e emoção dos participantes, mas suas opiniões do que aconteceria a eles, bom ou ruim. Em outras palavras: eles estavam presos em um ciclo de sempre antecipar uma ameaça, ou também experimentavam esperança e gratidão? Verificaram as enzimas mitocondriais dos participantes de manhã, depois de um momento de estresse e depois novamente à noite. Descobriram que as pessoas com maior quantidade de enzimas mitocondriais tinham um estado emocional mais positivo quando acordavam e ao irem para a cama, especialmente perto da hora de deitar. Esse era um estado de ânimo de recuperação, e se elas se aferravam ao resíduo de tudo o que acontecia a elas durante o dia, isso determinava o bom funcionamento de suas mitocôndrias.

Para ajudar as pessoas a melhorarem seu estado de ânimo e não acordarem antecipando o estresse, a dra. Epel sugere que pensem em algo pelo qual são gratas antes de se deitar. Esse simples exercício de gratidão pôde aumentar potencialmente as enzimas mitocondriais dos participantes e os deixou mais felizes.

Embora seja compreensível que mães de filhos doentes tenham tendência a temer o pior, a dra. Epel explica que muitas pessoas antecipam momentos de estresse sem nem mesmo perceber. A pergunta é: você carrega um perigo ou ameaça percebido ao longo do dia e rumina sobre ele?

Você se coloca em um estado de luta ou fuga antecipando o estresse antes que ele aconteça? Ou você se banha em sinais de segurança sentindo-se grato? Um jeito fácil de perceber se você passa o dia antecipando ameaças é prestar atenção a como se sente à noite. À noite, seu estado de ânimo é realmente importante, porque reflete o quanto se recuperou do estresse. O quanto seu estado de ânimo é positivo ao chegar em casa do trabalho à noite, e antes de ir para a cama?

Vários anos atrás, instituí uma prática de gratidão na Bulletproof. Nossa reunião semanal da equipe executiva começa com cada membro da equipe contando pelo que se sente grato. Às vezes é uma grande conquista no trabalho. Mas mais frequentemente é tempo com a família, um projeto voluntário ou talvez uma vitória do time de futebol americano de Seattle, os Seahawks. Começar uma reunião com gratidão gera uma interação mais poderosa e forma conexão entre os membros da equipe. Vejo isso como um serviço que ofereço às pessoas que apoiam a missão da empresa tão apaixonadamente: ajudá-las a acessarem o poder ilimitado de ser humano.

Valorizo tanto a gratidão que não a reservo para a Bulletproof. Toda noite antes de dormir, desde que meus filhos tinham idade suficiente para falar, peço a eles que contem um "ato de bondade", algo que fizeram naquele dia para ajudar outra pessoa. Seu tom vagal aumenta quando se lembram de algo bom que fizeram. Depois disso, fazemos uma prática noturna de gratidão. Lana e eu perguntamos a eles três coisas pelas quais são gratos. Às vezes é uma coisa pequena, como a gratidão por ter comido filé de costela criado em pasto no jantar. (Adoro ter filhos gourmets!) Mas às vezes é profundo. Uma vez, quando meu filho tinha cinco anos, ele ficou com uma expressão estranha no rosto e disse:

– Pai, sou grato pelo Big Bang porque sem ele não haveria nada.

Então rolou para o lado e foi dormir feliz, com o sistema nervoso calmo e as mitocôndrias a todo vapor. Isso também funciona para adultos. Experimente.

Itens de ação

- Pare de se colocar em estado de estresse antecipando problemas antes que eles ocorram (se preocupar). Se sentir isso acontecendo, trabalhe para ir ao seu "lugar feliz".
- Faça algo bom para outra pessoa todos os dias para melhorar seu tom vagal.
- Toda noite, antes de dormir, pense em três coisas pelas quais você é grato, para aumentar suas enzimas mitocondriais. Na verdade, faça isso agora e sinta o que acontece com seu sistema nervoso. Você ganha pontos extras se localizar onde em seu corpo sente gratidão intensa.
    - _____
    - _____
    - _____
- Fale com uma voz calma e tranquilizadora quando quiser desligar a resposta de lutar ou fugir em você ou nos outros.
- Escute música de alta energia quando precisar da energia – mas se já estiver estressado, foque em música com vozes calmas.

Áudios recomendados

- Stephen Porges, "The Polyvagal Theory & the Vagal Nerve", *Bulletproof Radio*, episódio 264.
- Elissa Epel, "Age Backwards by Hacking Your Telomeres with Stress", *Bulletproof Radio*, episódio 436.

Leituras recomendadas

- Stephen W. Porges, *The Pocket Guide to the Polyvagal Theory: The Transformative Power of Feeling Safe*.
- Elizabeth Blackburn e Elissa Epel, *O segredo está nos telômeros: receita revolucionária para manter a juventude, viver mais e melhor*.

Lei nº 45: Perdoe, mas não se lamente

A gratidão por si só melhora o desempenho. Mas as pessoas com desempenho mais avançado sabem que a gratidão é também a porta para o perdão. Ao perdoar, você reprograma seu sistema nervoso a não mais reagir automaticamente a memórias de traumas, sofrimentos e ofensas percebidas. Para perdoar, identifique as histórias falsas que conta a si mesmo, em seguida encontre um modo de ser grato até mesmo pelas piores coisas que experimentou. Você não precisa pedir desculpas para perdoar. O perdão é o maior aperfeiçoamento para o desempenho humano. Perdoe com a mesma intensidade que tem em sua missão na vida e acessará novos níveis de energia e felicidade.

Em meu caminho para me tornar à prova de balas, passei algum tempo em uma cabana para a cerimônia do suor depois de completar uma semana do treinamento avançado de Alberto Villoldo de meditação xamânica. Um velho e poderoso dançarino do sol nativo americano conduziu a experiência, que tive a honra de compartilhar com um grupo de uma dúzia de pessoas. Uma dessas pessoas era uma mulher que estava extremamente infeliz, embora apenas o fato de estar ali fosse uma dádiva incrível. Ela não parava de dizer coisas como "Cheguei ao fundo do poço, as coisas não podem ficar piores", e quando tinha a oportunidade de pedir qualquer coisa, dizia:

– Só queria ter energia suficiente para chegar ao fim do dia.

Fiquei aborrecido ao testemunhar sua crença em sua história e disse sem pensar:

– Por que não pedir, pelo menos, energia suficiente para passar bem o dia?

Vou creditar essa indiscrição ao calor, mas ela forneceu uma lição importante sobre acreditar na própria história.

O sábio ancião que estava supervisionando a cerimônia do suor olhou para ela e disse, antes de jogar mais água nas pedras quentes:

– Você está sofrendo de uma coisa chamada autopiedade. Nós sabemos o que fazer em relação a isso.

Na verdade, aquela mulher tinha muitas coisas pelas quais podia ser grata. Ela ainda estava resistindo. Podia pagar por aquela experiência relativamente cara e tinha tido a oportunidade de aprender com uma pessoa incrível capaz de virar o jogo como Alberto Villoldo antes de ser convidada por um ancião para participar de uma cerimônia sagrada.

Isso é questão de transformação. Todos nós temos coisas pelas quais sentir autopiedade e coisas pelas quais sentir gratidão. Em quais delas você vai se concentrar? Mesmo que sua vida esteja muito difícil no momento – ou se sua vida sempre foi difícil – você pode encontrar algo pequeno pelo que ser grato. Quando sentia que as coisas estavam mal, eu voltava a ser grato por ter duas pernas boas. As coisas sempre podem ser piores. Você ainda resiste. Você tem este livro e a maravilhosa chance de aprender com centenas de pessoas de alto desempenho. Você pode lidar com isso. Você não é *suficiente* – você é *muito mais* que suficiente.

Em parte, a gratidão é poderosa porque ela lhe tira de sua própria história de autopiedade. Imagine que alguém lhe dê uma fechada no trânsito. Na maioria das vezes em que isso acontece, contamos imediatamente uma história a nós mesmos sem nem pensar sobre ela: Aquele cara acha que é melhor que eu. Que idiota. Mas e se você mudar a história? Imagine que essa pessoa está correndo para o hospital para ver sua mãe moribunda pela última vez. Nesse caso, você não ficaria grato por ser capaz de permitir que ela passasse à sua frente?

É o sentimento de gratidão até mesmo por uma ofensa percebida que abre a porta para o perdão. Claro, nenhuma história tem qualquer validade. Você nunca vai saber de verdade por que aquela pessoa o fechou. Mas pode escolher uma história que lhe permita ficar grato e perdoar, ou pode escolher se aferrar ao ressentimento. A pessoa que o fechou não saberá a diferença. A vida dela não vai mudar, não importa o que você diga a si mesmo sobre por que ela fez isso. Na essência, o perdão permite que você pare de carregar os ressentimentos de outras pessoas. Você tem coisas mais importantes para carregar.

Muitas pessoas cometem o erro de fazer isso parcialmente. Alguém nos dá uma fechada, e decidimos perdoar a pessoa sem criar uma narrativa que nos permita sentir gratidão. Em outras palavras: *Ele me fechou porque acha que é melhor que eu, mas eu o perdoo.* Esse é um passo na direção certa, mas resulta meramente em um perdão a nível cognitivo, que não vai afetar suas ondas cerebrais nem seu sistema nervoso e permitir que experimente todos os benefícios da gratidão. Pensar em perdão não é o mesmo que senti-lo. Em outras palavras: é fácil fingir que não liga para o jeito com que um idiota o trata, mas se isso secretamente suga sua energia por dentro, você ainda acabará pagando o preço.

Sentir gratidão até pelos idiotas corrosivos em sua vida, por outro lado, realmente aumentará sua felicidade. Ter casca grossa não é muito útil, porque isso o força a continuar recebendo golpes, bloqueia emoções positivas, e é energeticamente caro de se manter. Quando aprende a sentir gratidão e compaixão por um idiota, entretanto, seu comportamento vai passar direto por você sem lhe custar energia. Isso se chama perdão. A melhor parte, é claro, é que demonstrar e realmente *sentir* gratidão por um idiota deixa a pessoa com ainda mais raiva do que ao ser ignorada. E isso custa ao idiota ainda mais energia do que o necessário para agir como um idiota, para começo de conversa. Não há possibilidade de o seu ódio secreto por alguém melhorar a sua vida ou a da outra pessoa.

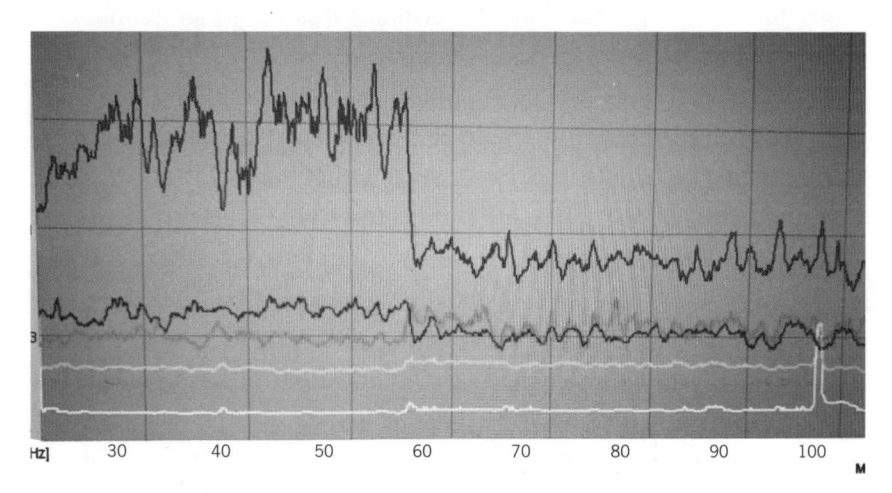

Protocolo de reinicialização aumentado por neurofeedback da 40 Years of Zen, mostrando o impacto da gratidão e do perdão nas ondas cerebrais durante treinamento executivo de melhoria da cognição

Em uma de suas entrevistas, perguntei a Tim Ferriss de *Trabalhe 4 horas por semana* quais os três conselhos que ele daria a uma pessoa com o desejo de alcançar um melhor desempenho como ser humano. Ele respondeu com uma citação de B.J. Miller, um médico especializado em cuidados paliativos que é triplamente amputado: "Não acredite em tudo o que você pensa." Tim diz que, quando as pessoas questionam suas filosofias e concepções básicas profundamente enraizadas, elas com grande frequência acham que são completamente infundadas. Ele experimentou isso na própria vida. Em resposta ao conselho de B.J., começou a dizer a si mesmo: *Não use sua história como abrigo.* Se acordar com medo ou se estiver em período depressivo e se abrigar em uma história incapacitante sobre si mesmo ou o mundo, nunca conseguirá virar o jogo.

Enquanto aprendia com muitos professores espirituais e especialistas em desenvolvimento pessoal a frasear afirmativas de maneira positiva – focadas em fazer alguma coisa em vez de *não* fazer alguma coisa –, Tim diz que *não se abrigar na história* funcionou bem para ele. É como uma placa de PARE que usa para interromper o padrão de autoengano. Isso permite olhar para o que está à sua frente de maneira não reativa e sem a bagagem emocional de traumas ou erros do passado. A versão positivamente fraseada disso seria: "Veja as coisas como elas realmente são e viva neste mundo." Você pode fazer os dois!

Por exemplo, se alguém parece muito seco e rude no telefone, não suponha que ele tem algum problema pessoal com você e que está tentando estragar seu dia. Talvez esteja apenas com fome. Talvez precise ir ao banheiro e seu chefe não o libere até o fim da hora seguinte. Escolher uma história positiva permite a gratidão e, portanto, o perdão para uma pequena ofensa, mas se você se abrigar em uma história que promova a autopiedade, não vai gostar de sua vida.

Talvez ninguém tenha dominado a arte de transformar a autopiedade em gratidão melhor que Tony Robbins, palestrante motivacional mundialmente famoso, guru das finanças pessoais e autor várias vezes presente na lista de mais vendidos do *New York Times*. Em um episódio especial do *Bulletproof Radio*, Tony, Peter Diamandis e o guru do marketing Joe Polish discutiram a história de Tony, e como ele acredita que nada é impossível. Impossível, segundo ele, não é um fato, é uma opinião. Tecnicamente, tudo é impossível até que alguém o faz. Mesmo no campo da ciência, muitas coisas que pareciam impossíveis posteriormente provaram ser possíveis. Portanto,

ele afirma que sempre que uma empresa não cresce ou uma pessoa não é bem-sucedida, não é porque é impossível. É porque essa pessoa tem uma história dizendo por que sua estratégia não funciona. Como Tony diz:
– Se conseguir se divorciar da história de sua limitação e se casar com a verdade de sua capacidade ilimitada, então todo o jogo muda.

Depois de conhecer Tony e dividir o palco com ele, posso garantir que ninguém vive mais esse lema do que ele!

A verdade dessa questão é que as histórias que o prendem são *todas* resultado de traumas passados, quando seu sistema nervoso acreditava estar seriamente ameaçado. O trauma é guardado no corpo. As histórias existem como forma de o corpo primitivo se assegurar que você não seja vítima da mesma situação novamente. Sentir gratidão e oferecer perdão verdadeiro é a maneira de desemaranhar essas histórias e ver as coisas como realmente são.

Itens de ação

- Lembre-se da pior coisa que aconteceu a você e pense em algo bom que veio dela:
  _____

- Qual é uma história limitadora que você acredita ser totalmente verdadeira sobre você ou o mundo?
  _____

- Você pode imaginar o que faria com que essa história não fosse verdade, pelo menos uma vez? Se a resposta for sim, pare de acreditar na história. Se a resposta for não, continue procurando, ou peça a opinião de um amigo ou amiga. Histórias autolimitadoras nunca são reais.

- Faça uma lista de pessoas ou coisas das quais você guarda rancor:
  _____, _____,
  _____, _____,
  _____, _____,
  _____, _____,

- Esse rancor lhe custa energia, causa dor e não afeta em nada a outra parte. Encontre gratidão, procure o perdão para todos na lista e veja seus limites desmoronarem.

Áudios recomendados
- Alberto Villoldo, "Brain Hacking & One Spirit Medicine", *Bulletproof Radio*, episódio 220.
- Gabrielle Bernstein, "Detox Your Thoughts to Supercharge Your Life", *Bulletproof Radio*, episódio 455.
- "Address Invisible Patterns, Find Joy in Solving Problems & Other Lessons with the Founder of TOMS Shoes", *Bulletproof Radio*, episódio 442.
- "Mashup of the Titans" com Tim Ferriss, partes 1 e 2, *Bulletproof Radio*, episódios 370 e 371.
- Tim Ferriss, "The Tim Ferriss Experiment", *Bulletproof Radio*, episódio 215.
- Tony Robbins e Peter Diamandis, "Special Podcast, Live from the Genius Network", *Bulletproof Radio*, episódio 306.

Leituras recomendadas
- Tony Robbins, *Desperte seu gigante interior: como assumir o controle de tudo em sua vida*.
- Peter H. Diamandis e Steven Kotler, *Abundância: o futuro é melhor do que você imagina*.

Lei nº 46: Use as ferramentas da gratidão

Não deixe a gratidão ao acaso. Tire proveito de ferramentas simples e eficazes para incluir gratidão em seu dia a dia do mesmo jeito que inclui exercícios ou alimentação saudável. A gratidão é um músculo. Exercite-a.

UJ Ramdas é empreendedor e especialista em mudança comportamental com formação em ciência cognitiva. Também é um hipnotizador certificado, apaixonado por juntar a psicologia prática aos negócios para criar um mundo melhor, e virou o jogo para muitos de seus clientes de consultoria. Mas eu queria conversar com ele por causa de seu foco em gratidão e em criar hábitos para gerar mais gratidão ao longo da vida. UJ sugere que você experimente a gratidão tanto cognitiva quanto psicologicamente para que ela seja eficaz, o que quer dizer que você deve pensá-la e senti-la. Quando esses dois elementos se conectam, você pode mudar sua forma de pensar de maneira poderosa.

Durante anos, UJ teve um ritual noturno que lhe permitia experimentar o poder da gratidão. Toda noite, usava um diário para revisar as coisas boas que tinham acontecido naquele dia. Mas quando olhou para a ciência, viu que os efeitos da gratidão eram mais poderosos quando as pessoas perguntavam pelo que eram gratas de manhã cedo, então mudou para uma rotina matinal que consistia em fazer três perguntas a si mesmo e anotar as respostas: Pelo que sou grato? O que posso fazer para tornar o dia de hoje ótimo? Que tipo de pessoa quero ser hoje?

Ele afirma que responder a essas três perguntas de manhã cedo lhe permitiu tirar proveito do efeito de primazia, a ideia de que fazer algo ao acordar tem um efeito desproporcional no dia todo. A segunda e a terceira pergunta preparam o cérebro para antecipar ações e resultados positivos, o que aumenta os sentimentos de gratidão. Por exemplo, UJ diz que, quando as pessoas acham que verão seu filme favorito, seus níveis de endorfina aumentam automaticamente. A antecipação, portanto, é uma fonte incrível de bem-estar e felicidade, desde que você antecipe algo positivo.

Em vez de desistir do ritual noturno, antes de dormir, UJ começou a revisar três coisas boas que tinham acontecido a ele naquele dia. Ele diz que, quando escrevemos algo pelo qual somos gratos, dormimos melhor, experimentamos uma qualidade do sono melhor, compartilhamos uma maior sensação de proximidade com nossa família e amigos e temos o desejo maior de fazer coisas boas pelos outros.

Então ele pergunta a si mesmo: "O que eu poderia ter feito para fazer o dia melhor?" Isso o mantém no estado mental de melhoria constante. UJ é tão apaixonado por esses hábitos de gratidão que criou um caderno personalizável chamado Five Minute Journal [Diário de cinco minutos] para tornar mais fácil que as pessoas os adotem em suas próprias vidas.

Ele acredita que esses hábitos simples podem torná-lo mais resiliente, aumentar a ativação de seu córtex pré-frontal e deixá-lo calmo e focado em momentos de estresse em vez de entrar em pânico, pois melhoram o tom vagal. É igualmente importante o fato de esses hábitos de gratidão levarem a outras mudanças positivas. Em um estudo inovador sobre a gratidão em 2003, o cientista Robert Emmons mandou os participantes escreverem cinco coisas pelas quais eles eram gratos uma vez por semana. Dez semanas depois, os participantes que tinham praticado gratidão estavam se exercitando uma hora e meia a mais por semana que um grupo de controle (sem que lhes mandassem fazer isso) e relataram uma sensação de reciprocidade em relação a suas famílias, amigos e colegas que inspiraram mais atos de bondade. Em outras palavras, eles queriam fazer coisas boas para as pessoas em suas vidas porque eram gratos por elas.

A energia que Tony Robbins estende para ajudar os outros é lendária, então faz todo o sentido que ele tenha uma prática pessoal de gratidão. Tony diz que passa apenas três minutos pensando em três coisas pelas quais é grato, e visualizando cada uma delas com grandes detalhes sensoriais. Por exemplo, em vez de pensar "Sou grato por aquela montanha-russa ali", Tony se coloca mentalmente no banco da frente e se sente mergulhar, tornando-se completamente presente na visualização daquilo pelo que é grato. Também garante que pelo menos uma dessas três coisas seja algo bem simples, como o vento em seu rosto ou o sorriso de seu filho, para treinar a si mesmo a ser grato pelas pequenas coisas da vida.

Depois de fazer isso durante três minutos, Tony faz uma bênção de três minutos, durante a qual imagina a vida, Deus ou energia entrando em seu corpo, curando todo músculo e nervo e reforçando sua paixão, seu amor, sua generosidade, sua criatividade e seu humor. Então visualiza qualquer problema que esteja enfrentando como solucionado. Quando sente isso por completo, ele imagina um círculo de energia em torno de si, de sua família e de seus amigos. Em seguida estende esse círculo a seus clientes e os imagina sendo curados, conseguindo o que querem e tendo as vidas que merecem.

Por último, pensa em três resultados específicos que são importantes para ele, e em vez de pensar em alcançá-los, ele vê, sente e os experimenta como se estivessem resolvidos e imagina o impacto que teria ao completá--los. Ele vê a vida das pessoas ser tocada, experimenta sua alegria e se sente grato. Toda essa prática deve levar cerca de dez minutos, mas Tony diz que muitas vezes deixa que ela dure quinze ou vinte minutos, porque se diverte muito.

Para experimentar os mesmos efeitos, use a técnica de UJ, a técnica de Tony ou a que uso com meus filhos. Acrescente qualquer combinação dessas ferramentas:

MANTENHA UM DIÁRIO DE GRATIDÃO

Esta é provavelmente a prática mais popular de gratidão, em parte graças ao aplicativo Five Minute Journal, de UJ. Escrever as coisas pelas quais você é grato é tangível, e é mais fácil se lembrar de ser grato diariamente quando isso envolve um objeto físico. O processo é simples: escreva três coisas pelas quais é grato de manhã e mais três antes de dormir. Se for demais, escreva apenas em um dos períodos do dia.

PRATIQUE A ATENÇÃO PLENA

Desacelere sua vida. Se notar que está correndo para chegar ao trabalho, perceba isso e relaxe. Chegar alguns minutos atrasado não vai matá-lo. Na próxima vez que subir as escadas, preste atenção a cada degrau. Olhe para as árvores, as flores e a grama nascendo nas rachaduras do calçamento quando fizer uma caminhada. Literalmente pare para sentir o cheiro das rosas. Há uma tremenda beleza por toda a nossa volta, e a maioria de nós passa direto a caminho do próximo objetivo ou obrigação. A vida é curta demais para não apreciar as pequenas coisas. Não tenha pressa. Isso banha seu sistema nervoso com sinais de segurança, desligando sua programação padrão e liberando o poder da gratidão.

REPENSE UMA SITUAÇÃO NEGATIVA

Eis uma velha parábola. O cavalo de um fazendeiro fugiu. Seus vizinhos disseram:
– Que vergonha!
Ele disse:
– Talvez.
No dia seguinte, o cavalo voltou trazendo cavalos selvagens com ele. Os vizinhos disseram:
– Que maravilha!
O fazendeiro disse:
– Talvez.
No dia seguinte, um cavalo pisou no braço do filho do fazendeiro e o quebrou. Os vizinhos disseram:
– Que horror!
O fazendeiro disse:
– Talvez.
No dia seguinte, o governo chegou à aldeia recrutando pessoas para a guerra. Eles dispensaram o filho do fazendeiro devido ao braço quebrado.
– Que maravilha! – disseram os vizinhos.
O fazendeiro disse:
– Talvez.
É uma parábola boba, mas tem uma boa mensagem: situações são neutras; a maneira como você as percebe é o que as torna boas ou ruins. Encontre o lado bom em tudo. Muitas vezes o lado bom é o fato de que cada dificuldade faz com que você aprenda algo novo ou se torne um ser humano mais forte e mais resiliente. Não se force a sentir de determinada maneira se você acha que não está pronto. Não se trata de ser feliz ou positivo o tempo inteiro. Algumas situações são horríveis, e é importante sentir suas emoções negativas. Só desenvolva o hábito de encontrar as positivas também.

APRECIE ATIVAMENTE

Procure oportunidades para ser grato ao longo do dia. Isso é especialmente útil quando você tem um dia ruim ou percebe que está se concentrando em emoções negativas. Não se trata de ser falso nem de mentir para si mesmo. Trata-se de procurar ativamente coisas em sua vida que você aprecie autenticamente. Pode começar apenas sendo grato por sua xícara de café (com manteiga!) todas as manhãs, o fato de estar saudável ou o fato de ter duas pernas que funcionam.

ENCHA UM VIDRO DE GRATIDÃO

Isso é como o diário, só um pouco mais criativo. Escolha um vidro grande ou um aquário e e screva junto com a sua família (ou sozinho) pelo que vocês são gratos a cada dia e jogue no pote. À medida que o pote vai enchendo, isso serve como uma representação física de todas as coisas pelas quais você deve ter gratidão.

PRATIQUE GRATIDÃO COM AQUELES QUE AMA

Compartilhe sua gratidão enquanto família à mesa de jantar. Este é um excelente ritualzinho para se introduzir, especialmente se tiver filhos. Se quiser, determine algumas regras básicas. Primeiro, cada coisa que mencionar deve ser nova; segundo, deve estar relacionada aos acontecimentos daquele dia; e terceiro, deve ser diferente da gratidão de outra pessoa na mesma noite. Isso cultiva criatividade e engajamento. Refletir sobre o dia de maneira positiva pode ter alguns benefícios realmente poderosos. E como a gratidão, em geral, ajuda a dormir, a noite é uma boa hora para se fazer isso. Em um grupo de amigos, companheiros de casa ou uma família, escolha uma hora para compartilhar gratidão uns com os outros. Não apenas você vai obter os benefícios de caminhos com pensamento mais positivo, mas também vai fomentar a intimidade com as pessoas que ama.

FAÇA UMA CAMINHADA DE GRATIDÃO

Saia para uma caminhada (pontos extras se tomar um pouco de sol ao mesmo tempo) e preste muita atenção a tudo o que vir e experimentar. Perceba toda a beleza, a sensação de cada passo na sola de seus pés. Isso vai acalmar sua mente e promover gratidão. Concentre-se na sensação que a gratidão cria em seu corpo e desfrute-a.

ESCREVA UM BILHETE DE AGRADECIMENTO

Escreva uma carta de amor e gratidão para alguém que tocou sua vida de um jeito grande ou pequeno. Pode ser um pai, um amigo, um professor que moldou sua vida ou qualquer um que queira agradecer. Diga a eles o que fizeram por você. Isso tem o bônus adicional de aprofundar suas conexões com aqueles de quem você gosta.

PRATIQUE COMBINAR GRATIDÃO E PERDÃO

Você carrega muito estresse – mesmo inconscientemente – devido a raiva e mágoa. Para praticar uma combinação de gratidão e perdão, escreva algo que o magoou, ou talvez apenas reconheça um pouco de sua raiva ou dor. Sinta a emoção negativa, pense em uma maneira com que a situação que causou essa emoção o beneficiou ou ajudou a moldá-lo a ser quem você é hoje e livre-se da negatividade. O perdão tem efeito profundo no aumento de suas ondas cerebrais alfa – aquelas associadas a um estado mental calmo e concentrado. Garanto que passar mais tempo nesse estado mudará o jogo para você.

Itens de ação
- Quais são as ferramentas de gratidão mais atraentes desta seção?
  - _____
  - _____
  - _____
- Agora, experimente-as!

Áudios recomendados
- UJ Ramdas, "Success and Gratitude", *Bulletproof Radio*, episódio 80.
- Tony Robbins e Peter Diamandis, "Special Podcast, Live from the Genius Network", *Bulletproof Radio*, episódio 306.

CONCLUSÃO

Ao longo dos últimos anos, enquanto entrevistava centenas de pessoas que criaram significado e impacto, muitas delas tentaram virar a mesa perguntando meus três conselhos mais importantes. Resisti em dar uma resposta até agora, porque essas entrevistas – assim como este livro – não são sobre mim. São sobre destilar conhecimentos novos de especialistas incríveis e líderes de pensamento e compartilhá-los com as muitas pessoas interessadas o bastante para colocá-los em prática em suas vidas. Eu sou uma dessas pessoas!

Também sou contrário a lhe dizer que, porque uma pessoa bem-sucedida faz uma coisa de um jeito, você deveria fazer igual. Somos todos diferentes, e o que funciona para uma pessoa, até para mim, pode não funcionar para você. Mas ao analisar os dados para descobrir *o que importa*, em vez de como alguém faz alguma coisa, você pode escolher suas prioridades com mais sabedoria. Em comparação a isso, encontrar as ferramentas para chegar lá é apenas um detalhe.

Mas, agora, depois de compilar os dados e revisitar todas essas entrevistas, estou animado para compartilhar com você minhas três coisas mais importantes. Elas não são dicas nem truques – são agulhas de uma bússola que, eu espero, você usará para seguir na direção certa com quaisquer métodos que funcionem melhor *para você*.

Minha primeira resposta é algo que mudou minha vida profundamente. Eu a ensino a meus filhos, a minha equipe na Bulletproof e a executivos de altíssimo padrão na 40 Years of Zen. É o poder da gratidão. Simplesmente falar com minha mulher e meus filhos sobre três coisas pelas quais sou grato todos os dias mudou completamente minha atitude e me deu mais energia para aplicar em todos os meus esforços. Tenho certeza de que não seria o pai, o marido e o CEO que sou hoje se não tivesse tornado minha prática de gratidão algo não negociável.

Como você leu anteriormente, para experimentar o verdadeiro poder da gratidão, é essencial encontrar um meio de ser grato por tudo, mesmo seus maiores obstáculos e fracassos. Para ensinar meus filhos a celebrarem o fracasso, incluo um fracasso pelo qual sou grato toda noite quando listamos nossas três coisas. Isso me ajudou a perdoar, a esquecer e a continuar forçando os limites em meus impulsos para virar o jogo.

Meu segundo conselho mais importante é entender sua programação e o fato de que tem uma rede mitocondrial que gostaria que você fizesse três coisas em ordem: fugir e se esconder ou matar coisas assustadoras, comer tudo o que puder e se reproduzir. Quando reconhece o fato de que tem uma inteligência inata que se move mais rápido do que pensa, encorajando-o a priorizar essas três coisas acima de todo o resto, a quantidade de vergonha e culpa que experimenta será tremendamente reduzida. Se você for mal em alguma dessas três coisas, tudo bem. Você é construído para isso. Agora levante-se e tente novamente, mas com você mesmo no comando, em vez da consciência primitiva que vive em seu interior. Quando alcança esse nível de aceitação, pode direcionar a energia para coisas que o energizem em vez de coisas que o tornam fraco. Para muitas pessoas que viram o jogo, incluindo eu mesmo, isso inclui uma missão pela qual sou apaixonado.

Por fim, quero que entenda que seu corpo não o escuta muito bem, exceto quando se trata de gratidão e amor. Felizmente, ele dá ouvidos ao ambiente à sua volta. Isso pode parecer assustador, mas na verdade lhe dá uma quantidade enorme de controle. Afinal de contas, você decide o que come, como dorme, quando se movimenta, o ar que respira e o tipo de luz à qual se expõe. Tudo isso importa tremendamente. É parte da matriz que o sustenta e contribui para o quanto você vai ser inteligente, rápido e feliz. Se manipular essas variáveis a seu favor, poderá ganhar mais força de vontade e resiliência do que jamais imaginou que fosse possível.

Claro, esses três conselhos interagem uns com os outros. Quando seu ambiente apoia sua biologia e você banha seu corpo em sinais de segurança usando uma prática de gratidão, você ganha a energia necessária para transcender a programação que quer mantê-lo focado na sobrevivência. Por outro lado, se concentrar em gratidão pode ajudar seu corpo a lidar com um ambiente estressante. Como toda lei deste livro, os benefícios que você ganha em uma área aumentam ao impactar outros aspectos de sua vida. Quando você vir as mudanças que criam os maiores benefícios, poderá priorizar suas ações de acordo.

E, como quebrar regras é algo que as pessoas que viram o jogo fazem, vou acrescentar uma quarta resposta. Ela está ligada à declaração da missão de minha empresa e à minha missão, que é ajudar as pessoas a acessarem o poder ilimitado de ser humano. A quarta coisa mais importante é simplesmente entender que você tem poder ilimitado e pode fazer coisas impossíveis quando encontrar a maneira correta de acessar esse poder. Aprendi do jeito mais difícil que toda vez que penso ter atingido um limite, estou errado. Apenas não estou pensando grande o bastante. Então pense maior.

Agora é sua vez. Você sabe o que centenas de pessoas com grande impacto dizem que as torna mais fortes, mais criativas e resilientes. Essa informação pode mudar vidas, mas não vai mudar nada se você não tomar uma atitude. Então, o que vai fazer primeiro? Que impacto você mais quer que ela tenha? E como vai usar a energia que ganhar para virar *seu* jogo?

AGRADECIMENTOS

A seção de agradecimentos de um livro talvez pudesse ser chamada mais apropriadamente de "seção da gratidão". Como você está no fim da leitura, já sabe quanto a gratidão é importante para sua própria felicidade e desempenho. Isso não significa que seja fácil escrever, porque há muitas pessoas pelas quais sou grato. Sou grato às pessoas que ouviram os cem milhões de episódios do *Bulletproof Radio*, especialmente as pessoas que perdem seu tempo e me param quando me veem na rua para me dizer como isso fez diferença em suas vidas. Essa é uma das coisas que fazem com que eu continue fazendo duas entrevistas por semana, toda semana. Também é esse tipo de interação que me inspira a ter o trabalho de escrever um livro como este.

Obrigado à equipe que apoiou diretamente a redação deste livro, incluindo Jodi Lipper, minha parceira de redação de confiança, Matthew Swope, que fez a análise estatística dos dados por trás deste livro, Julie Will, diretora editorial na Harper Wave, e Celeste Fine, a agente mais incrível que existe. E obrigado à produtora executiva do *Bulletproof Radio*, Selina Shearer, que sempre chama convidados que mudam o mundo.

Obrigado também a minhas assistentes Anie Tazian, Kaylee Harris e Bev Hampson, que fizeram milagres impossíveis para arranjar tempo em minha agenda para escrever este livro e assumiram muitas outras tarefas que eu, do contrário, teria que fazer sozinho em vez de escrever.

E por falar em tempo, obrigado à minha adorada esposa, a dra. Lana, e meus filhos, Anna e Alan, por me deixarem dormir um pouco mais depois de algumas noites longas escrevendo e por entenderem que um livro é uma missão que deve ser cumprida depois de iniciada. Este livro não existiria sem seu amor e flexibilidade, e espero que o tempo que gastei escrevendo-o, em vez de brincar com vocês, crie um impacto grande o suficiente no mundo pra tornar suas vidas melhores também.

É um trabalho em tempo integral ser o CEO de uma empresa que trabalha contra as grandes indústrias alimentícias, e eu só poderia ter escrito este livro com o apoio sólido como rocha de toda a equipe da Bulletproof, que manteve o foco em nossos clientes em momentos em que meu foco se dirigia à escrita. Obrigado a vocês por isso e pela energia incansável que dedicam todos os dias para mudar a vida das pessoas.

Um obrigado extra para JJ Virgin, Joe Polish, Jay Abraham, Jack Canfield, Dan Sullivan, Mike Koenigs, o dr. Barry Morguelan, Michael Wentz, Peter Diamandis, Naveen Jain, Craig Handley, o dr. Amen, o dr. Perlmutter, o dr. Hyman e Ken Rutkowski pelos conselhos e pela amizade durante o caminho.

Um agradecimento especial para o dr. Drew Pierson da 40 Years of Zen que criou protocolos personalizados de neurofeedback para ajudar meu cérebro a escrever este livro, e ao dr. Matt Cook e ao dr. Harry Adelson por todas as células-tronco!

Eu me enriqueci com toda entrevista e conversa do Bulletproof Radio, e com mais de quinhentos episódios, listar todos os nomes aqui não ajudaria. Agradecimentos extras para os convidados que aparecem neste livro, incluindo JJ Virgin, Jack Canfield, Stew Friedman, Tony Stubblebine, Brendon Burchard, Robert Greene, Vishen Lakhiani, Robert Cooper, Gabby Bernstein, Dan Hurley, Tim Ferriss, Steve Fowkes, Dennis McKenna, Rick Doblin, Amber Lyon, Patrick McKeown, Brandon Routh, Ravé Mehta, Bruce Lipton, Jia Jiang, Naveen Jain, Subir Chowdhury, dra. Izabella Wentz, Mark Bell, Genpo Roshi, Pedram Shojai, Hal Elrod, dr. John Gray, Christopher Ryan, Emily Morse, dra. Jolene Brighten, Paul Zak, Eli Block, Mistress Natalie, Geoffrey Miller, Bill Harris, dr. Pooja Lakshmin, dr. Michael Breus, dr. Jonathan Wisor, John Romaniello, Phillip Westbrook, Dan Levendowski, dr. Dwight Jennings, Arianna Huffington, Kelly Starrett, BJ Baker, dr. Doug McGuff, Charles Poliquin, Mark Sisson, dr. Bill Sears, Mark Divine, Catherine Divine, Mattias Ribbing, Jim Kwik, Stanislov Grof, David Perlmutter, Alberto Villoldo, Daniel Amen, Gerald Pollack, Cynthia Pasquella-Garcia, Mark David, Barry Sears, dra. Cate Shanahan, Mark

Hyman, Nina Teicholz, Bill Andrews, dra. Kate Rheaume-Bleue, William J. Walsh, dr. William Davis, dr. Ron Hunninghake, dr. Matthew Cook, dr. Henry Adelson, dra. Amy Killen, Jay Abraham, Joshua Fields Millburn, James Altucher, Tony Robbins, Peter Diamandis, JP Sears, Christopher Ryan, Esther Perel, dr. Barry Morguelan, Dan Harris, Wim Hof, Daniel Vitalis, Zach Bush, dra. Stephanie Seneff, dr. Joseph Mercola, Evan Brand, dra. Maya Shetreat-Klein, Stephen Porges, dra. Elissa Epel, dra. Elizabeth Blackburn, Steven Kotler e UJ Ramdas.

Obrigado também à cafeína, à nicotina, ao aniracetam, ao modafinil, à Unfair Advantage, ao Smart Mode, ao KetoPrime, à luz vermelha e todos os outros nootrópicos que deram energia à minha consciência à medida que este livro evoluía. E, por último, obrigado a minhas mitocôndrias (essas safadinhas!) por fazerem minha vontade (pelo menos na maior parte do tempo)!

NOTAS

CAPÍTULO 1: CONCENTRAR-SE EM SUAS FRAQUEZAS VAI APENAS TORNÁ-LO MAIS FRACO

1. Shai Danziger, Jonathan Levav e Liora Avnaim-Pesso, "Extraneous Factors in Judicial Decisions", *Proceedings of the National Academy of Sciences of the United States of America* 18, nº 17 (26 de abril de 2011): 6889–92; http:// www.pnas.org/content/108/17/6889.full.pdf.

CAPÍTULO 2: ADQUIRA O HÁBITO DE FICAR MAIS INTELIGENTE

1. Peter Schulman, "Applying Learned Optimism to Increase Sales Productivity", *Journal of Personal Selling & Sales Management* 19, nº 1 (1999): 31–37; http://www.tandfonline.com/doi/abs/10.1080/08853134.1999.1075 4157.
2. Susanne M. Jaeggi, Martin Buschkuehl, John Jonides e Walter J. Perrig, "Improving Fluid Intelligence with Training on Working Memory", *Proceedings of the National Academy of Sciences of the United States of America* 105, nº 19 (13 de maio de 2008): 6829–33; http://www.pnas.org/content /105/19/6829.abstract.

CAPÍTULO 3: SAIA DA PRÓPRIA CABEÇA PARA PODER ENXERGAR DENTRO DELA

1. https://www.goodreads.com/quotes/542554-taking-lsd-was-a-profound-experience--one-of-the-most; http://healthland.time.com/2011/10/06/jobs-had-lsd-we-have--the-iphone/2.
2. Enzo Tagliazucchi, Leor Roseman, Mendel Kaelen, et. al, "Increased Global Functional Connectivity Correlates with LSD-Induced Ego Dissolution", *Current Biology* 26, nº 8 (25 de abril de 2018): 1043–50; https://www.cell.com/current-biology/fulltext/S0960-9822(16)30062-8.
3. Daniel Wacker, Sheng Wang, John D. McCoy, et. al, "Crystal Structure of an LSD-Bound Human Serotonin Receptor", *Cell* 168, nº 3 (26 de janeiro de 2017): 377–89; https://www.cell.com/cell/fulltext/S0092-8674(16)31749-4.

4. D.W. Lachenmeier e J. Rehm, Comparative risk assessment of alcohol, tobacco, cannabis and other illicit drugs using the margin of exposure approach, *Scientific Reports*. 2015; 5:8126.doi:10.1038/srep08126.
5. David Baumeister, Georgina Barnes, Giovanni Giaroli e Derek Tracy, "Classical Hallucinogens as Antidepressants? A Review of Pharmacodynamics and Putative Clinical Roles", *Therapeutic Advances in Psychopharmacology* 4, n° 4 (agosto de 2014): 156–69; https://www.ncbi.nlm.nih.gov/pmc/articles/PMC4104707/. Briony J. Catlow, Shijie Song, Daniel A. Paredes, et. al, "Effects of Psilocybin on Hippocampal Neurogenesis and Extinction of Trace Fear Conditioning", *Experimental Brain Research* 228, n° 4 (agosto de 2013): 481–91; https://link.springer.com/article/10.1007/s00221-013-3579-0.
6. David A. Martin, Danuta Marona-Lewicka, David E. Nichols e Charles D. Nichols, "Chronic LSD Alters Gene Expression Profiles in the mPFC Relevant to Schizophrenia", *Neuropharmacology* 83 (agosto de 2014): 1–8; https://www.sciencedirect.com/science/article/pii/S0028390814001087?via%3Dihub.
7. Peter Gasser, Katharina Kirchner e Torsten Passle, "LSD-Assisted Psychotherapy for Anxiety Associated with a Life-Threatening Disease: A Qualitative Study of Acute and Sustained Subjective Effects", *Journal of Psychopharmacology* 29, n° 1 (1° de janeiro de 2015): 57–68; http://www.maps.org/research-archive/lsd/Gasser2014--JOP-LSD-assisted-psychotherapy-followup.pdf. Peter Gasser, Dominique Holstein, Yvonne Michel, et. al, "Safety and Efficacy of Lysergic Acid Diethylamide-Assisted Psychotherapy for Anxiety Associated with Life-Threatening Diseases", *The Journal of Nervous and Mental Disease* 202, n° 7 (julho de 2014): 513–520; http://www.ncbi.nlm.nih.gov/pmc/articles/PMC4086777/.
8. Teri S. Krebs e Pål-Ørjan Johansen, "Lysergic Acid Diethylamide (LSD) for Alcoholism: Meta-analysis of Randomized Controlled Trials", *Journal of Psychopharmacology* 26, n° 7 (1° de julho de 2012): 994–1002; http://jop.sagepub.com/content/26/7/994.
9. R. Andrew Sewell, John H. Halpern e Harrison G. Pope Jr., "Response of Cluster Headache to Psilocybin and LSD", *Neurology* 77 (junho de 2006): 1920–22; http://www.maps.org/research-archive/w3pb/2006/2006_Sewell_22779_1.pdf.
10. Tania Reyes-Izquierdo, Ruby Argumedo, Cynthia Shu, et. al, "Stimulatory Effect of Whole Coffee Fruit Concentrate Powder on Plasma Levels of Total and Exosomal Brain-Derived Neurotrophic Factor in Healthy Subjects: An Acute Within-Subject Clinical Study", *Food and Nutrition Sciences* 4, n° 9 (setembro de 2013): 984–90; https://www.scirp.org/journal/PaperInformation.aspx?PaperID=36447.
11. M. P. Gimpl, I. Gormezano e J. A. Harvey, "Effects of LSD on Learning as Measured by Classical Conditioning of the Rabbit Nictating Membrane Response", *The Journal of Pharmacology and Experimental Therapeutics* 208, n° 2 (fevereiro de 1979): 330–34; http://jpet.aspetjournals.org/content/208/2/330.long.
12. Robert C. Spencer, David M. Devilbiss e Craig W. Berridge, "The Cognition-Enhancing Effects of Psychostimulants Involve Direct Action in the Prefrontal Cortex", *Biological Psychiatry* 77, n° 11 (15 de junho de 2015): 940–50; https://www.biologicalpsychiatryjournal.com/article/S0006-3223(14)007124/fulltext.

13. Kenta Kimura, Makoto Ozeki, Lekh Raj Juneja e Hideki Ohira, "l-Theanine Reduces Psychological and Physiological Stress Responses", *Biological Psychology* 74, nº 1 (janeiro de 2007): 39–45; https://www.sciencedirect.com/science/article/pii/S0301051106001451?via%3Dihub.
14. Scott H. Kollins, "A Qualitative Review of Issues Arising in the Use of Psychostimulant Medications in Patients with ADHD and Comorbid Substance Use Disorders", *Current Medical Research and Opinion* 24 (1º de abril de 2008): 1345–57; https://www.tandfonline.com/doi/abs/10.1185/03007 9908X280707.
15. Irena P. Ilieva, Cayce J. Hook e Martha J. Farah, "Prescription Stimulants' Effects on Healthy Inhibitory Control, Working Memory, and Episodic Memory: A Meta-analysis", *Journal of Cognitive Neuroscience* 27, nº 6. (junho de 2015): 1069–89; https://www.mitpressjournals.org/doi/abs/10.1162/jocn_a_00776?url_ver=Z39.88--2003&rfr_id=ori%3Arid%3Acrossref.org &rfr_dat=cr_pub%3Dpubmed.
16. Anna C. Nobre, Anling Rao e Gail N. Owen, "L-Theanine, a Natural Constituent in Tea, and Its Effect on Mental State", *Asia Pacific Journal of Clinical Nutrition* 17 supl. 1 (2008): 167–68; http://apjcn.nhri.org.tw/server/APJCN/17%20Suppl%201//167.pdf.
17. "Review of 'Smart Drug' Shows Modafinil Does Enhance Cognition", Universidade de Oxford, 20 de agosto de 2015; http://www.ox.ac.uk/news/2015-08-20-review--%E2%80%98smart-drug%E2%80%99-shows-modafinil-does-enhance-cognition.
18. Jared W. Young, "Dopamine D1 and D2 Receptor Family Contributions to Modafinil--Induced Wakefulness", *The Journal of Neuroscience* 29, nº 9 (4 de março de 2009): 2663–65, http://www.jneurosci.org/content/29/9/2663.
19. Oliver Tucha e Klaus W. Lange, "Effects of Nicotine Chewing Gum on a Real-Life Motor Task: A Kinematic Analysis of Handwriting Movements in Smokers and Non-smokers", *Psychopharmacology* 173, nº 1–2 (abril de 2004): 49–56; https://link.springer.com/article/10.1007%2Fs00213 -003-1690-9. R. J. West e M. J. Jarvis, "Effects of Nicotine on Finger Tapping Rate in Non-smokers", *Pharmacology Biochemistry and Behavior* 25, nº 4 (outubro de 1986): 727–31; https://www.sciencedirect.com/science/article/pii/0091305786903771?via%3Dihub.
20. Sarah Phillips e Pauline Fox, "An Investigation into the Effects of Nicotine Gum on Short-Term Memory", *Psychopharmacology* 140, nº 4 (dezembro de 1998): 429–33; https://link.springer.com/article/10.1007%2Fs002130050786. F. Joseph McClernon, David G. Gilbert e Robert Radtke, "Effects of Transdermal Nicotine on Lateralized Identification and Memory Interference", *Human Psychopharmacology: Clinical and Experimental* 18, nº 5 (julho de 2003): 339–43; https://onlinelibrary.wiley.com/doi/abs/10.1002/hup.488. D. V. Poltavski e T. Petros, "Effects of Transdermal Nicotine on Prose Memory and Attention in Smokers and Nonsmokers", *Physiology & Behavior* 83, nº 5 (17 de janeiro de 2005): 833–43; https://www.sciencedirect.com/science/article/abs/pii/S00319384040 04548.
21. Johatnan Foulds, John Stapleton, John Swettenham, et. al, "Cognitive Performance Effects of Subcutaneous Nicotine in Smokers and Never-Smokers", *Psychopharmacology* 127 (1996): 31–38; https://www.gwern.net/docs/nicotine/1996-foulds.pdf.

22. William K. K. Wu e Chi Hin Cho, "The Pharmacological Actions of Nicotine on the Gastrointestinal Tract", *Journal of Pharmacological Sciences* 94 (2004): 348–58; https://www.jstage.jst.go.jp/article/jphs/94/4/94_4_348/_pdf. Rebecca Davis, Wasia Rizwani, Sarmistha Banerjee, et. al, "Nicotine Promotes Tumor Growth and Metastasis in Mouse Models of Lung Cancer", *PLOS One* 4, nº 10 (outubro de 2009); https://www.ncbi.nlm.nih.gov/pmc/articles/PMC2759510/pdf/pone.0007524.pdf; Helen Pui Shan Wong, Le Yu, Emily Kai Yee Lam, et. al, "Nicotine Promotes Colon Tumor Growth and Angiogenesis through β-Adrenergic Activation", *Toxological Sciences* 97, nº 2 (1º de junho de 2007): 279–87; http://toxsci.oxfordjournals.org/content/97/2/279.html.
23. Katherine S. Pollard, Sofie R. Salama, Nelle Lambert, et. al, "An RNA Gene Expressed During Cortical Development Evolved Rapidly in Humans", *Nature* 443, nº 7108 (14 de setembro de 2006): 167–72; https://www.nature.com/articles/nature05113.
24. Segundo Teresa Valero, "Mitochondrial Biogenesis: Pharmacological Approaches", *Current Pharmaceutical Design* 20, nº 35 (2009): 5507–09; http://www.eurekaselect.com/124512/article, "A biogênese mitocondrial é, portanto, definida como o processo através do qual as células aumentam sua massa mitocondrial individual. (...) Este trabalho examina estratégias diferentes para aumentar a bioenergética mitocondrial para melhorar o processo degenerativo, com ênfase em relatórios de testes clínicos que indicam seu potencial. Entre eles a creatina, a coenzima Q10 e antioxidantes/peptídeos dirigidos às mitocôndrias têm, segundo relato, os efeitos mais impressionantes em testes clínicos." Segundo Fabian Sanchis-Gomar, Jose Luis García-Giménez, Mari Carmen Gómez-Cabrera e Federico V. Pallardó, "Mitochondrial Biogenesis in Health and Disease. Molecular and Therapeutic Approaches", *Current Pharmaceutical Design* 20, nº. 35 (2009): 5619–33; http://www.eurekaselect.com/120757/article: "A biogênese mitocondrial é o mecanismo essencial através do qual as células controlam o número de mitocôndrias". Ver também Gerald W. Dorn, Rick B. Vega e Daniel P. Kelly, "Mitochondrial Biogenesis and Dynamics in the Developing and Diseased Heart", *Genes & Development* 29 (2015): 1981–91; http://genesdev.cshlp.org/content/29/19/1981.long.
25. Florian Koppelstaetter, Christian Michael Siedentopf, Thorsten Poeppel, et. al, "Influence of Caffeine Excess on Activation Patterns in Verbal Working Memory", pôster científico, encontro anual da RSNA em 2005, Chicago, Illinois, 1º de dezembro de 2005; http://archive.rsna.org/2005/4418422.html.
26. Flávia de L. Osório, Rafael F. Sanches, Ligia R. Macedo, et. al, "Antidepressant Effects of a Single Dose of Ayahuasca in Patients with Recurrent Depression: A Preliminary Report", *Revista Brasileira de Psiquiatria* 37, nº 1 (janeiro–Março de 2015): 13–20; http://www.scielo.br/scielo.php?script=sci_arttext&pid=S1516--44462015000100013&lng=en&nrm=iso.
27. Gerald Thomas, Philippe Lucas, N. Rielle Capler, et. al, "Ayahuasca-Assisted Therapy for Addiction: Results from a Preliminary Observational Study in Canada", *Current Drug Abuse Reviews* 6, nº 1 (março de 2013): 30–42; http:// www.maps.org/research-archive/ayahuasca/Thomas_et_al_CDAR.pdf.

28. James C. Callaway, Mauno M. Airaksinen, Dennis J. McKenna, et. al, "Platelet Serotonin Uptake Sites Increased in Drinkers of Ayahuasca", *Psychopharmacology* 116, nº 3 (novembro de 1994): 385–87; https://link.springer.com/article/10.1007/BF02245347.
29. Ibid.

CAPÍTULO 4: DETENHA O MEDO

1. M. C. Brower e B. H. Price, "Neuropsychiatry of Frontal Lobe Dysfunction in Violent and Criminal Behaviour: A Critical Review", *Journal of Neurology, Neurosurgery, & Psychiatry* 71, nº 6 (2001): 720–26; http:// jnnp.bmj.com/content/jnnp/71/6/720.full.pdf.

CAPÍTULO 5: ATÉ O BATMAN TEM UMA BATCAVERNA

1. Aaron Lerner, Patricia Jeremias e Torsten Matthias, "The World Incidence and Prevalence of Autoimmune Diseases Is Increasing", *International Journal of Celiac Disease* 3, nº 5 (2015): 151–55; http://pubs.sciepub.com/ijcd/3/4/8/.

CAPÍTULO 6: O SEXO É UM ESTADO ALTERADO

1. Ed Yong, "Shedding Light on Sex and Violence in the Brain", *Discover*, 9 de fevereiro de 2011; http://blogs.discovermagazine.com/notrocketscience/2011/02/09/shedding-light-on-sex-and-violence-in-the-brain/#.WgSzGYZrw6g.
2. Eliana Dockterman, "World Cup: The Crazy Rules Some Teams Have About Pre-Game Sex", *Time*, 18 de junho de 2014; http://time.com/2894263/world-cup-sex-soccer/.
3. Madeline Vann, "1 in 4 Men over 30 Has Low Testosterone", *ABC News*, 13 de setembro de 2007; http://abcnews.go.com/Health/Healthday/story?id=4508669&page=1.
4. Tillmann H. C. Krüger, Uwe Hartmann e Manfred Schedlowski, "Prolactinergic and Dopaminergic Mechanisms Underlying Sexual Arousal and Orgasm in Humans", *World Journal of Urology* 23, nº 2 (julho de 2005): 130–38; https://link.springer.com/article/10.1007%2Fs00345-004-0496-7.
5. Michael S. Exton, Tillman H. C. Krüger, Norbert Bursch, et. al, "Endocrine Response to Masturbation-Induced Orgasm in Healthy Men Following a 3-Week Sexual Abstinence", *World Journal of Urology* 19, nº 5 (novembro de 2001): 377–82; https://link.springer.com/article/10.1007/s003450100222.
6. James M. Dabbs Jr. e Suzanne Mohammed, "Male and Female Salivary Testosterone Concentrations Before and After Sexual Activity", *Physiology & Behavior* 52, nº 1 (julho de 1992): 195–97; https://www.sciencedirect.com/science/article/abs/pii/0031938492904539.
7. Umit Sayin, "Altered States of Consciousness Occurring During Expanded Sexual Response in the Human Female: Preliminary Definitions", *NeuroQuantology* 9, nº 4 (dezembro de 2011); https://www.neuroquantology.com/index.php/journal/article/view/486.

8. Sari M. Van Anders, Lori Brotto, Janine Farrell e Morag Yule, "Associations Among Physiological and Subjective Sexual Response, Sexual Desire, and Salivary Steroid Hormones in Healthy Premenopausal Women", *The Journal of Sexual Medicine* 6, n° 3 (março de 2009): 739–51; https://www.jsm.jsexmed.org/article/S1743-6095(15)32435-8/fulltext.
9. Navneet Magon e Sanjay Kalra, "The Orgasmic History of Oxytocin: Love, Lust, and Labor", *Indian Journal of Endocrinology and Metabolism* 15 supl. 3 (setembro de 2011): S156–61; https://www.ncbi.nlm.nih.gov/pmc/articles/PMC3183515/.
10. Margaret M. McCarthy, "Estrogen Modulation of Oxytocin and Its Relation to Behavior", *Advances in Experimental Medicine and Biology* 395 (1995): 235–45; https://www.researchgate.net/publication/14488327_Estrogen_modulation_of_oxytocin_and_its_relation_to_behavior.
11. Cindy M. Meston e Penny F. Frolich, "Update on Female Sexual Function", *Current Opinion in Urology* 11, n° 6 (novembro de 2001): 603–09; https://journals.lww.com/co-urology/pages/articleviewer.aspx?year=2001&issue=11000&article=00008&type=abstract.
12. Universidade Case Western Reserve, "Empathy Represses Analytic Thought, and Vice Versa: Brain Physiology Limits Simultaneous Use of Both Networks", *ScienceDaily*, 30 de outubro de 2012, https://www.sciencedaily.com/releases/2012/10/121030161416.htm.
13. Daniel L. Hilton, Jr., "Pornography Addiction – A Supranormal Stimulus Considered in the Context of Neuroplasticity", *Socioaffective Neuroscience & Psychology* 3 (19 de julho de 2013); https://www.ncbi.nlm.nih.gov/pmc/articles /PMC3960020/.
14. Aline Wéry e J. Billieux, "Online Sexual Activities: An Exploratory Study of Problematic and Non-problematic Usage Patterns in a Sample of Men", *Computers in Human Behavior* 56 (março de 2016): 257–66; http://www.sciencedirect.com/science/article/pii/S0747563215302612.
15. Simone Kühn e Jürgen Gallinat, "Brain Structure and Functional Connectivity Associated with Pornography Consumption: The Brain on Porn", *JAMA Psychiatry* 71, n° 7 (2014): 827–34; https://jamanetwork.com /journals/jamapsychiatry/fullarticle/1874574.
16. Valerie Voon, Thomas B. Mole, Paula Banca, et. al, "Neural Correlates of Sexual Cue Reactivity in Individuals with and Without Compulsive Sexual Behaviours", *PLOS One*, 11 de julho de 2014; http://journals.plos.org/plosone/article?id=10.1371/journal.pone.0102419.
17. Norman Doidge, "Brain Scans of Porn Addicts: What's Wrong with This Picture?", *The Guardian*, 26 de setembro de 2013; https://www.theguardian.com/commentisfree/2013/sep/26/brain-scans-porn-addicts-sexual-tastes.

CAPÍTULO 7: ENCONTRE SEU ESPÍRITO ANIMAL NOTURNO

1. Scott LaFee, "Woman's Study Finds Longevity Means Getting Just Enough Sleep", UC San Diego, 30 de setembro de 2010; http://ucsdnews.ucsd.edu/archive/newsrel/health/09-30sleep.asp.

2. R. J. Reiter, "The Melatonin Rhythm: Both a Clock and a Calendar", *Experientia* 49, n° 8 (agosto de 1993): 654–64; https://link.springer.com/article/10.1007/BF01923947.
3. Toru Takumi, Kouji Taguchi, Shigeru Miyake, et. al, "A Light-Independent Oscillatory Gene mPer3 in Mouse NSQ and OVLT", *The EMBO Journal* 17, n° 16 (17 de agosto de 1998): 4753–59; http://emboj.embopress.org/content /17/16/4753.long.
4. Ariel Van Brummelen, "How Blind People Detect Light", *Scientific American*, 1° de maio de 2014; https://www.scientificamerican.com/article/how-blind -people--detect-light/.
5. Micha T. Maeder, Otto D. Schoch e Hans Rickli, "A Clinical Approach to Obstructive Sleep Apnea as a Risk Factor for Cardiovascular Disease", *Vascular Health and Risk Management* 12 (2016): 85–103; https://www.dovepress.com/a-clinical--approach-to-obstructive-sleep-apnea-as-a-risk-factor-for-ca-peer-reviewed-article--VHRM.
6. Michael Tetley, "Instinctive Sleeping and Resting Postures: An Anthropological and Zoological Approach to Treatment of Low Back and Joint Pain", *The British Medical Journal* 321, n° 7276 (23 de dezembro de 2000): 1616–18; https://www.bmj.com/content/321/7276/1616.long.
7. Sydney Ross Singer, "Rest in Peace: How the Way You Sleep Can Be Killing You", Academia.edu, 1° de fevereiro de 2015; http://www.academia.edu/10739979/Rest_in_Peace_How_the_way_you_sleep_can_be_killing_you.

CAPÍTULO 8: ATIRE UMA PEDRA NO COELHO, NÃO CORRA ATRÁS DELE

1. Liana S. Rosenthal e E. Ray Dorsey, "The Benefits of Exercise in Parkinson Disease", *JAMA Neurology* 70, n° 2 (fevereiro de 2013): 156–57; https://jamanetwork.com/journals/jamaneurology/article-abstract/1389387.
2. Hayriye Çakir-Atabek, Süleyman Demir, Raziye D. Pinarbaşili e Nihat Gündüz, "Effects of Different Resistance Training Intensity on Indices of Oxidative Stress", *Journal of Strength and Conditioning Research* 24, n° 9 (setembro de 2010): 2491–98; https://insights.ovid.com/pubmed?pmid=20802287.
3. Ebrahim A. Shojaei, Adalat Farajov e Afshar Jafari, "Effect of Moderate Aerobic Cycling on Some Systemic Inflammatory Markers in Healthy Active Collegiate Men", *International Journal of General Medicine* 4 (24 de janeiro de 2011): 79–84; https://www.dovepress.com/effect-of-moderate-aerobic-cycling-on-some-systemic--inflammatory-marke-peer-reviewed-article -IJGM.
4. Bharat B. Aggarwal, Shishir Shishodia, Santosh K. Sandur, et. al, "Inflammation and Cancer: How Hot Is the Link?", *Biochemical Pharmacology* 72, n° 11 (30 de novembro de 2006): 1605–21; https://www.sciencedirect.com/science/article/abs/pii/S0006295206003893. Dario Giugliano, Antonio Ceriello e Katherine Esposito, "The Effects of Diet on Inflammation: Emphasis on the Metabolic Syndrome", *Journal of the American College of Cardiology* 48, n° 4 (15 de agosto de 2006): 677–85; https://www.science direct.com/science/article/pii/S0735109706013350?via%3Dihub.
5. Farnaz Seifi-skishahr, Arsalan Damirchi, Manoochehr Farjaminezhad e Parvin Babaei, "Physical Training Status Determines Oxidative Stress and Redox Changes in

Response to an Acute Aerobic Exercise", *Biochemistry Research International* 2016, 9 páginas; https://www.hindawi.com/journals/bri/2016/3757623/.
6. Lanay M. Mudd, Willa Fornetti e James M. Pivarnik, "Bone Mineral Density in Collegiate Female Athletes: Comparisons Among Sports", *Journal of Athletic Training* 42, nº 3 (julho-setembro de 2007): 403–08; https://www.ncbi.nlm.nih.gov/pmc/articles/PMC1978462/.
7. "Preserve Your Muscle Mass", *Harvard Men's Health Watch*, fevereiro de 2016; https://www.health.harvard.edu/staying-healthy/preserve-your-muscle-mass.

CAPÍTULO 9: VOCÊ É O QUE VOCÊ COME

1. Begoña Cerdá, Margarita Pérez, Jennifer D. Pérez-Santiago, et. al, "Gut Microbiota Modification: Another Piece in the Puzzle of the Benefits of Physical Exercise in Health?", *Frontiers in Physiology* 7 (18 de fevereiro de 2016): 51. https://www.frontiersin.org/articles/10.3389/fphys.2016.00051/full.
2. Mehrbod Estaki, Jason Pither, Peter Baumeister, et. al, "Cardiorespiratory Fitness as a Predictor of Intestinal Microbial Diversity and Distinct Metagenomic Functions", *Microbiome* 4 (2016): 42; https://microbiomejournal.biomedcentral.com/articles/10.1186/s40168-016-0189-7.
3. Tian-Xing Liu, Hai-Tao Niu e Shu-Yang Zhang, "Intestinal Microbiota Metabolism and Atherosclerosis", *Chinese Medical Journal* 128, nº 20 (2015): 2805–11; http://www.cmj.org/article.asp?issn=0366-6999;year=2015;volume=128;issue=20;spage=2805;epage=2811;aulast=Liu.

CAPÍTULO 10: O FUTURO DE HACKEAR A SI MESMO É AGORA

1. "Temperature Rhythms Keep Body Clocks in Sync", *ScienceDaily*, 15 de outubro de 2010; https://www.sciencedaily.com/releases/2010/10/101014144314.htm.

CAPÍTULO 11: FICAR RICO NÃO VAI DEIXÁ-LO FELIZ, MAS SER FELIZ PODE DEIXÁ-LO RICO

1. Daniel Kahneman e Angus Deaton, "High income improves evaluation of life but not emotional well-being", *Proceedings of the National Academy of Sciences of the United States of America* 107, nº 38 (21 de setembro de 2010): 16489–93; http://www.pnas.org/content/107/38/16489.
2. Shawn Achor, "Positive Intelligence", *Harvard Business Review*, janeiro-fevereiro de 2012; https://hbr.org/2012/01/positive-intelligence. Sonja Lyubomirsky, Laura King e Ed Diener, "The Benefits of Frequent Positive Affect: Does Happiness Lead to Success?", *Psychological Bulletin* 131, nº 6 (novembro de 2005): 803–55; https://www.apa.org/pubs/journals/releases/bul-1316803.pdf.
3. Michael Como, "Do Happier People Make More Money? An Empirical Study of the Effect of a Person's Happiness on Their Income", *The Park Place Economist* 19, nº 1 (2011); https://www.iwu.edu/economics/PPE19/1Como.pdf.

CAPÍTULO 12: SUA COMUNIDADE É SEU AMBIENTE

1. "Genes Play a Role in Empathy", *ScienceDaily*, 12 de março de 2018; https://www.sciencedaily.com/releases/2018/03/180312085124.htm.
2. Mackenzie Hepker, "Effect of Oxytocin Administration on Mirror Neuron Activation", *Sound Ideas*, Universidade de Puget Sound, verão de 2013; https://soundideas.pugetsound.edu/cgi/viewcontent.cgi?article=1267&context=summer_research.
3. Kathy Caprino, "Is Empathy Dead? How Your Lack of Empathy Damages Your Reputation and Impact as a Leader", *Forbes*, 8 de junho de 2016; https://www.forbes.com/sites/kathycaprino/2016/06/08/is-empathy-dead-how-your-lack-of-empathy--damages-your-reputation-and-impact-as-a-leader/#429c3d353167.
4. James H. Fowler e Nicholas A. Christakis, "Dynamic Spread of Happiness in a Large Social Network: Longitudinal Analysis over 20 Years in the Framingham Heart Study", *The British Medical Journal* 337 (4 de dezembro de 2008): a2338; https://www.bmj.com/content/337/bmj.a2338.
5. Ed Diener e Martin E. P. Seligman, "Very Happy People", *Psychological Science* 13, nº 1 (1º de janeiro de 2002): 81–84; http://journals.sagepub.com/doi/abs/10.1111/1467-9280.00415#articleCitationDownloadContainer.
6. "Are We Happy Yet?", Centro de Pesquisas Pew, 13 de fevereiro de 2006; http://www.pewsocialtrends.org/2006/02/13/are-we-happy-yet/.

CAPÍTULO 13: REINICIE SUA PROGRAMAÇÃO

1. Michael A. Tansey, "Wechsler (WISC-R) Changes Following Treatment of Learning Disabilities via EEG Biofeedback Training in a Private Practice Setting", *Australian Journal of Psychology* 43, nº 3 (dezembro de 1991): 147–53; https://onlinelibrary.wiley.com/doi/abs/10.1080/00049539108260139, relatou melhorias com uma média de 19,75 pontos na escala de QI WISC-R na pontuação de 24 crianças com "deficiências neurológicas ou de percepção ou transtorno de déficit de atenção". Usando uma lista de espera de tarefas projetada para controle, Michael Linden, Thomas Habib e Vesna Radojevic, "A Controlled Study of the Effects of EEG Biofeedback on Cognition and Behavior of Children with Attention Deficit Disorder and Learning Disabilities", *Biofeedback and Self-regulation* 21, nº 1 (março de 1996): 35–49; https://link.springer.com/article/10.1007/BF02214148 relataram que os 18 participantes que receberam feedback de eletroencefalograma mostraram um ganho estatístico significativo de 9 pontos no composto de QI K-Bit. Joel F. Lubar, Michie Odle Swartwood, Jeffery N. Swartwood e Phyllis H. O'Donnell, "Evaluation of the Effectiveness of EEG Neurofeedback Training for ADHD in a Clinical Setting as Measured by Changes in T.O.V.A. Scores, Behavioral Ratings, and WISC-R Performance", *Biofeedback and Self-regulation* 20, nº 1 (março de 1995): 83–99; https://link.springer.com/article/10.1007/BF01712768, relataram ganhos de 9,7 pontos de média para 23 crianças. Siegfried Othmer, Susan F. Othmer e David A. Kaiser, "EEG Biofeedback: Training for AD/HD and Related Disruptive Behavior Disorders", em *Understanding, Diagnosing, and Treating AD/HD in Children and Adolescents*, ed. James A. Incorvaia, Bonnie S. Mark-Goldstein e Donald Tessmer (Northvale, Nova

Jersey, EUA: Aronson, 1999), 235–96, relataram um ganho médio de 23,5 pontos com uma amostra de 15 crianças. L. Thompson e M. Thompson, "Neurofeedback Combined with Training in Metacognitive Strategies: Effectiveness in Students with ADD", *Applied Psychophysiology and Biofeedback* 23, n°. 4 (dezembro de 1998): 243–63; https://link.springer.com/article/10.1023%2FA%3A1022213731956, relataram que 98 crianças ganharam uma média de 12 pontos. Thomas Fuchs, Niels Birbaumer, Werner Lutzenberger, et. al, "Neurofeedback Treatment for Attention--Deficit/ Hyperactivity Disorder in Children: A Comparison with Methylphenidate", *Applied Psychophysiology and Biofeedback* 28, n° 1 (março de 2003): 1–12; https://link.springer.com/article/10.1023/A:1022353731579, relataram uma melhora de apenas 4 pontos em um estudo com 22 crianças. Ver também Joel F. Lubar, "Neurofeedback for the Management of Attention-Deficit/Hyperactivity Disorders", em *Biofeedback: A Practitioner's Guide*, 2ª edição, ed. Mark S. Schwartz (Nova York, EUA: Guilford, 1995), 493–522. Vincent J. Monastra, Donna M. Monastra e Susan George, "The Effects of Stimulant Therapy, EEG Biofeedback, and Parenting Style on the Primary Symptoms of Attention-Deficit/Hyperactivity Disorder", *Applied Psychophysiology and Biofeedback* 27, n° 4 (dezembro de 2002): 231–49; https://link.springer.com/article/10.1023/A:1021018700609. John K. Nash, "Treatment of Attention Deficit Hyperactivity Disorder with Neurotherapy", *Clinical Electroencephalography* 31, n° 1 (janeiro de 2000): 30–37; http://journals.sagepub.com/doi/pdf/10.1177/155005940003100109. Siegfried Othmer, Susan F. Othmer e Clifford S. Marks, "EEG Biofeedback Training for Attention Deficit Disorder, Specific Learning Disabilities, and Associated Conduct Problems", janeiro de 1992; https://www.researchgate.net/publication/252060569_EEG_Biofeedback_Training_for_Attention_Deficit_Disorder_Specific_Learning_Disabilities_and_Associated_Conduct _Problems.

CAPÍTULO 14: SUJE-SE SOB O SOL

1. Laken C. Woods, Gregory W. Berbusse e Kari Naylor, "Microtubules Are Essential for Mitochondrial Dynamics – Fission, Fusion, and Motility – in *Dictyostelium discoideum*", *Frontiers in Cell and Developmental Biology* 4 (2016): 19; https://www.ncbi.nlm.nih.gov/pmc/articles/PMC4801864/.
2. Hidemasa Torii, Toshihide Kurihara, Yuko Seko, et. al, "Violet Light Exposure Can Be a Preventive Strategy Against Myopia Progression", *EBioMedicine* 15 (2017): 210–19; https://www.ebiomedicine.com/article/S2352-3964(16)30586-2/fulltext.
3. S. C. Gominak e W. E. Stumpf, "The World Epidemic of Sleep Disorders Is Linked to Vitamin D Deficiency", *Medical Hypotheses* 79, n° 2 (agosto de 2012): 132–35; https://www.medical-hypotheses.com/article/S03 06-9877(12)00150-8/fulltext.
4. Sherri Melrose, "Seasonal Affective Disorder: An Overview of Assessment and Treatment Approaches", *Depression Research and Treatment*, 2015, 6 páginas; https://www.hindawi.com/journals/drt/2015/178564/.
5. Raymond W. Lam, Anthony J. Levitt, Robert D. Levitan, et. al, "The CanSAD Study: A Randomized Controlled Trial of the Effectiveness of Light Therapy and Fluoxetine in Patients With Winter Seasonal Affective Disorder", *The American*

Journal of Psychiatry 163, n° 5 (maio de 2006): 805–12; https://ajp.psychiatryonline.org/doi/abs/10.1176/ajp.2006.163.5.805.
6. Sokichi Sakuragi e Yoshiki Sugiyama, "Effects of Daily Walking on Subjective Symptoms, Mood and Autonomic Nervous Function", *Journal of Physiological Anthropology* 25, n° 4 (2006): 281–89; https://www.jstage.jst.go.jp/article/jpa2/25/4/25_4_281/_article.
7. Ibid.
8. Marc G. Berman, Ethan Kross, Katherine M. Krpan, et. al, "Interacting with Nature Improves Cognition and Affect for Individuals with Depression", *Journal of Affective Disorders* 140, n° 3 (novembro de 2012): 300–05; http://www.natureandforesttherapy.org/uploads/8/1/4/4/8144400/nature_improves_mood_and_cognition_in_depressive_patients.pdf.

CAPÍTULO 15: USE A GRATIDÃO PARA REPROGRAMAR SEU CÉREBRO

1. Stephen W. Porges, "The Polyvagal Theory: New Insights into Adaptive Reactions of the Autonomic Nervous System", *Cleveland Clinic Journal of Medicine* 76 supl. 2 (2009): S86–90; https://www.ncbi.nlm.nih.gov/pmc/articles/PMC3108032/.

SOBRE O AUTOR

Dave Asprey é um empreendedor tecnológico do Vale do Silício, biohacker profissional, autor best-seller do *New York Times* com *Head Strong* e *The Bulletproof Diet*, criador do café Bulletproof e anfitrião do *Bulletproof Radio*, vencedor do Webby Award e podcast número um no ranking. Ele vive em Victoria, British Columbia, e Seattle, Washington.

Este livro foi impresso em 2019,
pela Santa Marta, para a HarperCollins Brasil.
O papel do miolo é avena 80g/m², e o da capa é cartão
250g/m².